NIVEAU B2
SICHER!

DEUTSCH ALS FREMDSPRACHE
KURSBUCH
LEKTION 1–12

Michaela Perlmann-Balme
Susanne Schwalb

Hueber Verlag

Für die hilfreichen Hinweise danken wir:

Marija Francetić, Zagreb; Anja Geisler, Aranjuez; Tünde Salakta, Budapest;
Ludwig Hoffmann, Birgit Kneiert, Frankfurt/Main; Lukas Mayrhofer, Wien

| 6. 5. 4. | Die letzten Ziffern |
| 2023 22 21 20 19 | bezeichnen Zahl und Jahr des Druckes. |

Alle Drucke dieser Auflage können, da unverändert,
nebeneinander benutzt werden.
1. Auflage
© 2014 Hueber Verlag GmbH & Co. KG, München, Deutschland
Redaktion: Juliane Wolpert; Karin Ritter; Isabel Krämer-Kienle, Hueber Verlag, München
Umschlaggestaltung, Layout und Satz: Sieveking · Agentur für Kommunikation, München
Druck und Bindung: Passavia Druckservice GmbH & Co. KG, Passau
Printed in Germany
ISBN 978–3–19–001207–7

Art. 530_10413_001_04

Verweise und Piktogramme im Kursbuch

Dieses Symbol verweist auf einen Hörtext auf den Kursbuch-CDs aus dem Medienpaket (ISBN: 978-3-19-101207-6), hier auf CD 1, Track 6.

Dieses Symbol verweist auf einen Film(abschnitt) auf den DVDs aus dem Medienpaket (ISBN: 978-3-19-101207-6), hier auf DVD 1, Clip 4.

→ AB 13/Ü9

Solch ein Hinweis neben den Aufgaben im Kursbuch verweist auf eine dazugehörige Übung im Arbeitsbuch, hier auf Seite AB 13, Übung 9.

GRAMMATIK

Übersicht → S. 52/1

Solch ein Hinweis führt Sie zur Grammatik-Übersichtsseite am Ende der Lektion, hier auf Seite 52, Abschnitt 1.

← S. 43/3

Solch ein Hinweis auf den Grammatik-Übersichtsseiten verweist auf die Seite und Aufgabe im Kursbuch, auf / in der das Thema behandelt wird, hier auf Seite 43, Aufgabe 3.

INHALT KURSBUCH

LEKTION 1	FREUNDE	13—24
EINSTIEGSSEITE	Kennenlernspiel	13
SPRECHEN 1	Über Freundschaften sprechen	14
LESEN	Zeitungsartikel: Die Freunde	
	der Freunde	16
HÖREN	Interaktives Radio: Freundschaften	18
WORTSCHATZ	Lebensalter, Freundschaft, Liebe	20
SPRECHEN 2	Präsentation: Ungewöhnliche	
	Freundschaften	21
SCHREIBEN	Grußkarten	22
SEHEN UND HÖREN	Animationsfilm: Annie & Boo	23
GRAMMATIK	Zweiteilige Konnektoren;	
	Mittelfeld im Hauptsatz;	
	Wortbildung: Nachsilben bei Nomen	24

LEKTION 2	IN DER FIRMA	25—38
EINSTIEGSSEITE	Über Tagesabläufe sprechen	25
SPRECHEN 1	Meine Berufstätigkeit	26
WORTSCHATZ	Positionen und Tätigkeiten im Büro	28
HÖREN	Reportage: Entspannen am Arbeitsplatz	29
LESEN 1	Zeitungsartikel: Web-Guerillas	30
SCHREIBEN	Diskussionsbeitrag: Internetforum	32
LESEN 2	Kommentar: Kündigungsgründe	34
SEHEN UND HÖREN	Geschäftlich telefonieren	36
SPRECHEN 2	Telefonieren am Arbeitsplatz	37
GRAMMATIK	Zustandspassiv; *von* oder *durch* in	
	Passivsätzen; Wortbildung: Vorsilben	
	bei Nomen; Kausale Zusammenhänge;	
	Partizip I und II als Adjektive	38

LEKTION 3	MEDIEN	39—52
EINSTIEGSSEITE	Über Mediennutzung sprechen	39
SEHEN UND HÖREN 1	Foto-Reportage: Buch & Bohne	40
SCHREIBEN	Persönliche E-Mail	41
LESEN 1	Zeitungsartikel: Leseverhalten	42
WORTSCHATZ	Medienbranche	44
HÖREN	Filmkritiken im Radio; Telefonische	
	Ansage: Kinokarten bestellen	46
LESEN 2	Reportage: Tatort Kneipe	48
SPRECHEN	Projekt: Nachrichten präsentieren	50
SEHEN UND HÖREN 2	Filmtrailer: Kokowääh	51
GRAMMATIK	Verweiswörter im Text;	
	Wortbildung: Nachsilben bei Adjektiven;	
	Uneingeleitete *wenn*-Sätze;	
	dass-Sätze und ihre Entsprechungen	52

LEKTION 4	NACH DER SCHULE	53—64
EINSTIEGSSEITE	Quiz	53
LESEN	Angebote für Schulabgänger	54
HÖREN	Radiobeitrag: Work & Travel	57
SCHREIBEN	Blogbeitrag: Auslandsaufenthalt	58
SPRECHEN	Rollenspiel: Berufsmesse	60
WORTSCHATZ	Bewertungen mit Adverbien	62
SEHEN UND HÖREN	Filmporträt einer Theaterakademie	63
GRAMMATIK	Temporales ausdrücken; Temporale	
	Zusammenhänge; Wortbildung:	
	Nachsilbe *-weise* bei Adverbien	64

LEKTION 5	KÖRPERBEWUSSTSEIN	65—76
EINSTIEGSSEITE	Bildbeschreibung	65
LESEN 1	Blogbeiträge: Normale Frauen	
	als Models	66
HÖREN	Interview: Ein männliches Fotomodel	68
SPRECHEN	Rollenspiel: Beratungsgespräch	70
WORTSCHATZ	Redewendungen zum Thema Körper	71
LESEN 2	Fitness-Test	72
SCHREIBEN	Suchanzeige: Sportpartner	74
SEHEN UND HÖREN	Reportage: Zumba	75
GRAMMATIK	Das Verb *lassen*; Futur II —	
	Vermutungen; Verbverbindungen;	
	Wortbildung: Nominalisierung	
	von Verben mit Nomen/Adverbien	76

LEKTION 6	STÄDTE ERLEBEN	77—90
EINSTIEGSSEITE	Austausch zu Stadterkundungen	77
SEHEN UND HÖREN 1	Reportage: Stadtführer-App	78
LESEN 1	Werbeprospekt: Schweizer Städte	80
SCHREIBEN	Städtequiz	82
LESEN 2	Stadtporträt: Berliner Stadtteile	84
WORTSCHATZ	Infrastruktur, Interessantes	
	über Städte	86
SPRECHEN	Diskussion: Freizeitangebote	
	in der Stadt	88
SEHEN UND HÖREN 2	Interview: Eisbach-Surfer	89
GRAMMATIK	Bedeutungen des Konjunktiv II: irreale	
	Bedingungen, Wünsche und Vergleiche;	
	Adjektive mit Präpositionen	90

INHALT KURSBUCH

LEKTION 7	BEZIEHUNGEN	91–104
EINSTIEGSSEITE	Über Familienkonstellationen sprechen	91
HÖREN 1	Radioreportage: Patchwork-Familien	92
WORTSCHATZ	Beziehungs- und Lebensformen	94
LESEN 1	Roman-Auszug:	
	„Das Blütenstaubzimmer"	96
SCHREIBEN	Leserbrief	98
HÖREN 2	Paargespräche	99
LESEN 2	Zeitungsartikel: Fernbeziehungen	100
SPRECHEN	Bikulturelle Beziehungen	102
SEHEN UND HÖREN	Poetry Slam: Du baust einen Tisch	103
GRAMMATIK	Nomen mit Präposition; Indirekte Rede;	
	Generalisierende Relativsätze;	
	Vergleichssätze	104

LEKTION 8	ERNÄHRUNG	105–118
EINSTIEGSSEITE	Was essen wir und wie viel davon?	105
LESEN 1	Zeitungsartikel:	
	Vom Veganer bis zum Flexitarier	106
HÖREN	Nachricht auf dem	
	Anrufbeantworter: Kochkurse	108
SPRECHEN 1	Über regionale Gerichte berichten	109
WORTSCHATZ	Werbeslogans für Lebensmittel	110
SCHREIBEN	Beschwerdebrief	112
LESEN 2	Zeitungsartikel:	
	Umgang mit Lebensmitteln	114
SPRECHEN 2	Präsentation: Ein Projekt vorstellen	116
SEHEN UND HÖREN	Fernsehreportage: Containern	117
GRAMMATIK	Subjektive Bedeutung des Modalverbs	
	sollen; Wortbildung: Nominalisierung von	
	Verben; Konditionale Zusammenhänge;	
	Konzessive Zusammenhänge	118

LEKTION 9	AN DER UNI	119–132
EINSTIEGSSEITE	Über Studienwünsche sprechen	119
WORTSCHATZ	Studieren	120
LESEN	Infobroschüre:	
	Die Ruhr-Universität Bochum	122
SPRECHEN 1	Diskussion: Eine Uni auswählen	125
SCHREIBEN	Motivationsschreiben	126
HÖREN	Experten-Vortrag:	
	Wofür Studierende Geld brauchen	128
SPRECHEN 2	Erfahrungen austauschen	130
SEHEN UND HÖREN	Studentenfilm: Traumstudium?	131
GRAMMATIK	Konsekutive Zusammenhänge;	
	Feste Verbindung von Nomen mit	
	Verben; Wortbildung: Negation durch	
	Vor- und Nachsilben bei Adjektiven	132

LEKTION 10	SERVICE	133–144
EINSTIEGSSEITE	Deutschlern-Service gesucht!	133
WORTSCHATZ	Dienstleistungen	134
SPRECHEN	Einen Service anbieten	135
HÖREN 1	Gesprächsrunde: Schnäppchenjagd	136
LESEN 1	Zeitungsartikel: Auf dem Blumenfeld	138
SCHREIBEN	Textzusammenfassung	140
LESEN 2	Infoblatt: „Erklärbär-Abo"	141
HÖREN 2	Glosse: Prien	142
SEHEN UND HÖREN	Foto-Reportage: Vorlesestunde	143
GRAMMATIK	Alternativen zum Passiv;	
	Subjektlose Passivsätze	144

LEKTION 11	GESUNDHEIT	145–156
EINSTIEGSSEITE	Arztserien im Fernsehen	145
LESEN 1	Zeitungsartikel:	
	Arzt – Traumberuf oder Knochenjob?	146
HÖREN	Interview: Als Arzt im Ausland	147
WORTSCHATZ	Reiseapotheke	148
SPRECHEN 1	Rollenspiel: Gespräche beim Arzt	149
SCHREIBEN	Beitrag zu einem Internetforum	150
SPRECHEN 2	Alternative Heilmethoden	152
LESEN 2	Fachartikel: Alternative Heilmethoden	153
SEHEN UND HÖREN	Informationsfilm: Pflege tut gut	155
GRAMMATIK	Indefinitpronomen;	
	Modale Zusammenhänge	156

LEKTION 12	SPRACHE UND REGIONEN	157–170
EINSTIEGSSEITE	Über ein Foto sprechen	157
HÖREN 1	Radioreportage: „Das blaue Wunder"	158
SPRECHEN	Ein Reiseangebot präsentieren	160
WORTSCHATZ	Fremdwörter	162
LESEN	Fachartikel:	
	Regionale Varianten des Deutschen	164
SCHREIBEN	Stellungnahme	166
HÖREN 2	Deutsch als Amtssprache	168
SEHEN UND HÖREN	Der Bandwettbewerb „Plattsounds"	169
GRAMMATIK	Erweitertes Partizip; Adversativsätze;	
	Partizipien als Nomen; Wortbildung:	
	Fugenelement -s- bei Nomen	170

ANHANG		171
WICHTIGE REDEMITTEL/KOMMUNIKATION		172–181

KURSPROGRAMM

LEKTION	LESEN	HÖREN	SCHREIBEN
1 **FREUNDE** Seite 13–24	Zeitungsartikel: Die Freunde der Freunde **Seite 16**	Interaktives Radio: Freundschaften **Seite 18**	Grußkarten **Seite 22**
2 **IN DER FIRMA** Seite 25–38	1 Zeitungsartikel: Web-Guerillas **Seite 30** 2 Kommentar: Kündigungsgründe **Seite 34**	Reportage: Entspannen am Arbeitsplatz **Seite 29**	Diskussionsbeitrag: Internetforum **Seite 32**
3 **MEDIEN** Seite 39–52	1 Zeitungsartikel: Leseverhalten **Seite 42** 2 Reportage: Tatort Kneipe **Seite 48**	Filmkritiken im Radio; Telefonische Ansage: Kinokarten bestellen **Seite 46**	Persönliche E-Mail **Seite 41**
4 **NACH DER SCHULE** Seite 53–64	Angebote für Schulabgänger **Seite 54**	Radiobeitrag: Work & Travel **Seite 57**	Blogbeitrag: Auslandsaufenthalt **Seite 58**

KURSPROGRAMM

SPRECHEN	SEHEN UND HÖREN	WORTSCHATZ	GRAMMATIK
1 Über Freund-schaften sprechen **Seite 14** 2 Präsentation: Ungewöhnliche Freundschaften **Seite 21**	Animationsfilm: Annie & Boo **Seite 23**	Lebensalter, Freundschaft, Liebe **Seite 20**	Zweiteilige Konnektoren; Mittelfeld im Hauptsatz; Wortbildung: Nach-silben bei Nomen **Seite 24**
1 Meine Berufstätigkeit **Seite 26** 2 Telefonieren am Arbeitsplatz **Seite 37**	Geschäftlich telefonieren **Seite 36**	Positionen und Tätigkeiten im Büro **Seite 28**	Zustandspassiv; *von* oder *durch* in Passiv-sätzen; Wortbildung: Vorsilben bei Nomen; Kausale Zusammen-hänge; Partizip I und II als Adjektive **Seite 38**
Projekt: Nachrichten präsentieren **Seite 50**	1 Foto-Reportage: Buch & Bohne **Seite 40** 2 Filmtrailer: Kokowääh **Seite 51**	Medienbranche **Seite 44**	Verweiswörter im Text; Wortbildung: Nachsilben bei Adjektiven; Uneingeleitete *wenn*-Sätze; *dass*-Sätze und ihre Entsprechungen **Seite 52**
Rollenspiel: Berufsmesse **Seite 60**	Filmporträt einer Theaterakademie **Seite 63**	Bewertungen mit Adverbien **Seite 62**	Temporales ausdrücken; Temporale Zusammenhänge; Wortbildung: Nachsilbe -*weise* bei Adverbien **Seite 64**

KURSPROGRAMM

LEKTION	LESEN	HÖREN	SCHREIBEN
5 **KÖRPER-BEWUSST-SEIN** Seite 65–76	1 Blogbeiträge: Normale Frauen als Models **Seite 66** 2 Fitness-Test **Seite 72**	Interview: Ein männliches Fotomodel **Seite 68**	Suchanzeige: Sportpartner **Seite 74**
6 **STÄDTE ERLEBEN** Seite 77–90	1 Werbeprospekt: Schweizer Städte **Seite 80** 2 Stadtporträt: Berliner Stadtteile **Seite 84**		Städtequiz **Seite 82**
7 **BEZIE-HUNGEN** Seite 91–104	1 Roman-Auszug: „Das Blütenstaubzimmer" **Seite 96** 2 Zeitungsartikel: Fernbeziehungen **Seite 100**	1 Radioreportage: Patchwork-Familien **Seite 92** 2 Paargespräche **Seite 99**	Leserbrief **Seite 98**
8 **ERNÄHRUNG** Seite 105–118	1 Zeitungsartikel: Vom Veganer bis zum Flexitarier **Seite 106** 2 Zeitungsartikel: Umgang mit Lebensmitteln **Seite 114**	Nachricht auf dem Anrufbeantworter: Kochkurse **Seite 108**	Beschwerdebrief **Seite 112**

KURSPROGRAMM

SPRECHEN	SEHEN UND HÖREN	WORTSCHATZ	GRAMMATIK
Rollenspiel: Beratungsgespräch **Seite 70**	Reportage: Zumba **Seite 75**	Redewendungen zum Thema Körper **Seite 71**	Das Verb *lassen*; Futur II – Vermutungen; Verbverbindungen; Wortbildung: Nominalisierung von Verben mit Nomen/Adverbien **Seite 76**
Diskussion: Freizeitangebote in der Stadt **Seite 88**	1 Reportage: Stadtführer-App **Seite 78** 2 Interview: Eisbach-Surfer **Seite 89**	Infrastruktur, Interessantes über Städte **Seite 86**	Bedeutungen des Konjunktiv II: irreale Bedingungen, Wünsche und Vergleiche; Adjektive mit Präpositionen **Seite 90**
Bikulturelle Beziehungen **Seite 102**	Poetry Slam: Du baust einen Tisch **Seite 103**	Beziehungs- und Lebensformen **Seite 94**	Nomen mit Präposition; Indirekte Rede; Generalisierende Relativsätze; Vergleichssätze **Seite 104**
1 Über regionale Gerichte berichten **Seite 109** 2 Präsentation: Ein Projekt vorstellen **Seite 116**	Fernsehreportage: Containern **Seite 117**	Werbeslogans für Lebensmittel **Seite 110**	Subjektive Bedeutung des Modalverbs *sollen*; Wortbildung: Nominalisierung von Verben; Konditionale Zusammenhänge; Konzessive Zusammenhänge **Seite 118**

KURSPROGRAMM

LEKTION	LESEN	HÖREN	SCHREIBEN
9 **AN DER UNI** Seite 119–132	Infobroschüre: Die Ruhr-Universität Bochum **Seite 122**	Experten-Vortrag: Wofür Studierende Geld brauchen **Seite 128**	Motivationsschreiben **Seite 126**
10 **SERVICE** Seite 133–144	1 Zeitungsartikel: Auf dem Blumenfeld **Seite 138** 2 Infoblatt: „Erklärbär-Abo" **Seite 141**	1 Gesprächsrunde: Schnäppchenjagd **Seite 136** 2 Glosse: Prien **Seite 142**	Textzusammen- fassung **Seite 140**
11 **GESUND- HEIT** Seite 145–156	1 Zeitungsartikel: Arzt – Traumberuf oder Knochenjob? **Seite 146** 2 Fachartikel: Alternative Heilmethoden **Seite 153**	Interview: Als Arzt im Ausland **Seite 147**	Beitrag zu einem Internetforum **Seite 150**
12 **SPRACHE UND REGIONEN** Seite 157–170	Fachartikel: Regionale Varianten des Deutschen **Seite 164**	1 Radioreportage: „Das blaue Wunder" **Seite 158** 2 Deutsch als Amtssprache **Seite 168**	Stellungnahme **Seite 166**

KURSPROGRAMM

SPRECHEN	SEHEN UND HÖREN	WORTSCHATZ	GRAMMATIK
1 Diskussion: Eine Uni auswählen **Seite 125** 2 Erfahrungen austauschen **Seite 130**	Studentenfilm: Traumstudium? **Seite 131**	Studieren **Seite 120**	Konsekutive Zusammenhänge; Feste Verbindung von Nomen mit Verben; Wortbildung: Negation durch Vor- und Nachsilben bei Adjektiven **Seite 132**
Einen Service anbieten **Seite 135**	Foto-Reportage: Vorlesestunde **Seite 143**	Dienstleistungen **Seite 134**	Alternativen zum Passiv; Subjektlose Passivsätze **Seite 144**
1 Rollenspiel: Gespräche beim Arzt **Seite 149** 2 Alternative Heilmethoden **Seite 152**	Informationsfilm: Pflege tut gut **Seite 155**	Reiseapotheke **Seite 148**	Indefinitpronomen; Modale Zusammenhänge **Seite 156**
Ein Reiseangebot präsentieren **Seite 160**	Der Bandwettbewerb „Plattsounds" **Seite 169**	Fremdwörter **Seite 162**	Erweitertes Partizip; Adversativsätze; Partizipien als Nomen; Wortbildung: Fugenelement -s- bei Nomen **Seite 170**

VORWORT

Liebe Leserinnen und Leser,

das Lehrwerk **SICHER!** führt zum Abschluss der Stufen **B1+**, **B2** oder **C1** des *Gemeinsamen Europäischen Referenzrahmens* für Sprachen. Es richtet sich an fortgeschrittene erwachsene Deutschlernende ab 16 Jahren. Nach erfolgreichem Durcharbeiten des Kurs- und Arbeitsbuchs **SICHER! B2** können alle Prüfungen auf diesem Niveau abgelegt werden.

Die Lektionen sind in die Bausteine **LESEN** – **HÖREN** – **SCHREIBEN** – **SPRECHEN** – **WORTSCHATZ** – **SEHEN UND HÖREN** gegliedert. Am Ende jeder Lektion befindet sich eine kompakte und übersichtliche Darstellung des jeweiligen Grammatikstoffs.

In verschiedenen Kursen kann das Lernprogramm je nach Bedarf, Interesse und Zeitrahmen individuell zusammengestellt werden. Die Lektionen enthalten aktuelle, authentische Lernmaterialien zu Alltag, Beruf, Studium und Ausbildung. Es findet sich ein breites Spektrum an aktuellen alltags- und berufsrelevanten Textsorten wie z. B. Zeitungsartikel, Blogs, Prospekte, Diskussionsbeiträge. Dazu gibt es abwechslungsreiches Aufgaben- und Übungsmaterial, das die Rezeption und handlungsorientierte Produktion gleichermaßen fördert.

In der Rubrik „Wussten Sie schon?" wird modernes landeskundliches Wissen über die deutschsprachigen Länder vermittelt und damit der Blick für interkulturelle Themen und Fragestellungen geschärft.

Um individuellen Bedürfnissen gerecht zu werden, können Lernende auf die vertiefenden Übungen im Arbeitsbuch sowie auf das Angebot unter www.hueber.de/sicher zurückgreifen. Dort findet sich auch eine Vielzahl von Anregungen und Materialien für Lehrende.

Die Grammatik, der Wortschatz und die Redemittel verbinden durch „zyklisches Lernen" Bekanntes mit Neuem. Dadurch können die Lernenden ihre Kenntnisse systematisch auf- und ausbauen.

Strategien zum Lernen werden durch gezielte Aufgaben und praxisnahe Tipps gefördert. Mit der Selbstevaluation am Ende von jedem Baustein können die Lernenden ihre Lernfortschritte selbst kontrollieren und dokumentieren. Im Arbeitsbuch steht darüber hinaus noch ein Selbsttest am Ende der einzelnen Lektionen zur Verfügung. Der Portfoliogedanke wird unter anderem durch die Rubrik „Mein Dossier" im Arbeitsbuch aufgegriffen.

Das **SICHER! B2** Medienpaket umfasst zwei CDs mit Höraufnahmen zum Kursbuch sowie zwei DVDs mit Filmen zum Baustein **SEHEN UND HÖREN**.

Viel Spaß mit **SICHER!** wünschen Ihnen
die Autorinnen

1 FREUNDE

1 Bilderrätsel

a Entwerfen Sie auf einem Blatt Papier ein Bilderrätsel zu Ihrer Person. Schreiben Sie Ihren Namen darauf und zeichnen Sie *drei* Motive zu Ihrer Person, die für Sie wichtig sind, z. B. zu …

- Ihrer Herkunft
- Ihrem Beruf / Ihrer Ausbildung / Ihrer Tätigkeit
- Ihren Interessen / Ihren Freunden

b Sammeln Sie alle Bilderrätsel im Kurs ein und mischen Sie sie. Danach zieht jeder eines davon.

2 Ein-Minuten-Statement → AB 9/Ü2

Stellen Sie die Person auf Ihrem Bilderrätsel im Kurs vor. Vermuten Sie, was die Bilder bedeuten könnten. Die vorgestellte Person kommentiert dann die Aussagen über sich.

> Ich stelle euch Fabio vor.
> Er wohnt in Italien, am Meer. Ich denke, er arbeitet in einer Pizzeria. Wahrscheinlich …

> Fast richtig!
> Ich bin aus Italien. Meine Eltern haben dort eine Pizzeria. Von Beruf bin ich Meeresbiologe. Ich …

1 Machen Sie eine Blitz-Umfrage im Kurs.

- Wie viele Ihrer Freunde treffen Sie regelmäßig?
- Wie kommunizieren Sie mit Ihren Freunden?
- Wie viele Freunde haben Sie in sozialen Netzwerken?

> *Wussten Sie schon?* → AB 10/Ü3
> *Im Deutschen unterscheidet man zwischen Bekannten und Freunden. Zu Freunden hat man ein engeres Verhältnis als zu Bekannten. Auf echte Freunde kann man sich immer verlassen, d. h. man kann mit ihnen „durch dick und dünn gehen".*
> *In der Schweiz bezeichnet man Freunde als „Kollegen". Dies führt bei Deutschen und Österreichern, die mit diesem Wort nur Arbeitskollegen bezeichnen, manchmal zu Missverständnissen.*

2 Freunde und Bekannte → AB 10/Ü4

Lesen Sie die Aussagen von Leserinnen und Lesern einer Frauenzeitschrift. Ergänzen Sie.

Jugendfreund/in • Nachbar/in • Schulfreund/in • Urlaubsbekanntschaft

Ich weiß nicht, wie ich Gisela nennen soll. Wir haben ein paar Jahre Tür an Tür gewohnt und damals echt viel zusammen gemacht. Wir haben sowohl in derselben Firma gearbeitet, als auch im selben Chor gesungen. Heute wohnen wir in verschiedenen Städten und sehen uns nur noch ab und zu. Wenn wir uns sehen, tauschen wir erst mal alle Neuigkeiten aus. Ich muss sagen, ich hatte nie wieder eine _____ (1), mit der ich so gut befreundet war.

Gérard ist das, was man eine _____ (2) nennt. Wir haben uns am Strand in Spanien kennengelernt. Einige Monate haben wir uns nicht nur regelmäßig geschrieben, sondern auch oft telefoniert. Einmal kam er zu mir nach Hamburg zu Besuch. Danach haben wir uns aus den Augen verloren. Doch neulich bekam ich eine E-Mail von ihm. Nun bin ich hin- und hergerissen. Einerseits würde ich ihn sehr gern wiedersehen, andererseits bringt so ein Treffen wahrscheinlich nichts.

Ich habe nicht nur einen guten _____ (3), sondern gleich sechs. Wir kennen uns alle aus dem Gymnasium. Zum Geburtstag haben mir die sechs zusammen eine Kette geschenkt mit ihren Namen auf der Rückseite. Obwohl ich jetzt im Ausland studiere, ist der Kontakt nicht abgerissen. Wir telefonieren oft per Skype oder schreiben uns. Zwar sehen wir uns jetzt nicht mehr so häufig, aber ich bin sicher, dass wir weiter enge Freunde bleiben.

Helmut ist so was wie ein _____ (4). Ich kenne ihn seit meiner Teenager-Zeit. In vielen Punkten sind wir total unterschiedlich, aber wir haben denselben Geschmack. Wir sehen uns alle paar Wochen mal. Entweder gehen wir dann was essen oder wir treffen uns bei einem von uns zu Hause. Oft reden wir dann die halbe Nacht miteinander. Es macht weder ihm noch mir etwas aus, wenn wir am nächsten Tag total müde sind.

3 Zweiteilige Konnektoren → AB 11–12/Ü5–6

GRAMMATIK
Übersicht → S. 24/1

Lesen Sie die folgenden Aussagen noch einmal und ordnen Sie die
Bedeutung zu. Zwei der Bedeutungen passen zweimal.

1 negative Aufzählung
3 Alternative

2 positive Aufzählung
4 Einschränkung und Gegensatz

- [4] **Zwar** sehen wir uns jetzt nicht mehr so oft, **aber** ich bin sicher, dass wir weiter enge Freunde bleiben.
- [ ] **Entweder** gehen wir dann was essen **oder** wir treffen uns bei einem von uns zu Hause.
- [ ] Es macht **weder** ihm **noch** mir etwas aus, wenn wir am nächsten Tag total müde sind.
- [ ] Wir haben **sowohl** in derselben Firma gearbeitet **als auch** im selben Chor gesungen.
- [ ] Einige Monate haben wir uns **nicht nur** regelmäßig geschrieben, **sondern auch** oft telefoniert.
- [ ] **Einerseits** würde ich ihn sehr gern wiedersehen, **andererseits** bringt so ein Treffen wahrscheinlich nichts.

4 Freundschaften beschreiben → AB 12–13/Ü7–8

Was erzählt Holger über seine Freunde?
Bilden Sie Sätze mithilfe der zweiteiligen
Konnektoren.

1 Sebastian und Axel sind weggezogen.
2 Matthias wohnt weit weg. / Wir haben den Kontakt nicht verloren.
3 Peter hat nicht die gleichen Hobbys. / Peter hat nicht die gleichen Interessen.
4 Hanna ist meine Nachbarin. / Hanna ist meine beste Freundin.
5 Sophie meldet sich selten. / Ich kann mich immer auf sie verlassen.

*Meine besten Freunde heißen Sebastian und Axel. **Sowohl** Sebastian **als auch** Axel sind weggezogen. Das finde ich sehr schade.*

5 Was ist für Sie persönlich ein Freund oder ein Bekannter? → AB 13/Ü9

Erklären Sie und nennen Sie Beispiele. Arbeiten Sie zu dritt.

Bedeutungen erklären

„ *Freund bedeutet für mich ...*
Das Wort Freund hat bei uns mehrere Bedeutungen: Einerseits ... andererseits ...
Mit dem Wort Freund bezeichnet man bei uns ...
Mit Freund ist bei uns eine Person gemeint, ...
Den Unterschied zwischen Freunden und Bekannten kennt man bei uns zwar auch, aber ...
Unter einem Freund versteht man bei uns sowohl ... als auch ... "

über Freundschaften sprechen

„ *Ich würde sagen: Ich habe einige / viele / ein paar gute Freunde.*
Meine beste Freundin / Mein bester Freund heißt ...
Wir haben uns in/bei ... kennengelernt.
Ich kenne sie/ihn seit ...
Ich kenne sie/ihn aus der Schule / dem Studium / der Firma / dem Urlaub ...
Wir sehen uns oft / selten / regelmäßig / ab und zu ...
Entweder gehen wir ... oder wir ...
Wir verstehen uns sehr gut, weil ... / obwohl ... "

Ich kann jetzt ...

	😊	🙂	🙁
▪ persönliche Beziehungen detailliert beschreiben.	☐	☐	☐
▪ Bedeutungsunterschiede von ähnlichen Wörtern für Freunde und Bekannte erklären.	☐	☐	☐
▪ Sätze mit zweiteiligen Konnektoren verstehen und bilden.	☐	☐	☐

1   Was meinen Sie: Was bedeuten diese Sätze?

Den kenne ich über sechs Ecken.

Ich habe ihn zu meinen Freunden in *Facebook* hinzugefügt.

2   Lesen Sie nun den Text. Ergänzen Sie die Informationen zu den Zahlen. → AB 14/Ü10

6	Ecken / Verbindungen
1967	
60	
5,5	
721	
4,74	
3	

Informationen notieren
Um die Informationen eines Textes rasch zu erfassen, markiert man die Fakten, die der Text enthält, wie z. B. Zahlen und Daten. Mithilfe der markierten Stellen lässt sich der Inhalt des Textes rasch rekonstruieren und zusammenfassen.

Die Freunde der Freunde

Nicht über sechs, sondern über 4,74 Ecken kennt jeder jeden

Die Welt wird immer kleiner. Die Erdbevölkerung rückt näher zusammen. Besonders im Zeitalter der modernen Medien. Über sechs Ecken kennt jeder Mensch jeden. So heißt es in einer Redensart.

Bereits 1967 machte der amerikanische Psychologe Stanley Milgram ein Experiment. 60 Freiwillige mussten ein Paket nach einem bestimmten System verschicken. Dabei durfte das Paket nicht direkt an die Zielperson gesendet werden, sondern an eine Person, die den Absender persönlich kannte. Die Pakete erreichten ihr Ziel nach durchschnittlich 5,5 Stationen. Milgram stellte also fest: Die Beziehungskette zwischen Menschen hat durchschnittlich sechs Glieder.

Um herauszufinden, wie vernetzt die Menschen heutzutage sind, hat *Facebook* die Daten von 721 Millionen Nutzern ausgewertet. Dabei zeigte sich, dass die Beziehungskette sogar noch kürzer ist: Ein Nutzer des sozialen Netzwerks ist nur 4,74 Online-Kontakte von einem beliebigen anderen Nutzer entfernt. Innerhalb eines Landes trennen die meisten sogar nur drei Kontakte. Selbst bei Usern in der sibirischen Tundra oder im peruanischen Regenwald ist es sehr wahrscheinlich, dass ein Freund eines Freundes einen Freund eines Freundes dieser Person kennt.

Aber fühlt man sich heutzutage wegen der sozialen Netzwerke wirklich weltweit besser vernetzt? Auf die Frage „*Welches sind die Hauptgründe für Ihre Mitgliedschaft in einem oder mehreren privaten sozialen Netzwerken?*" antworten viele: „*Freunde oder Bekannte sind auch Mitglied.*" Und die Frage „*Warum haben Sie Freunde in Facebook hinzugefügt?*" hatte folgendes Ergebnis*:

Die Nutzer haben Freundschaftsanfragen bekommen.	82 %
Facebook hat den Nutzern mögliche Freunde vorgeschlagen.	45 %
Oft haben die Nutzer explizit nach einer bestimmten Person gesucht.	64 %
Die Nutzer haben in der Freundeliste von Freunden gestöbert und Bekannte entdeckt.	64 %

* Mehrfachnennungen waren erlaubt

Ob man sich allein fühlt oder unter lauter Freunden, kommt also darauf an, was man unter einem „Freund" versteht. *Facebook*-Nutzer sind in dieser Hinsicht großzügig. Viele von ihnen nehmen auch Unbekannte in die Liste ihrer „Freunde" auf.

3 Zusammenfassung

Ergebnisse · Beziehungskette · ~~Unternehmen~~ · Freunde · Kontakte · Verbindung · soziale Netzwerke

a **Ergänzen Sie.**

Das ___Unternehmen___ (1) *Facebook* hat eine aktuelle Untersuchung in Auftrag gegeben.
Die _____ (2) dieser Untersuchung wurden gerade veröffentlicht. Sie zeigen,
dass die Menschen weltweit mittlerweile in enger _____ (3) miteinander
stehen. Ein Nutzer dieses sozialen Netzwerks ist nur rund fünf _____ (4) von
einem beliebigen anderen Nutzer entfernt. Jedoch ist das nicht neu. Bereits vor knapp 50 Jahren
fand ein Soziologe heraus, wie eng die _____ (5) zwischen den Menschen ist.
Heute ermöglichen _____ (6) eine große Zahl von Kontakten mit anderen.
Diese sind aber etwas anderes als _____ (7) im alten Sinn.

b **Fassen Sie den Inhalt des Textes noch einmal mündlich zusammen.**

Hauptaussagen eines Textes kurz zusammenfassen

„ *In dem Text geht es darum, …*
Es wird berichtet, …
Es hat sich gezeigt, dass … "

4 Mittelfeld im Hauptsatz → AB 14–15/Ü11–13

GRAMMATIK
Übersicht → S. 24/2

a **Ergänzen Sie die Wörter im zweiten Satz der Tabelle.**

wirklich · wegen der sozialen Netzwerke · heutzutage · weltweit

Position 1	Position 2	Mittelfeld				Satzende
		wann? (temporal)	warum? (kausal)	wie? (modal)	woher? wo? wohin? (lokal)	
Milgram	machte	bereits 1967		mit 60 Freiwilligen	in den USA	ein Experiment.
Man	ist					vernetzt.

b **Ordnen Sie den Regeln die Sätze zu.**

1 Milgram machte <u>bereits 1967</u> mit 60 Freiwilligen in den USA ein Experiment.

2 Man ist <u>heutzutage</u> <u>wegen der sozialen Netzwerke</u> <u>wirklich</u> <u>weltweit</u> vernetzt.

3 *Facebook* hat <u>den Nutzern</u> <u>mögliche Freunde</u> vorgeschlagen.

4 *Facebook* hat <u>sie</u> <u>den Nutzern</u> vorgeschlagen.

5 *Facebook* hat <u>sie</u> <u>ihnen</u> vorgeschlagen.

A Sind beide Ergänzungen **Pronomen** steht Akkusativ vor Dativ.

B Gibt es zwei Ergänzungen, Dativ (wem?) und Akkusativ (wen?), steht Dativ vor Akkusativ.

C Bei der Reihenfolge von **Angaben** steht die Zeitangabe vor den anderen Angaben.

D Ist eine der Ergänzungen ein **Pronomen**, steht das Pronomen vor der anderen Ergänzung.

E Bei mehreren **Angaben** steht normalerweise: temporal vor kausal vor modal vor lokal.

5 Ihre Erfahrung

Haben Sie Erfahrungen mit sozialen Netzwerken? Wenn ja: Welche?
Wenn nein: Wie pflegen Sie Kontakt zu Ihren Freunden?

Ich kann jetzt …   ☺ ☺ ☺
▪ einem Zeitungstext die Ergebnisse einer Umfrage zu Freundschaften entnehmen. ☐ ☐ ☐
▪ den Inhalt eines Zeitungsartikels mündlich zusammenfassen.   ☐ ☐ ☐
▪ komplexe Hauptsätze richtig verstehen und bilden.   ☐ ☐ ☐

1 Interaktives Radio

a Lesen Sie die folgende Ankündigung im Internet. Um was für eine Art von Sendung geht es? Markieren Sie.

☐ eine Ratgebersendung: Hörer rufen im Studio an und bekommen Tipps.
☐ ein Forum: Hörer rufen an und äußern sich zu einem Thema.
☐ eine Gesprächsrunde: Hörer sitzen im Studio und tauschen sich mit Experten aus.

> *Gespräch am Mittag, am 02. 03. Rufen Sie an!*
>
> Wir freuen uns auf Ihre Fragen.
> Die Telefonnummer ins Gespräch-am-Mittag-Studio:
> **0800 / 94 95 95 5**
>
> Heutiges Thema: *Freundschaft*
> Moderation: Michaela Schmidt

b Worum geht es in der Sendung wohl?

2 Anrufer fragen, Experten antworten

a Hören Sie die Sendung in Abschnitten und beantworten Sie die Fragen.

🔘2 CD1

Abschnitt 1

1 War Ihre Vermutung aus 1b richtig?
2 Wer ist zu Gast im Studio?

🔘3 CD1

Abschnitt 2

1 Welche persönliche Frage beantwortet der Experte *nicht*? Markieren Sie.
☐ Wie viele Freunde er hat.
☐ In welchem Alter er seine Freunde kennengelernt hat.
☐ Worüber er mit seinen Freunden spricht.
☐ Was Freunde für ihn bedeuten.
☐ Wie wichtig Freundschaft in sozialen Netzwerken ist.

🔘3 CD1

2 Hören Sie noch einmal und erklären Sie: Welchen Wert hat Freundschaft nach Ansicht des Experten heute?

3 Welche „Verwirrung" sieht der Experte bei dem Wort „Freund"? Erklären Sie.

🔘4 CD1

Abschnitt 3

1 Was stellt Herr Bader fest? Markieren Sie.
☐ Er hat mehr Freunde als Freundinnen.
☐ Männer ab 30 Jahren haben weniger Freunde.
☐ Mit Männern kann er besser reden als mit Frauen.

2 Was erklärt der Experte über Freundschaften ab 30? Markieren Sie.
☐ Die Zahl der Freundschaften nimmt zu.
☐ Freundschaften werden weniger wert.
☐ Man hat weniger Zeit für Freundschaften.

Abschnitt 4

1 Was erfährt man über die Anruferin Lissy? Markieren Sie.
- [ ] Sie geht ganz selten aus.
- [ ] Sie ist aktiv und unkonventionell.
- [ ] Sie ist wie die anderen Mädchen in ihrem Alter.

2 Was empfiehlt der Experte der Anruferin? Markieren Sie.
Sie soll ...
- [ ] interessantere Mädchen kennenlernen.
- [ ] mit Freunden über alltägliche Dinge wie Autos reden.
- [ ] herausbekommen, worüber andere eigentlich reden wollen.

Abschnitt 5

1 Was berichtet Frau Herrmann? Markieren Sie.
- [ ] Der Kontakt zu ihrer Freundin ist abgebrochen.
- [ ] Ihre gute Freundin ist umgezogen.
- [ ] Sie hat sich mit ihrer Freundin gestritten.

2 Was rät der Experte Frau Herrmann? Markieren Sie.
Sie soll ...
- [ ] den Kontakt zu Freunden pflegen.
- [ ] einmal mit ihrer Freundin wegfahren.
- [ ] ihre Freundin öfter besuchen.

b Unterhalten Sie sich über die Sendung.
Welchen Hörerbeitrag fanden Sie (nicht) interessant? Warum?
Was würden Sie den Anrufern raten?

3 Freundschaften pflegen → AB 15–16/Ü14–15

Haben Sie ähnliche Erfahrungen wie die Hörer gemacht? Arbeiten Sie zu zweit:
Überlegen Sie sich Fragen zum Thema. Sammeln Sie die Fragen und antworten Sie auf die Fragen
der anderen Kursteilnehmer.

> *Mich würde mal interessieren, ob schon mal jemand am Arbeitsplatz einen wirklich guten Freund gefunden hat. Ich denke, es ist besser, wenn man Beruf und Freundschaft trennt.*

> *Ich arbeite seit zwei Jahren in einem Architekturbüro. Gleich am ersten Tag dort habe ich Anna kennengelernt, und mit ihr bin ich inzwischen eng befreundet.*

Fragen stellen

„ *Ich hätte eine Frage zu ....*
Mich würde mal interessieren, ...
Ich würde gern wissen, ... / Ich wüsste gern, ...
Ich hatte den Eindruck, dass ... Stimmt das? "

über eigene Erlebnisse und Erfahrungen berichten

„ *Ich habe (schon) oft festgestellt, dass ...*
Mir ist aufgefallen, dass ...
Ich denke, es ist häufig so, dass ...
Etwas Ähnliches habe ich auch schon erlebt: ... "

Ich kann jetzt ...	😊	🙂	🙁
▪ im Radio Hörerbeiträge über Freundschaft verstehen.	☐	☐	☐
▪ abstraktere Erklärungen eines Experten über menschliche Beziehungen verstehen.	☐	☐	☐
▪ über eigene Erlebnisse und Erfahrungen mit Freunden berichten.	☐	☐	☐

WORTSCHATZ

1 Lebensalter, Lebensabschnitte

Sehen Sie die Bilder an. Welche Wörter passen zu den Fotos? Ordnen Sie zu.

| 1 | 2 | 3 | 4 |

☐ die/der Erwachsene • ☐ die Jugend • ☐ die Kindergartenzeit • ☐ der ältere Mensch •
☐ die Schulzeit • ☐ die/der Senior/in • ☐ die/der Jugendliche • ☐ die/der Rentner/in •
☐ die Kindheit • ☐ das Alter • ☐ der Teenager • ☐ das Kind • ☐ das Erwachsenenalter

2 Freundschaft, Liebe → AB 17–18/Ü16–17

a   Lesen Sie den Text. Ergänzen Sie die Ausdrücke in der richtigen Form.

> befreundet sein • (k)eine feste Beziehung haben • geschieden sein • heiraten •
> sich trennen • ~~sich verlieben~~ • sich verloben • verheiratet sein • zusammenleben

„Als Christof 14 war, hat er _sich_ zum ersten Mal in ein Mädchen aus der
Parallelklasse _verliebt_ (1), aber er war mit ihr nur _____ (2).
Mit 22 hat er Petra, eine nette Kollegin, kennengelernt und wollte
_____ mit ihr _____ (3), doch kurz vor der
großen Party wollte Petra nicht mehr. Wenige Tage später haben
_____ die beiden _____ (4). Danach hatte
Christof lange Zeit keine _____ _____ mehr (5).
Er war lieber Single. Mit Mitte 30 lernte er Claudia kennen, mit der er sieben
Jahre lang _____ (6), bevor er sie schließlich
_____ (7). Mit Claudia ist er jetzt sehr glücklich _____ (8).
Viele seiner Freunde sind inzwischen schon wieder _____ (9)."

b   Berichten Sie über Ihre Freunde
und deren Beziehungen.

> *Mein Freund Tom hat sich
> ganz plötzlich verliebt. Das hat mich
> überrascht. Er ...*

3 Wortbildung: Nachsilben bei Nomen → AB 19/Ü18

GRAMMATIK
Übersicht → S. 24/3

Ergänzen Sie die Artikel.

_____ Bekanntschaft • _____ Ehe • _____ Dankbarkeit • _____ Emotion •
_____ Bedürfnis • _____ Realist • _____ Freundschaft • _____ Ventilator • _____ Komiker

Nachsilbe ... → Artikel	Nachsilbe ... → Artikel	Nachsilbe ... → Artikel
-er, -ist, -or _____	-nis _____	-e, -keit, -ion, -schaft _____

Ich kann jetzt ...   ☺   ☺   ☹
- Lebensphasen benennen.   ☐   ☐   ☐
- Wörter zum Thema *Freundschaft* und *Liebe* verwenden.   ☐   ☐   ☐
- bei Nomen mit bestimmten Nachsilben die richtigen Artikel verwenden. ☐   ☐   ☐

SPRECHEN 2

1 Ungewöhnliche Freundschaften

a Beschreiben Sie das Foto und geben Sie ihm einen Titel.

b Kennen Sie so eine Freundschaft zwischen Tieren? Berichten Sie.

c Notieren Sie Namen von berühmten ungewöhnlichen Freundespaaren.

- Großer Altersunterschied: *Harold & Maude, ...*
- Unterschiedliches Aussehen: *Dick & Doof, ...*
- Konkurrenten in Sport, Politik, Kunst, ...
- Mensch und Tier: *Tim & Struppi, ...*
- ...

2 Eine Präsentation über ungewöhnliche Freunde → AB 19–20/Ü19–20

a Bereiten Sie Ihre Präsentation in drei Schritten vor.

Schritt 1: Entscheiden Sie sich für ein Freundespaar oder eine Gruppe von Freunden. Überlegen Sie, wie Sie diese Freunde charakterisieren können. Was ist an ihrer Freundschaft ungewöhnlich? Sammeln Sie Material (Texte, Zitate, Fotos).

Schritt 2: Bringen Sie das Material in eine sinnvolle Reihenfolge. Legen Sie dann Präsentationsfolien an:
- eine Folie mit dem Titel Ihrer Präsentation, dem Ort und Datum und Ihrem Namen
- ein Inhaltsverzeichnis mit den wichtigsten Punkten
- mehrere Folien mit den Inhalten Ihrer Präsentation
- eine Abschlussfolie mit einem Dank und Ihrer Kontaktadresse

Schritt 3: Arbeiten Sie die Folien aus. Gestalten Sie sie übersichtlich. Schreiben Sie auf jede Folie nur wenige Stichwörter und fügen Sie, wenn Sie möchten, passende Bilder ein.

b Halten Sie mithilfe der Redemittel Ihre Präsentation im Kurs. Die Zuhörer geben Feedback und fragen nach.

> **Richtig präsentieren**
> *Machen Sie vor Ihrer Präsentation eine Generalprobe vor Freunden. Kontrollieren Sie, ob Ihr Vortrag die richtige Länge hat. Beantworten Sie als Übung auch ein, zwei Fragen der Zuhörer. Ihr Vortrag soll leicht verständlich sein. Lernen Sie Einleitung, Schluss und Übergänge am besten auswendig.*

die Präsentation einleiten

„ *Ich habe mich für ... entschieden.*
Ich habe sie ausgewählt, weil ...
Ich kenne sie / die beiden aus ...
Bei uns kennt man sie / die beiden aus ...
Das Besondere an ihnen / den beiden ist ... “

die Präsentation abschließen

„ *Für mich persönlich sind sie / die beiden ein Beispiel für eine ungewöhnliche Freundschaft, weil ...*
Ich hoffe, ich konnte euch / Ihnen ein paar spannende Einblicke geben.
Ich danke euch / Ihnen für eure / Ihre Aufmerksamkeit. Habt ihr / Haben Sie Fragen? “

Übergänge formulieren

„ *Als Nächstes möchte ich ...*
Wichtig ist hier noch zu erwähnen, dass ...
Man sollte auch nicht vergessen, dass ...
Außerdem ...; Darüber hinaus ...;
Nicht zuletzt ... “

Feedback geben / nachfragen

„ *Das war ein sehr interessanter Vortrag. Könntest du / Könnten Sie bitte noch einmal sagen / erklären ...*
Wie hast du / haben Sie das gemeint: ...
Wie ist es denn bei euch / Ihnen mit ...
Ich hätte noch eine Frage. Ist es denn so, dass ... “

Ich kann jetzt ...   ☺ ☺ ☹
- Präsentationsfolien klar gestalten.   ☐ ☐ ☐
- eine Präsentation frei vortragen.   ☐ ☐ ☐
- Feedback geben und nachfragen.   ☐ ☐ ☐

SCHREIBEN

1 Kontakte pflegen

Bringen Sie in den Unterricht eine Karte mit, die Sie entweder selber erhalten oder selber geschrieben haben. Beschreiben Sie Ihre Karte kurz. Sprechen Sie über das Bildmotiv auf der Vorderseite und den Text auf der Rückseite.

2 Grußkarten → AB 20/Ü21

a Zu welchen Gelegenheiten wurden diese Karten geschrieben?

Jahreszeitliches Fest · Ereignis in der Familie · Grüße von einer Reise · …

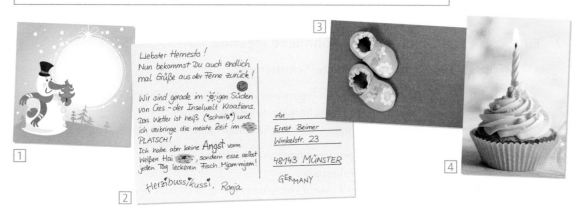

b Welche Elemente gehören unbedingt zu einer Grußkarte? Sammeln Sie.

c Welche kreativen Elemente verwendet die Verfasserin von Karte 2 außer dem Fantasie-Wort *Mjam-mjam*. Geben Sie weitere Beispiele für die kreative Gestaltung: Symbole, Ausdrücke, …

3 Karte zum Kurs

Schreiben Sie nun selbst eine Karte, entweder an einen Kursteilnehmenden oder an Ihre Lehrerin / Ihren Lehrer. Gestalten Sie Ihre Karte so, dass sie zum Adressaten passt.

Schreiben Sie,
- was Sie am Kursanfang schon erlebt haben.
- was Sie bisher im Kurs gut finden.
- was Sie im Kurs gern noch lernen wollen und warum.
- Formulieren Sie auch einen Gruß und/oder Dank.

über erste Erlebnisse berichten

„*Am ersten Tag / In den ersten Tagen / In der ersten Woche / … haben wir schon etwas zu lachen gehabt: …*
… ist schon etwas Aufregendes passiert. "

etwas bewerten

„*Im Moment kann ich noch nicht so viel sagen, weil … Bisher gefällt mir der Kurs … ausgezeichnet / (sehr) gut / toll / super / (noch) nicht so gut / …, weil …* "

Ziele formulieren

„*Ich hoffe, wir lernen noch … Ich würde gern noch mehr … lernen, denn für mich ist es wichtig, dass … Ich fände es gut, wenn wir …, denn ich brauche …* "

4 Auswertung

Ihre Lehrerin / Ihr Lehrer erhält die Karten und liest sie im Kurs vor.
Welche Karten gefallen Ihnen am besten? Stimmen Sie im Kurs ab.

Ich kann jetzt …	☺	☺	☹
▪ auf einer Grußkarte über Erlebnisse in kurzer Form berichten.	☐	☐	☐
▪ den Kurs bewerten.	☐	☐	☐
▪ persönliche Ziele schriftlich formulieren.	☐	☐	☐

SEHEN UND HÖREN

1 Eine besondere Freundschaft

Sehen Sie das Bild an. Was meinen Sie?

1 Wo sind die beiden Figuren?
2 Zu welcher Uhrzeit/Tageszeit spielt der Film?
3 Worüber sprechen sie wohl miteinander?
4 Werden die beiden Freunde? Warum (nicht)?

2 Sehen Sie den Film in Abschnitten an.

> *Erst sehen, dann hören*
> *Manche Filmstorys und -figuren sind oft recht komplex. Sehen Sie diese Filme zuerst als Stummfilm ohne die Dialoge an. Machen Sie sich mit Ort und Personen langsam vertraut. Überlegen Sie, worum es in dem Film geht. Erst beim zweiten Mal nehmen Sie den Ton dazu. Wichtig bei schnell gesprochenen Dialogen ist: Versuchen Sie nur zu verstehen, worum es geht. Es ist nicht notwendig, jedes Wort zu verstehen.*

Abschnitt 1

1 Sehen Sie Abschnitt 1 <u>ohne Ton</u> an. Wie ist die Stimmung? Was für ein Film ist das?
2 Sehen Sie Abschnitt 1 nun <u>mit Ton</u> an. Wer sind die Figuren und was machen sie wohl dort?

Abschnitt 2

Arbeiten Sie zu dritt. Beantworten Sie die Fragen gemeinsam und vergleichen Sie die Antworten dann im Kurs.
1 Wie lernt Boo das Mädchen Annie kennen?
2 Warum ist Annie am Bahnhof?

3 Annie versucht zu verstehen, wer Boo ist. Was ist richtig? Markieren Sie.
   Boo ... ☐ hat besondere mentale Kräfte.
           ☐ kann zum Beispiel Besen fallen lassen.
           ☐ sorgt dafür, dass Annie ihren Zug verpasst.

4 Boo sagt: *Ich bin ein Zufall*. Was meint er damit?
           ☐ Es passiert viel Chaotisches in seinem Leben.
           ☐ Boo ist für die Zufälle im Leben von anderen verantwortlich.

5 Warum sagt Boo: *Ich darf nicht mit dir reden?*
6 Was meinen Sie: Passen die beiden zueinander?

Abschnitt 3

Diskutieren Sie im Kurs.
1 Wie entwickelt sich das Gespräch zwischen Annie und Boo?
2 Was wird aus den beiden? Gibt es ein Happy End?

3 Ihre Meinung → AB 21/Ü22

a **Was hat Ihnen an dem Film (nicht) gefallen?**

b **Kennen Sie einen anderen Animationsfilm? Berichten Sie.**

Ich kann jetzt ...
                                                                  ☺☺ ☺ ☹
- die Handlung eines Animationsfilms verstehen.   ☐ ☐ ☐
- über die Motive und Gefühle von Filmfiguren sprechen.   ☐ ☐ ☐
- Meine Meinung zu einem Animationsfilm formulieren.   ☐ ☐ ☐

GRAMMATIK

1 Zweiteilige Konnektoren ⟵ S. 15/3

Zweiteilige Konnektoren haben verschiedene Funktionen: Aufzählungen, Alternativen, Gegensätze und Einschränkungen. Sie können auf verschiedenen Positionen stehen.

Aufzählung positiv	Lange haben wir uns **nicht nur** regelmäßig geschrieben, **sondern** (wir haben) **auch** oft telefoniert.
	Wir haben **sowohl** in derselben Firma gearbeitet **als auch** im selben Chor gesungen.
Aufzählung negativ	Es macht **weder** meinem Freund **noch** mir etwas aus.
	Weder meinem Freund **noch** mir macht es etwas aus.
Alternative	**Entweder** gehen wir etwas essen **oder** (wir) treffen uns zu Hause.
	Wir gehen **entweder** etwas essen **oder** (wir) treffen uns zu Hause.
Gegensatz	**Einerseits** würde ich ihn gern treffen, **andererseits** bringt das nichts.
	Ich würde ihn **einerseits** gern treffen, **andererseits** bringt das nichts.
Einschränkung	Wir sehen uns **zwar** nicht mehr oft, **aber** wir bleiben Freunde.
	Zwar sehen wir uns nicht mehr oft, **aber** wir bleiben Freunde.

2 Mittelfeld im Hauptsatz ⟵ S. 17/4

a Angaben

Bei mehreren Angaben stehen normalerweise kürzere vor längeren. In der Regel wählt man die Reihenfolge *temporal* vor *kausal* vor *modal* vor *lokal*. Merkhilfe: **te-ka-mo-lo**.

Position 1	Position 2	Mittelfeld				Satzende
		temporal	kausal	modal	lokal	
		Wann?	Warum?	Wie?	Wo? Wohin? Woher?	
Milgram	machte	bereits 1967		mit 60 Freiwilligen	in den USA	ein Experiment.
Man	ist	heutzutage	wegen der sozialen Netzwerke	wirklich	weltweit	vernetzt.

b Ergänzungen

Gibt es zwei Ergänzungen (Dativ + Akkusativ), steht Dativ vor Akkusativ.	*Facebook* hat den Nutzern *mögliche Freunde* vorgeschlagen.
Ist eine dieser Ergänzungen ein Pronomen, steht das Pronomen vor der anderen Ergänzung.	*Facebook* hat *sie* den Nutzern vorgeschlagen. *Facebook* hat ihnen *mögliche Freunde* vorgeschlagen.
Sind beide Ergänzungen Pronomen, steht Akkusativ vor Dativ.	*Facebook* hat *sie* ihnen vorgeschlagen.

3 Wortbildung: Nachsilben bei Nomen ⟵ S. 20/3

Nomen mit den gleichen Nachsilben haben meistens den gleichen Artikel.

der			das	die			
-er	-ist	-or	-nis*	-e*	-keit	-ion	-schaft
Komiker	Realist	Direktor	Erlebnis	Ehe	Dankbarkeit	Emotion	Bekanntschaft
Musiker	Idealist	Ventilator	Bedürfnis	Liebe	Einsamkeit	Diskussion	Freundschaft

* Bei diesen Nachsilben gibt es Ausnahmen, z. B. *die* Erlaubnis, *die* Kenntnis und z. B. *der* Name, *der* Käse, *der* Junge

IN DER FIRMA

1 Arbeitstage

a Arbeiten Sie zu dritt. Sehen Sie das Foto an. Was meinen Sie?

- Wo befindet sich der Mann gerade?
- Zu welcher Tageszeit wurde das Foto gemacht?

b Erfinden Sie ein Profil für diesen Mann. Schreiben Sie etwas über …

- seine Firma.
- seine berufliche Tätigkeit.
- seinen Arbeitstag.

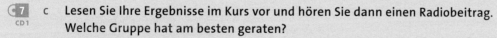 **c** Lesen Sie Ihre Ergebnisse im Kurs vor und hören Sie dann einen Radiobeitrag. Welche Gruppe hat am besten geraten?

2 Ihr Tagesablauf

a Arbeiten Sie zu dritt. Erzählen Sie über Ihren Tagesablauf und sprechen Sie über diese Punkte:

- Arbeitszeiten: Anfang, Ende des Arbeitstages, Pausen
- Ort der Tätigkeit
- Tätigkeiten

b Haben Sie Gemeinsamkeiten? Berichten Sie im Kurs, welche Sie in Ihrer Gruppe gefunden haben.

1 Berufssteckbriefe → AB 25/Ü3

a Sehen Sie die Fotos an und lesen Sie die Informationen.
Welche Texte beschreiben die abgebildeten Personen? Ordnen Sie zu.

☐ Holger F. • hat sein Büro vor fünf Jahren mit einer Hamburger Partnerin gegründet • selbstständig • fünf Leute arbeiten in seinem Büro • Fachhochschulabschluss • erarbeitet im Moment ein Verpackungskonzept für ein Kaffeehaus: ein Klebeband mit der Aufschrift „Vorsicht: Lecker!" • ist Grafikdesigner • braucht für seine Projekte Spontaneität und Organisationstalent

☐ Sabine M. • gelernte Friseurin • Schichtdienst: muss manchmal schon morgens um halb drei aufstehen • ist als Straßenbahnfahrerin tätig • muss sich stark konzentrieren • Angestellte bei der städtischen Verkehrsgesellschaft • fühlt sich als Fahrerin oft ziemlich einsam

☐ Ralf B. • dreijährige Ausbildung • ist Mitarbeiter bei der Firma BBW-Wohnbau • renoviert zur Zeit Mietwohnungen im Norden von Berlin • Maler • wohnt eigentlich in Chemnitz • arbeitet montags bis freitags auf Baustellen überall im Bundesgebiet • muss mobil sein

☐ Christina H. • entwirft und verkauft ungewöhnliche Kleidung, z. B. aus indischem Sari-Stoff • war nach dem Realschulabschluss zwei Jahre als Au-pair im Ausland • hat keinen Beruf gelernt • muss gut mit Menschen umgehen können • Ladenbesitzerin *Hubercraft*

☐ Jonas J. • Universitätsklinik • forscht in experimenteller Audiologie • behandelt Patienten, die schlecht hören • hat 8 Jahre Medizin studiert • zu seinen Aufgaben gehört es, Vorlesungen für Studierende zu halten • Professor und Arzt • hat oft rund um die Uhr in der Klinik zu tun

b Ergänzen Sie die Tabelle mit den Informationen aus den Texten.

	Holger	Sabine	Ralf	Christina	Jonas	ich
Beruf						
Arbeitgeber	selbstständig					
Ausbildung		Friseurin		keine		
Tätigkeit						
Anforderung			Mobilität		Arbeitszeiten: oft rund um die Uhr	

2 Meine Berufstätigkeit

a Ergänzen Sie die Tabelle in 1b nun für sich selbst. Falls Sie (noch) nicht oder nicht mehr arbeiten, ergänzen Sie, was Sie in Zukunft tun wollen oder schon einmal getan haben.

b Arbeiten Sie zu zweit. Beschreiben Sie Ihrer Lernpartnerin / Ihrem Lernpartner Ihre Tätigkeit.

3 Rollenspiel: Auf der Messe → AB 26/Ü4

a Was macht man wohl auf einer Messe? Ergänzen Sie.

> Kontakte knüpfen · Visitenkarten verteilen · die eigene Firma und ihre Produkte vorstellen · ...

b Stellen Sie sich folgende Situation vor: Sie sind auf einer Messe und lernen Personen aus anderen Unternehmen kennen. Überlegen Sie sich für sich und Ihre Lernpartnerin / Ihren Lernpartner ein berufliches Profil in einer Firma. Stellen Sie dann sich und Ihre Lernpartnerin / Ihren Lernpartner den anderen vor und erklären Sie Ihre Tätigkeiten.

Gesprächspartner begrüßen

,, *Guten Tag, darf ich mich vorstellen?*
   Mein Name ist ... / Ich bin ...
   Ich bin in der Firma ... tätig. **"**

eine andere Person vorstellen

,, *Darf ich Ihnen Frau/Herrn ... vorstellen?*
   Ich möchte Ihnen meine Kollegin / meinen Kollegen vorstellen.
   Das ist meine Kollegin / mein Kollege, Frau/Herr ... **"**

Tätigkeiten erläutern

,, *Wir sind Mitarbeiter der Firma ... in der Abteilung ...*
   Ich bin Leiterin/Leiter des ... Bereichs ...
   Ich persönlich bin verantwortlich für ...
   Frau/Herr ist zuständig für ...
   Sie/Er kümmert sich um ...
   Unser Aufgabenbereich ist ...
   Zu unseren Aufgaben gehört es, ...
   Wir haben häufig/viel mit ... zu tun. **"**

> *Typische Ausdrücke in der beruflichen Kommunikation*
> *Lernen Sie wichtige Redemittel der beruflichen Kommunikation auswendig. So können Sie sichergehen, dass Sie im entscheidenden Moment die passende Formulierung zur Verfügung haben. Sollten Sie aber doch einmal ins Stocken geraten, dann setzen Sie einfach Mimik und Gestik ein, um das Gespräch aufrechtzuerhalten.*

Ich kann jetzt ...

- berufliche Tätigkeiten und ihre Anforderungen erläutern.
- Kolleginnen und Kollegen vorstellen.

WORTSCHATZ

1 Wer macht was im Büro? → AB 26/Ü5

a Sehen Sie die Bilder an. Was meinen Sie?
Wer hat wohl welche Position? Woran erkennen Sie das?

> die/der Bereichsleiter/in • die/der persönliche Assistent/in •
> die/der Auszubildende • die/der Projektleiter/in

 A  B  C  D

b Welche persönlichen Eigenschaften braucht man wohl für diese Positionen? → AB 26/Ü6

> dominant • durchsetzungsstark • unabhängig • strukturiert •
> ehrgeizig • organisiert • teamfähig • …

c Welche Tätigkeiten übernehmen die folgenden Personen? Ordnen Sie zu.
Manche passen mehrmals. → AB 27/Ü7

Arbeitsschritte planen
Aufgaben verteilen
Arbeitsprozesse festlegen   die/der Bereichsleiter/in
Aufträge erledigen   die/der Assistent/in
E-Mails beantworten   die/der Auszubildende
die Ablage machen   die/der Projektleiter/in
Informationen recherchieren
mit Geschäftspartnern verhandeln

Konferenzen organisieren
Präsentationen erstellen
mit Kunden telefonieren
Rechnungen schreiben
den Terminkalender führen
Unterlagen faxen
Unterlagen ordnen
Unterlagen verteilen

2 Zustandspassiv → AB 27–28/Ü8–11

GRAMMATIK
Übersicht → S. 38/1

a Sehen Sie die Zeichnung an. Wo finden Sie
eine Passiv-Form? Markieren Sie.

b Welche Strukturen zeigen an, dass es sich um
Passiv handelt? Markieren Sie.

☐ sein   + Partizip II
☐ werden   + Partizip II
☐ haben   + Partizip II

c Welche Funktion haben diese Strukturen? Markieren Sie.

Die Unterlagen werden geordnet.   ☐ Zustand ☐ Vorgang
Die Unterlagen sind geordnet.   ☐ Zustand ☐ Vorgang

HABEN SIE DIE UNTERLAGEN SCHON GEORDNET?

JA, DIE SIND SCHON GEORDNET. DAS HAT GAR NICHT LANGE GEDAUERT.

d Bilden Sie nun mithilfe der Tätigkeiten aus 1c weitere Nachfragen
und Antworten wie in der Zeichnung, wenn möglich.

Ich kann jetzt …   ☺ ☺ ☹
- einige Positionen in einer Firma benennen.   ☐ ☐ ☐
- Tätigkeiten im Büro näher beschreiben.   ☐ ☐ ☐
- mithilfe des Zustandspassivs das Resultat eines Vorgangs beschreiben.   ☐ ☐ ☐

HÖREN

1 Zeit für sich

a Sehen Sie das Foto an und beschreiben Sie die Situation.

 b Hören Sie nun Silke Neumaier zu. Was meinen Sie?

- Was macht Frau Neumaier beruflich?
- Was beschreibt sie gerade und an wen wendet sie sich?

c Hören Sie noch einmal und machen Sie mit.

2 Entspannen am Arbeitsplatz

 Hören Sie eine Reportage und beantworten Sie die Fragen.

- Über welche Veränderung am Arbeitsplatz wird berichtet?
- Wie reagieren die Personen darauf?

3 Hören Sie die Reportage nun in Abschnitten.

Was ist richtig? Markieren Sie.

 Abschnitt 1

1 In einer Werbefirma machen die Mitarbeiter in ihrer Arbeitszeit Übungen zur Entspannung. ☐
2 Jeder macht die Übungen an seinem eigenen Arbeitsplatz. ☐
3 Die meisten Firmenmitarbeiter haben einen anstrengenden Arbeitsalltag. ☐

 Abschnitt 2

1 Die Geschäftsführerin gibt die Übungen vor. ☐
2 Die Chefin hatte einmal einen Zusammenbruch, einen sogenannten „Burn-out". ☐
3 Die Chefin wollte ihre Mitarbeiter vor einem „Burn-out" schützen. ☐

 Abschnitt 3

1 Der Mitarbeiter spürt sofort die positive Wirkung der Übungen und ist begeistert. ☐
2 Eine Kollegin macht die Übungen zusätzlich jeden Tag in ihrem Büro. ☐
3 Die Chefin hat leider meistens keine Zeit, die Übungen zu machen. ☐

4 Ihre Meinung → AB 29/Ü12

a Haben Sie schon von Entspannungsübungen am Arbeitsplatz gehört oder selbst so etwas gemacht?

b Glauben Sie, dass es positive Effekte haben kann? Welche?

5 *von* oder *durch* in Passivsätzen → AB 30/Ü13–15

GRAMMATIK
Übersicht → S. 38/2

a Setzen Sie folgende Passivsätze ins Aktiv.

1 Stress kann <u>durch solche Übungen</u> schnell abgebaut werden.
2 Das Training wird <u>von einer erfahrenen Therapeutin</u> durchgeführt.
3 Das Trainingsprogramm wird <u>vom Firmenleiter</u> voll und ganz unterstützt.
4 Motivation und Arbeitskraft der Mitarbeiter werden <u>durch das Training</u> schnell wieder hergestellt.
1 Solche Übungen können

b Lesen Sie die Sätze in a noch einmal.
Wann verwendet man in Passivsätzen *von* und wann verwendet man *durch*?

Ich kann jetzt ... ☺ ☺ ☹
- eine Anleitung zu einem Entspannungstraining verstehen. ☐ ☐ ☐
- Hintergründe und Auswirkungen von Entspannungstraining am Arbeitsplatz verstehen. ☐ ☐ ☐
- die Präpositionen *von* und *durch* in Passivsätzen verstehen und anwenden. ☐ ☐ ☐

1 **Berufsporträts** → AB 31/Ü16–17

a Sehen Sie die beiden Fotos an und lesen Sie die Beschreibungen.
Was machen die beiden in ihren Berufen? Fassen Sie zusammen.

Corporate Blogger
Nils H., 30, arbeitet für verschiedene Unternehmen und betreut deren Blogs. Das heißt, er verfasst Beiträge für deren Blog-Seiten und beantwortet dort kritische Kommentare von Kunden. So hält er die Kommunikation mit den Kunden der Unternehmen am Laufen. Wichtig findet er, dass er mit seinen Beiträgen einen sympathischen und ungezwungenen Eindruck hinterlässt.

Social Media Manager
Anna G., 31, betreut für ihre Kunden unkonventionelle Werbeaktionen in sozialen Netzwerken wie *Facebook*. Dort macht sie zum Beispiel Werbung für einen neuen Schokoriegel mit einem Gewinnspiel. Der Riegel soll von den Besuchern der Seite bewertet werden. Es gefällt ihr, dass sie immer sofort Feedback bekommt.

b Welchen der beiden Jobs würden Sie lieber machen? Warum?

2 Lesen Sie nun den folgenden Artikel aus der Beilage *Beruf & Karriere* einer Tageszeitung.

> *Richtig lesen – Funktion des Textes erkennen*
> *Überfliegen Sie dazu den Zeitungsartikel. Bevor Sie ihn genau lesen, beschäftigen Sie sich mit der Frage: Was will der Text? Welche Funktion erfüllt der Artikel vor allem, z. B. informieren, Rat geben, unterhalten?*

WEB-GUERILLAS
Besuch in einer Firma der Zukunft

[A] Es gibt sie wirklich, diese Arbeitsplätze, die aussehen wie aus dem Werbespot. Fröhliche Menschen lümmeln sich vor großen Bildschirmen, sie zapfen Kaffee aus prächtigen Espressomaschinen und nennen ihren Chef „El Presidente". Ein Ladenlokal im Münchener Glockenbachviertel. Draußen sitzen die Leute in der Sonne, drinnen stehen alle Türen offen. Rechts auf dem Flur ein rotes Rennauto, links führt eine Treppe zur gelb leuchtenden Teeküche, an der Tür die Aufschrift „Yellow Submarine". Die Köchin bereitet gerade das Essen vor, Lammfilet mit Schmortomaten, kostenlos für alle 62 Mitarbeiter. Die Geschäftsleitung übernimmt die Ausgaben für das Essen. „Wir sitzen hier nicht nur unseren Job ab", sagt Angela von Hayden, Assistentin in der Agentur mit dem schönen Namen *Web-Guerillas*. „Wir sind wie eine große WG und machen auch privat viel zusammen. Bei uns gibt es Kicker-Turniere, Filmabende und Betriebsausflüge an den Gardasee." 10

[B] Wie in vielen Firmen vermischen sich dabei Beruf und Privatleben. Doch hier ist das auch Programm. Denn die Agentur hat sich auf alternative Werbeformen spezialisiert, das sogenannte Guerilla-Marketing. Dazu zählen Kampagnen, die soziale Netzwerke, Internetforen, Fanseiten oder Firmenblogs als Medium verwenden und die bei einer möglichst großen Anzahl von Personen einen Überraschungseffekt – 15 Guerilla-Effekt – erzielen.

[C] Und dort ist es nicht so leicht zu unterscheiden, ob jemand als Privatperson oder als Werbetreibender agiert. Im Gegenteil: Bei dieser Art von Werbung muss man Aufgaben kreativ lösen und dabei seine ganze Persönlichkeit möglichst überzeugend einbringen. Wer auf *Facebook* viele Freunde hat und auch privat einen Blog führt, hat bessere Einstellungschancen. 20

[D] „Das Internet ist das perfekte Medium", sagt der Agenturchef David Eicher. Trotz der Krise hat sich die Zahl der Mitarbeiter innerhalb von drei Jahren verdreifacht. Was früher nur ein Ladenlokal war, erstreckt sich jetzt über drei Etagen. Und doch wird schon erneut über einen Umzug nachgedacht. Letztes Jahr betrug der Umsatz 5,5 Millionen Euro, im Rückblick ist das eine Steigerung von fast hundert Prozent im Vergleich zum Vorjahr. 25

3 Globalverstehen

Welche vier der folgenden fünf Überschriften passen zu den Absätzen des Textes? Markieren Sie.

1 Anforderungen an Mitarbeiter ☐ A ☐ B ☐ C ☐ D
2 Eine Firma wie eine Wohngemeinschaft ☐ A ☐ B ☐ C ☐ D
3 Erfolg in der Krise ☐ A ☐ B ☐ C ☐ D
4 Neue Formen von Werbung ☐ A ☐ B ☐ C ☐ D
5 Marketing für junge Kunden ☐ A ☐ B ☐ C ☐ D

4 Detailverstehen

a   Welche drei Angebote bietet die Firma Web-Guerilla ihren Mitarbeitern? Markieren Sie.

☐ gutes Gehalt   ☐ Essen und Trinken   ☐ Spiele
☐ gemeinsame Freizeitaktivitäten ☐ papierloses Büro   ☐ Fitnesstrainer

b   In welchen vier der folgenden Medien findet das Marketing der Web-Guerillas statt? Markieren Sie.

☐ soziale Netzwerke   ☐ Internetforen   ☐ Radio
☐ Fanseiten   ☐ Fernsehen   ☐ Firmenblogs

c   Was sollte ein Bewerber bei dieser Firma mitbringen? Markieren Sie.

☐ einen privaten Blog führen   ☐ die neuesten Computerprogramme kennen
☐ bei *Facebook* gut vernetzt sein ☐ mehrere Fremdsprachen sprechen

5 Wortbildung: Vorsilben bei Nomen: *ab-, auf-, aus-, hin-, (zu)rück-, um-* → AB 32/Ü18–19

GRAMMATIK
Übersicht → S. 38/3

a   Sehen Sie sich folgende Wörter aus dem Text noch einmal an.
Welche Verben stecken in diesen Nomen? Ergänzen Sie.

_____ Aufschrift → *aufschreiben*   _____ Umsatz   → _____
_____ Ausgabe   → _____   _____ Rückblick → _____
_____ Umzug   → _____

b   Ergänzen Sie die Artikel zu den Nomen.

c   Bilden Sie aus den Verben Nomen mit derselben Bedeutung. Verwenden Sie bei Bedarf ein Wörterbuch.

abfliegen –   der *Abflug*   ausdrucken –   der _____
absagen –   die _____   ausgeben –   die _____
abschließen – der _____   hinweisen –   der _____
aufgeben –   die _____   zurückfahren – die _____
aufnehmen –   die _____   umtauschen –   der _____

6 Schreiben Sie interessante Überschriften für Zeitungen oder das Internet.

Verwenden Sie Wörter aus Aufgabe 5.

Berliner Flughafen:
Alle Abflüge abgesagt

Rücknahme abgelehnt –
Kein Recht auf Umtausch

Ich kann jetzt …   ☺ ☺ ☹

- Zeitungstexte über neue Berufe und eine Firma verstehen.   ☐ ☐ ☐
- Anforderungen an Mitarbeiter verstehen.   ☐ ☐ ☐
- aus Verben Nomen mit den Vorsilben *ab-, auf-, aus-, hin-, (zu)rück-* und *um-*
  und umgekehrt bilden.   ☐ ☐ ☐

SCHREIBEN

1 **Sehen Sie das Bild an.**

Beschreiben Sie die Situation.

2 **Eine Gewissensfrage**

a Lesen Sie die Gewissensfrage eines Lesers.
Worum geht es darin?

b Wie bewertet die Expertin das Verhalten des Lesers?
Markieren Sie.

☐ Sie hat Verständnis dafür.
☐ Sie hat kein Verständnis dafür.

Gewissensfrage eines Lesers

Ich pendle jeden Tag eine Stunde mit dem Zug zur Arbeit. Dabei treffe ich häufig Kollegen, die denselben Weg haben. Ich habe aber oft keine Lust, mich mit ihnen zu unterhalten. Ist es unhöflich von mir zu lesen? Oder ist es unhöflich von den anderen, mit mir eine Unterhaltung anzufangen, obwohl ich eine Zeitung in der Hand habe? 5

Alexander G., Darmstadt

Antwort von Dr. Dr. Michaela Heidecker

So wie Ihnen geht es wahrscheinlich vielen Menschen, die pendeln müssen. Aufgrund Ihres langen Weges zur Arbeit verbringen Sie viel Zeit in der Bahn und treffen auch Kollegen. Es ist nicht 5 sehr nett, jemandem, den man kennt, zu zeigen, dass man sich die Zeit lieber auf andere Art und Weise vertreibt. Aus Höflichkeit sollten Sie zumindest freundlich grüßen und mit Kollegen aus Ihrer Abteilung auch ein, zwei Worte wechseln. Wenn Sie aber vor Müdigkeit kein weiteres Gespräch 10 führen können, ist das auch in Ordnung. Sagen Sie einfach, dass Sie noch müde sind und lieber lesen würden. Ihre Kollegen haben dafür sicher Verständnis und werden Sie in Ruhe lassen. Dank Ihrer Offenheit werden so niemals Missverständ- 15 nisse entstehen.

Haben Sie auch eine Gewissensfrage?
Dann schreiben Sie an Dr. Dr. Michaela Heidecker,
gewissensfrage@bz-magazin.de

---

3 **Kausale Zusammenhänge** → AB 33–34/Ü20–23

GRAMMATIK
Übersicht → S. 38/4

Schreiben Sie die Aussagen aus dem Text in Sätze mit kausalen Konnektoren um.

Aufgrund Ihres langen Weges zur Arbeit verbringen Sie viel Zeit in der Bahn.

- Sie verbringen viel Zeit in der Bahn,
  weil _____ .
- Sie haben einen langen Weg zur Arbeit.
  Darum _____ .

Aus Höflichkeit sollten Sie zumindest freundlich grüßen.

- **Da** _es höflich ist_ , sollten Sie zumindest freundlich grüßen.
- Sie sollten zumindest freundlich grüßen,
  denn _____ .

Wenn Sie aber **vor** Müdigkeit kein weiteres Gespräch führen können, ist das auch in Ordnung.

- Wenn Sie aber kein weiteres Gespräch führen können, **weil** _____, ist das auch in Ordnung.
- Wenn Sie aber müde sind und Sie können **deshalb** _____ _____, ist das auch in Ordnung.

Dank Ihrer Offenheit werden so niemals Missverständnisse entstehen.

- **Da** _____, werden niemals Missverständnisse entstehen.
- Sie sind sehr offen. **Deswegen** _____ _____.

4 Verfassen Sie eine eigene Antwort auf die Leserfrage in 2. → AB 34/Ü24

Schreiben Sie etwas zu folgenden Punkten:

- Wie ist Ihre Meinung zum Verhalten des Lesers und wie begründen Sie sie?
- Wie würde man darauf in Ihrem Heimatland reagieren?
- Wie verhalten Sie sich in einer solchen Situation?

die eigene Meinung äußern

„ _Ich denke/meine/glaube, dass ..._
Meiner Meinung/Ansicht nach ...
Ich bin davon überzeugt, dass ...
Ich halte das für ..., weil ...
Deshalb / Aus diesem Grund ... “

über die Situation im Heimatland berichten

„ _Bei uns in ... verhält man sich normalerweise nicht so / anders._
In meiner Heimat / meinem Heimatland hat man für so ein
Verhalten totales / viel / kein Verständnis.
In ... gilt so ein Verhalten als normal / unhöflich / unmöglich. “

> _Richtig schreiben – einen Text planen_
> _Den Aufbau von Texten sollte man sorgfältig planen. Das heißt, dass man auf einem extra Blatt zuerst einige Ideen zum Thema sammelt, Stichworte notiert und diese dann in eine sinnvolle Reihenfolge bringt. Erst dann beginnt man mit dem Schreiben. Überlegen Sie sich auch einen geeigneten Einleitungs- und einen guten Schlusssatz._

5 Kontrollieren Sie Ihren Text.

Überprüfen Sie Ihren Text mithilfe folgender Fragen.

- Habe ich auf die Frage von Alexander G. Bezug genommen?
- Habe ich alle Inhaltspunkte ausführlich genug berücksichtigt?
- Habe ich verschiedene Satzanfänge verwendet, sodass sich der Text flüssig liest?
- Schließen die Sätze gut aneinander an?
- Habe ich verschiedene Redemittel benutzt?
- Wird deutlich, welche Meinung ich habe?

Ich kann jetzt ...
- die Bewertung einer Leserfrage verstehen.
- in einem Internetforum meine eigene Meinung äußern.
- Kausale Zusammmhänge mit verschiedenen grammatischen Strukturen ausdrücken.

1 K(l)eine Alltagssünden am Arbeitsplatz

a **Welches Bild passt zu welcher Handlung? Ordnen Sie zu.**

☐ Geschenke annehmen ☐ Kekse naschen ☐ privat telefonieren
☐ das Handy aufladen ☐ das Internet für private Zwecke nutzen

b **Wie ist Ihre Meinung? Arbeiten Sie zu viert. Sprechen Sie über folgende Fragen und machen Sie Notizen. Berichten Sie dann im Kurs.**

▪ Was aus a haben Sie schon selbst am Arbeitsplatz gemacht?
▪ Was meinen Sie? Was könnte problematisch sein? Warum?

Bedenken äußern

„*Ich denke, es ist problematisch, wenn man …*
Bedenklich/Problematisch ist es wahrscheinlich, … zu …
… zu …, kann Probleme nach sich ziehen / zu Schwierigkeiten führen.
Es hat sicherlich Folgen, wenn man … "

2 Was Juristen dazu sagen → AB 35/Ü25

a **Lesen Sie den Text und formulieren Sie passende Überschriften.**
Die Vorgaben in 1a können dabei helfen.

Das kann den Job kosten! Kündigungsgründe, die für Aufregung sorgen

Fremde Länder, fremde Sitten! Wer aus dem Ausland kommt und bei einer hiesigen Firma arbeiten möchte, sollte einige Regeln kennen. Einige davon wirken auch für die Einheimischen auf den ersten Blick lächerlich. Doch Arbeitsrechtler können eine ganze Reihe von kleinen Fehlern aufzählen, die zu großem Ärger mit dem Chef führen können. 5

1 Finger weg von den Keksen des Chefs

Die Besprechung hat noch nicht begonnen, in der Küche steht ein Teller mit Keksen. Ist es verboten, sich vorab schon einmal zu bedienen? Ja. „Arbeitnehmer haben überhaupt keine Berechtigung, für private Zwecke etwas vom Arbeitgeber zu nehmen. Das ist klarer Diebstahl", sagt Daniela Range-Ditz, Fachanwältin für Arbeitsrecht. Gleiches gilt beispielsweise für Stifte, Briefmarken oder privat genutzte Fotokopien. Auch wenn im Unternehmen etwas üblich zu sein scheint, ist es ratsam, sich 10 beim Vorgesetzten zu erkundigen, ob man etwas nehmen darf. Denn der Arbeitgeber darf theoretisch auch dann fristlos kündigen, wenn etwas von geringem Wert entwendet wurde.

2 _____

Das Arbeitsgericht Oberhausen hat sich kürzlich mit einer aufsehenerregenden Kündigung befasst. Ein Mitarbeiter wurde fristlos entlassen, unter anderem, weil er sein privates Handy regelmäßig am Arbeitsplatz auflud. Damit man nicht in Schwierigkeiten kommt, sollte man besser um 15 Erlaubnis fragen.

3

Auch wer mal schnell ein privates Telefonat erledigen will, braucht dafür die Genehmigung des Arbeitgebers. Sind private Gespräche erlaubt, ist die Frage, wann telefoniert werden darf. Auf der sicheren Seite ist man, wenn man dafür die bestehenden Pausen nutzt. Auf keinen Fall darf die Dauer des Telefonats von der Arbeitszeit abgehen. „Viele Arbeitnehmer sind sich nicht darüber bewusst, dass sie ihr Unternehmen um Arbeitszeit betrügen", sagt Fachanwalt Eckert. 20

4

Ohne Genehmigung ist es riskant, private E-Mails zu schreiben. „Wenn der Computer vom Arbeitgeber zur Verfügung gestellt wird, darf er darauf alles kontrollieren", sagt Range-Ditz. Das gilt auch für elektronische Post. Wenn der Arbeitgeber die private Nutzung ausdrücklich verboten hat, darf er verschickte und eingegangene Mails mitlesen. Nur wenn die private Nutzung erlaubt ist, muss er vorher das Einverständnis des Mitarbeiters einholen. 25

5

Selbst wenn es ein an ihn persönlich adressiertes Geschenk ist, darf der Mitarbeiter es nicht einfach mit nach Hause nehmen. Vor allem bei Arbeitnehmern mit direktem Kundenkontakt regelt häufig eine Passage im Arbeitsvertrag, dass sie keine Geschenke annehmen dürfen. „Es gibt eine Bagatellgrenze. Alles, was unter fünf Euro liegt, darf man behalten", sagt Eckert. 30

b **Waren Ihre Vermutungen aus Aufgabe 1b richtig?**

c **Welche der im Artikel erwähnten Fehler finden Sie nicht so schlimm? Warum?**

> *Wussten Sie schon?* → AB 35/Ü26
> *Wer in Deutschland, Österreich und der Schweiz als Arbeitnehmer eine Arbeitsstelle antritt, schließt vorher mit dem Arbeitgeber einen schriftlichen Arbeitsvertrag. Dieser regelt unter anderem die Arbeitszeiten, das Gehalt und Gründe, die zur Kündigung führen können. Kommt es zum Streit zwischen den beiden Parteien, kann einer von beiden vor dem Arbeitsgericht klagen.*

3 Partizip I und II als Adjektive → AB 36–38/Ü27–30

GRAMMATIK
Übersicht → S. 38/5

a **Ergänzen Sie die Beispiele mithilfe des Textes aus 2a.**

1 privat _genutzte_ Fotokopien
2 mit einer aufsehen_____ Kündigung
3 die _____ Pausen

4 _____ und _____ E-Mails mitlesen
5 ein an ihn persönlich _____ Geschenk

b **Sortieren Sie die Adjektive in zwei Gruppen. Was fällt Ihnen auf? Wie werden diese Formen gebildet? Ergänzen Sie.**

1 _genutzte, ..._ _____ : _____ + Adjektivendung

2 _(aufsehen)erregende, ..._ _____ : _____ + _____ + Adjektivendung
(= Partizip I)

c **Formen Sie die Ausdrücke aus Aufgabe 3a in Relativsätze um.**

1 privat genutzte Fotokopien   _Fotokopien, die privat genutzt werden._
2 eine aufsehenerregende Kündigung   _Eine Kündigung, die Aufsehen erregt._
3 ...

Ich kann jetzt ...
- über Erlaubtes und Verbotenes am Arbeitsplatz sprechen.
- einen Zeitungsbericht über ungewöhnliche Kündigungsgründe verstehen.
- Partizip I und II als Adjektive verstehen und anwenden.

SEHEN UND HÖREN

1 Geschäftlich telefonieren

a Stellen Sie sich vor, Sie arbeiten in einer deutschsprachigen Firma.
Mit wem telefonieren Sie auf Deutsch?

> Kollegen • Vorgesetzte • Geschäftspartner • Kunden • Lieferanten • Ämter (z. B. Zoll)

b Für welche Situationen am Telefon hätten Sie gern Ratschläge oder Hilfe?

2 Sehen Sie nun den Anfang eines Films an.

Erklären Sie.

- Was ist der Mann wohl von Beruf?
- Was möchte der Mann mit dem Film erreichen?

3 Ratschläge

Sehen Sie den Film nun in Abschnitten an.

Abschnitt 1

1 Welche Gliederung sollte jedes geschäftliche Telefonat haben? Bringen Sie in die richtige Reihenfolge.
   ☐ Warum rufe ich an?   ☐ Was will ich?   ☐ Entscheide dich!   ☐ Wer bin ich?
2 Was sollte man vor dem Telefonat machen? Warum? Erklären Sie.
3 Wie geht der Film wohl weiter? Was meinen Sie?

Abschnitt 2

1 Was wird in diesem Abschnitt gezeigt? War Ihre Vermutung richtig?
2 Was war der Grund des Anrufs?
3 Sehen Sie den Abschnitt noch einmal an. Welche Fehler macht der Anrufer?
   Sammeln Sie zu zweit und notieren Sie.

Abschnitt 3

Was sagt Stil-Coach Fenner dazu? Welche Fehler sind ihm aufgefallen? Notieren Sie.

Erstens	_____
Zweitens	_____
Außerdem	_____
	_____

Abschnitt 4

Was hat Herr Schlei nun besser gemacht? Berichten Sie.

4 Gibt es in Ihrem Heimatland andere Konventionen für „richtiges" Telefonieren mit Geschäftspartnern? Berichten Sie.

5 Welchen der genannten Tipps fanden Sie persönlich hilfreich?

Ich kann jetzt ...			☺
■ Ratschläge für geschäftliche Telefonate verstehen.	☐	☐	☐
■ erkennen, was jemand beim Telefonieren falsch macht.	☐	☐	☐

1 Gesprächspartner und Themen am Telefon

a Ergänzen Sie die Personen in der Tabelle.

> Vorgesetzte/r · Kollegin/Kollege · Geschäftspartner/in

b Über welches Thema spricht man mit welchem Gesprächspartner? Markieren und ergänzen Sie.

Anliegen	Gesprächspartner		
gemeinsame Projekte	x		
Arbeitsteilung			
Bestellung			
Urlaubsplanung			
Reklamation			
...			

2 Was sagt man am Telefon? → AB 38/Ü31

Ordnen Sie die Redemittel den Schritten für ein erfolgreiches Gespräch zu.

1 Wer bin ich?   2 Warum rufe ich an?   3 Was will ich?

> 2 *Weswegen ich anrufe: ...* · ☐ *Ich würde Sie bitten, ...* · ☐ *Der Grund meines Anrufs ist: ...* ·
> ☐ *Ich habe am ..., aber die Rechnung ...* · ☐ *Nun hätte ich gern ...* · ☐ *Guten Tag, hier spricht ...* ·
> ☐ *Wären Sie so freundlich und ...* · ☐ *Ich bitte Sie deshalb, mir ...* · ☐ *Mein Name ist ...*

3 Rollenspiel

a Wählen Sie zu zweit eine Situation. Einer übernimmt die Rolle des Kunden,
einer die Rolle des Geschäftspartners.

> **Eine falsche Rechnung reklamieren**
> Ein falscher, viel zu hoher Betrag
> steht auf der Rechnung.

> **Eine falsche Lieferung reklamieren**
> Sie haben statt der Drehstühle, die Sie bestellt
> hatten, Stühle mit vier Beinen bekommen.

b Schreiben Sie zu zweit mithilfe der Redemittel aus 2 ein Telefonat.

c Lesen/Spielen Sie Ihr Gespräch im Kurs vor.

Ich kann jetzt ...   ☺ ☺ ☹
- Themen und Redemittel für geschäftliche Telefongespräche zuordnen.   ☐ ☐ ☐
- geschäftliche Telefonate führen.   ☐ ☐ ☐

GRAMMATIK

1 Zustandspassiv ← S. 28/2

Beim Zustandspassiv liegt das Interesse auf dem Zustand, der nach einer Handlung eingetreten ist.

		Formen von *sein*		Partizip II
Gegenwart	Die Unterlagen	sind	schon	geordnet.
Vergangenheit		waren		geordnet.

2 *von* oder *durch* in Passivsätzen ← S. 29/5

Will man im Passivsatz die handelnde Person oder Institution nennen, verwendet man *von* + Dativ. Will man ein Mittel, ein Instrument oder eine Ursache nennen, verwendet man *durch* + Akkusativ.

	Passiv-Satz	Aktiv-Satz
Person, Institution	Das Training wird **von** einer erfahrenen Therapeutin durchgeführt.	Eine erfahrene Therapeutin **führt** das Training **durch**.
Mittel, Instrument, Ursache	Stress kann **durch** solche Übungen schnell abgebaut werden.	Solche Übungen **können** Stress schnell abbauen.

3 Wortbildung: Vorsilben bei Nomen ← S. 31/5

Aus Verben mit diesen Vorsilben kann man Nomen mit der gleichen Bedeutung bilden.

ab-	auf-	aus-	hin-	(zu)rück-*	um-
der Abflug	die Aufschrift	die Ausgabe	der Hinweis	die Rückfahrt	der Umzug
die Absage	die Aufgabe	der Ausdruck	die Hinfahrt	der Rückblick	der Umsatz

* Verben mit der Vorsilbe *zurück-* bilden das Nomen mit der Vorsilbe *Rück-*.

4 Kausale Zusammenhänge ← S. 32/3

Kausale Zusammenhänge können verbal mit Konnektoren oder nominal mit Präpositionen ausgedrückt werden. Nominale Ausdrücke mit Präpositionen sind typisch für die Schriftsprache.

Verbal		Nominal	
Konnektor	Beispiel	Präposition	Beispiel
weil da denn deshalb deswegen darum	Sie verbringen viel Zeit in der Bahn, weil Sie einen langen Arbeitsweg haben.	aufgrund + Genitiv	**Aufgrund** Ihres langen Arbeitsweges verbringen Sie viel Zeit in der Bahn.
	Sie sind sehr offen. Deswegen werden niemals Missverständnisse entstehen.	wegen + Genitiv*	**Wegen** Ihres langen Weges verbringen Sie viel Zeit in der Bahn.
		dank + Genitiv**	**Dank** Ihrer Offenheit werden niemals Missverständnisse entstehen.
	Sie sollten zumindest freundlich grüßen, denn das ist höflich.	aus + Dativ	**Aus** Höflichkeit sollten Sie zumindest freundlich grüßen.
	Sie sind müde und deshalb können Sie kein Gespräch führen.	vor + Dativ	Sie können **vor** Müdigkeit kein Gespräch führen.

* *wegen* wird vor allem in der gesprochenen Sprache immer öfter mit Dativ benutzt.
** *dank* wird in der geschriebenen Sprache auch mit Dativ benutzt.

5 Partizip I und II als Adjektive ← S. 35/3

Infinitiv + d (= Partizip I) + Adjektivendung	Partizip II + Adjektivendung
die bestehenden Pausen	privat genutzte Fotokopien

Partizip I-Formen haben immer aktive Bedeutung, Partizip II-Formen meist passive Bedeutung.

3 MEDIEN

1 Mediennutzung → AB 43/Ü2

a Sehen Sie das Bild an. Welche Medien benutzt die junge Frau im Zug?
Was kann sie damit alles machen?

b Welche Medien benutzte man
vor circa 20 Jahren für diese
Aktivitäten? Sammeln Sie zu
zweit und vergleichen Sie dann
im Kurs.

Smartphone / Tablet	früher
mobil telefonieren	nur zu Hause telefonieren
Nachrichten im Internet lesen	…
…	

c Haben Sie selbst ein Smartphone oder einen Tablet-PC?
Wo und wofür nutzen Sie das Gerät am häufigsten?

d Gibt es Situationen, in denen Sie lieber ein „traditionelles" Medium nutzen? Wenn ja, wofür?

2 Lesegewohnheiten

a Arbeiten Sie zu viert. Schreiben Sie Orte, an denen man lesen kann, jeweils auf ein Kärtchen.

b Ziehen Sie nun reihum ein Kärtchen und erzählen Sie, was, wie häufig und mit welchem Medium
Sie an diesem Ort lesen.

1 Ein erster Eindruck

Sehen Sie die Bilder an. Wo wurden sie wohl aufgenommen? Was wird dort angeboten?

2 Ein besonderer Laden → AB 44/Ü3

09 DVD1

a Sehen und hören Sie eine Fotoreportage zu diesem Laden. Bringen Sie die Themen der Reportage in die richtige Reihenfolge.

- ☐ Veranstaltungen in der Buchhandlung
- ☐ Einrichtung und Angebote im Buchladen
- ☐ Lebensstationen der Buchhändlerin
- ☐ Sitzgelegenheiten vor dem Buchladen
- ☐ Zielgruppe des Ladens
- ☐ Kommentare der Kunden

b Sehen und hören Sie die Fotoreportage nun in Abschnitten.

10 DVD1

Abschnitt 1: Beantworten Sie die Fragen.

1 Was bietet der Laden seinen Kunden? 2 Wie heißt der Laden?

11 DVD1

Abschnitt 2: Beantworten Sie die Fragen.

1 Was ist im Zentrum des Buchladens?
2 Welche Bücher werden von Frau Geier im Hauptraum präsentiert? Notieren Sie. *Neuheiten, ...*

3 Was bekommt man an der „Hörbar"?
4 Warum gibt es eine Landkarte?
5 Was ist für die kleinen Gäste geboten?

12 DVD1

Abschnitt 3: Welcher Kunde sagt was? Ordnen Sie zu.

Kundin 1 ... Kunde 2 ... Kunde 3 ...	findet die Veranstaltungen im Buchladen toll. unterhält sich gern mit der Besitzerin. kauft fast immer ein Buch. lässt sich Bücher empfehlen. findet, dass der Laden die Kunden zum Kaufen animiert. hat den Laden zufällig entdeckt.

13 DVD1

Abschnitt 4: Was hat die Buchhändlerin in ihrem Leben gemacht? Ergänzen Sie Stichworte.

- in Budapest _____
- in Mannheim _____
- in München _____

14 DVD1

Abschnitt 5: Beantworten Sie die Fragen.

1 Wer liest einmal im Monat in der Buchhandlung?
2 Was soll „Buch & Bohne" für das Stadtviertel sein?
3 Wie beurteilt Frau Geier die Entwicklung ihrer Buchhandlung?

3 Ihr Buchladen. Berichten Sie.

- Wo kaufen Sie Ihre Bücher meistens ein?
- Würden Sie auch gern einmal zu „Buch & Bohne" gehen? Warum (nicht)?

Ich kann jetzt ...	☺	☺	☹
▪ in einer Fotoreportage verstehen, was eine Buchhandlung ihren Kunden alles bietet.	☐	☐	☐
▪ Kundenbewertungen zu dieser Buchhandlung verstehen.	☐	☐	☐

SCHREIBEN

1 Sophies Geburtstag

Sophies Clique will gemeinsam ein Geburtstagsgeschenk für Sophie kaufen. Lesen Sie die E-Mail, die ein Freund aus ihrer Clique geschrieben hat. Welche Geschenkvorschläge macht er?

Liebe Freunde,

wie Ihr wisst, feiert Sophie in zwei Wochen ihren 30. Geburtstag und hat uns alle eingeladen. Was haltet Ihr davon, wenn wir ihr zusammen ein tolles Geschenk machen? Ich hätte da auch schon eine Idee: Wie wäre es mit neuem „Stoff" für unsere „Lese-
5 ratte"? Seid Ihr einverstanden?
Ich könnte mir vorstellen, dass sie sich über einen großformatigen Bildband freuen würde. Wie wäre es mit „Deutschland – Entdeckung von oben"? Das sind Luftaufnahmen von Deutschland. Passt doch zu ihr als Gleitschirmfliegerin, oder? ☺
Eine Alternative wäre, ihr ein elektronisches Buch und ein dafür geeignetes Lesegerät
10 zu schenken. Ich hab ja zu Weihnachten den ReaderXpress bekommen. Einerseits bin ich persönlich total begeistert von diesem Lesegerät und habe seitdem kein Buch mehr angerührt. Andererseits ist das auch nicht jedermanns Sache, so ein E-Book. Viele greifen noch gern zum gedruckten Buch, vor allem Ältere. Und Sophie ist ja (jetzt) auch nicht mehr die Jüngste. (Ha, ha…)
15 Der schöne Bildband und das Lesegerät würden übrigens in etwa gleich viel kosten. Bitte schreibt mir doch bald Eure Meinung zu meinen Vorschlägen, dann werden wir sicher etwas Passendes für unsere liebe Sophie finden!

Herzliche Grüße
Euer Stefan

---

2 Argumentieren und überzeugen

Welche Argumente sprechen *für* und welche *gegen* ein E-Book als Geschenk? Arbeiten Sie zu zweit.

Argumente für E-Books	Argumente gegen E-Books
man kann viele Bücher auf dem Lesegerät speichern *…*	*man muss zuerst ein Lesegerät kaufen* *…*

3 Antwort an Stefan → AB 44–45/Ü4–5

Welches Geschenk würden Sie Sophie machen? Verfassen Sie mithilfe der Redemittel eine Antwort an Stefan. Denken Sie auch an Anrede, Einleitung, Schluss und Gruß.

Argumente formulieren

„ *Die Idee, … zu …, ist prima!*
Beide Vorschläge finde ich interessant, denn …
Ich habe bereits Erfahrungen mit …
… hat … den Vorteil, dass man …
Andererseits spricht auch einiges für …

Zum Beispiel braucht man dafür kein/e …
Ich könnte mir gut vorstellen, dass …
Alles in allem scheint mir … das passendere Geschenk zu sein. "

Ich kann jetzt …   ☺   ☺   ☹
- Argumente für unterschiedliche Geschenkvorschläge in einer E-Mail verstehen.   ☐   ☐   ☐
- Argumente für und gegen ein E-Book als Geschenk sammeln.   ☐   ☐   ☐
- eine Antwortmail mit Argumenten für ein bestimmtes Geschenk verfassen.   ☐   ☐   ☐

LESEN 1

1 Sehen Sie das Bild an.

a Beschreiben Sie die Situation.

b Haben Sie so etwas Ähnliches auch schon erlebt?
Erzählen Sie.

> Mach das Bild
> doch mal größer!

2 Das Leseverhalten der Jugend → AB 45/Ü6

a Lesen Sie den Anfang eines Zeitungsartikels.
Worum geht es? Markieren Sie.

Im Artikel steht, dass ...
- ☐ Jugendliche bald überhaupt nicht mehr Zeitung lesen.
- ☐ junge Leute trotz intensiver Internet-Nutzung noch gern Zeitung lesen.
- ☐ die „Young digital natives" nur noch im Internet Zeitung lesen.

Das Leseverhalten der Jugend

Entgegen aller Befürchtungen erfreuen sich Tageszeitungen auch bei Heranwachsenden nach
wie vor großer Beliebtheit: Wie eine repräsentative Umfrage ergeben hat, nutzen Jugendliche
zwischen 13 und 20 Jahren zwar erwartungsgemäß vor allem das Internet, um sich Informationen aller Art zu besorgen. Doch auch die „Young digital natives" – Teenager also, die bereits mit
5   dem Internet aufgewachsen sind – lesen dennoch weiterhin gern Printmedien. Dieser Trend ist
für die Entwicklung der Medienbranche sehr interessant. Deshalb beschäftigen sich zunehmend
mehr Experten damit und suchen nach Erklärungen.

b Welche Gründe könnte es Ihrer Meinung nach für diese Entwicklung geben?

c Lesen Sie nun den Artikel weiter und ordnen Sie die Zwischenüberschriften zu.
Zwei Überschriften passen nicht.

Gleichaltrige als Vorbilder

*Jugend imitiert Verhalten
der Eltern*

*Printmedien erfreuen sich
wachsender Beliebtheit*

*Zeitungen in Deutschland
fast doppelt so beliebt wie in
Nordamerika*

*Keine großen Veränderungen
im Medienkonsum*

*Printmedien wegen
ihres übersichtlichen
Aufbaus beliebt*

1 _____

10   Jeder Dritte (35 Prozent) gibt an, dass Tageszeitungen zu seinen liebsten Printprodukten gehören – gleich nach Romanen
(64 Prozent) und vor Nachrichtenmagazinen (34 Prozent). Man
stellte Jugendlichen unter anderem die Frage, wie sich ihr
Medienverhalten in den vergangenen zwei Jahren verändert
15   habe. Fast ein Drittel der Befragten (31 Prozent) antwortete,
heute sogar mehr Tageszeitungen als früher zu lesen. Den Fern-
sehkonsum haben nur 15,4 Prozent der Jugendlichen ausgebaut.

Die Nutzung von Handys und Smartphones dagegen ist bei jedem zweiten Befragten gestiegen.
Diese Zahlen deuten darauf hin, dass sich der Medienkonsum nicht so stark wie erwartet zuguns-
20   ten der digitalen Medien gewandelt hat.

2 _____

Tatsächlich greift auch in Zeiten der digitalen Revolution noch immer ein Großteil der deutschen
Bevölkerung zu Zeitungen und Zeitschriften, statt sich nur im Netz über das nationale und internationale Weltgeschehen zu informieren. Zwar sind die Auflagen seit Jahren rückläufig, aber es ist
25   dennoch in vielen Haushalten noch immer an der Tagesordnung, lokale oder überregionale Zeitungen zu lesen. Hierzulande schauen 70 Prozent der Erwachsenen regelmäßig in ihre Tageszeitung,
in den USA tun dies nur rund 40 Prozent.

3 _____

Dass viele Jugendliche nach wie vor gerne Zeitungen lesen, erklären Experten folgendermaßen:
30 Die Artikel in den Printmedien würden nach Themenkomplexen zusammengestellt. Außerdem
schätzten Heranwachsende das optisch ansprechende, übersichtliche Angebot von Artikeln über
nationale Politik, über Wirtschaft und Sport bis hin zu Kultur in einer bestimmten Reihenfolge.
Viele Internetseiten könnten da bislang nicht mithalten.

4 _____

35 „Die lebenslangen Wertevorstellungen werden in der Jugend von den Eltern geprägt", meint Bera-
tungsexperte Goldhammer. „Das ist eine andere Erklärung für die Popularität der Tagespresse."
Er sagt, die Mehrzahl der heutigen Teenager sei in Haushalten aufgewachsen, in denen Zeitungen
einfach dazugehörten. Diese Gewohnheit zeige oft ein Leben lang Wirkung.

d Welche Gründe für das Leseverhalten der Jugendlichen werden im Text genannt?
Vergleichen Sie mit Ihren Vermutungen aus 2b.

3 Verweiswörter im Text → AB 46–47/Ü7–9

GRAMMATIK
Übersicht → S. 52/1

a Lesen Sie folgende Sätze aus dem Text. Wofür stehen die fett gedruckten
Pronomen? Formulieren Sie zunächst die passende Frage und beantworten Sie diese dann.

Deshalb beschäftigen sich zunehmend mehr Experten **damit** (...). (Zeile 8/9)
Frage: **Womit** beschäftigen sich zunehmend mehr Experten?
Antwort: Mit diesem Trend.

1 Diese Zahlen deuten **darauf** hin, dass sich der Medienkonsum nicht so stark wie erwartet
zugunsten der digitalen Medien gewandelt hat. (Zeile 19/20)
Frage: _____ ?
Antwort: Darauf, dass _____
_____ .

2 ..., in den USA tun **dies** nur rund 40 Prozent. (Zeile 27)
Frage: Was _____ ?
Antwort: _____ .

3 **Das** ist eine andere Erklärung für die Popularität der Tagespresse. (Zeile 36)
Frage: _____ ?
Antwort: Dass _____ .

b Ergänzen Sie in den folgenden Sätzen dadurch, daran, damit, das.

1 *Die digitale Revolution* hat dazu geführt, dass fast alle Informationen im Internet zur Verfügung
stehen. _Dadurch_ braucht man eigentlich immer weniger Printmedien.

2 *Jugendliche lesen heutzutage mehr Zeitung als vor einigen Jahren.*
_____ hat mich überrascht.

3 In den Familien der jungen Leute *gab es meist eine Tageszeitung.*
_____ hatten sie sich gewöhnt.

4 Zeitungsartikel sind *thematisch klar geordnet und optisch gut präsentiert.*
_____ überzeugen sie auch jugendliche Leser.

Ich kann jetzt ...   ☺ ☺ ☺
  ■ darüber spekulieren, warum Jugendliche immer noch gern Zeitung lesen.   □ □ □
  ■ einem Zeitungsartikel Erklärungen für das Leseverhalten junger Menschen entnehmen. □ □ □
  ■ Verweiswörter verstehen und anwenden.   □ □ □

1 Medienbranche

a Sehen Sie die Bilder an. Wie heißen die Berufe der abgebildeten Personen? Ergänzen Sie.

> Redakteur/in • Fotograf/in • Regisseur/in • Journalist/in • Nachrichtensprecher/in •
> Stylist/in / Maskenbildner/in • Schauspieler/in • Kamerafrau/mann • Drehbuchautor/in

A _____   C _____   E _____

B _____   D _____   F _____

G _____   H _____   I _____

b Was tun die Personen in a? Ordnen Sie zu. Manche Tätigkeiten passen zu mehreren Berufen.

- [1] einen Artikel verfassen
- [ ] eine Rolle spielen
- [ ] einen Film drehen
- [ ] Hintergründe recherchieren
- [ ] hinter der Kamera stehen
- [ ] Nachrichten vorlesen
- [ ] zum Fernsehpublikum sprechen
- [ ] eine Seite gestalten
- [ ] das Skript auswendig lernen
- [ ] eine Szene filmen/aufnehmen

- [ ] einen Artikel überarbeiten
- [ ] ein Drehbuch verfassen
- [ ] Prominente fotografieren
- [ ] Interviews führen
- [ ] die Maske machen
- [ ] Pressefotos machen
- [ ] Regie führen
- [ ] eine Buchvorlage umschreiben
- [ ] die Schauspieler schminken und stylen
- [ ] einen Drehort aussuchen

c Quiz: Schreiben Sie zu zweit Sätze wie im Beispiel. Notieren Sie die Lösung auf der Rückseite. Tauschen Sie dann Ihre Sätze mit einem anderen Team und lösen Sie die Aufgaben.

> - [ ] Die Regisseurin
> - [ ] Die Nachrichtensprecherin   muss Hintergründe für einen Artikel recherchieren.
> - [ ] Die Journalistin

WORTSCHATZ

2 Filmgenres → AB 48/Ü10

a Lesen Sie die Adjektive. Welche passen aus Ihrer Sicht zu den verschiedenen Filmgenres?
Arbeiten Sie zu zweit und ordnen Sie jeweils 3 Adjektive zu. Manche passen mehrmals.

> aktu**ell** • authent**isch** • turbul**ent** • bilder**reich** • gefühl**voll** • grau**sam** • grusel**ig** •
> handlungs**arm** • humor**voll** • informat**iv** • langweil**ig** • lehr**reich** • lust**ig** • amüs**ant** •
> reiß**erisch** • tempo**reich** • un/sach**lich** • abwechslungs**reich** • romant**isch** • traur**ig** •
> un/interess**ant** • unterhalt**sam** • witz**ig** • ereignis**reich** • ...

Komödie: _____   Liebesfilm: _____

Krimi: _____   Thriller: _temporeich,_ _____

Horrorfilm: _____   Science-Fiction: _____

Dokumentarfilm: _____   Literaturverfilmung: _____

Historienfilm: _____   Western: _____

b Welche Filme sehen Sie gern?
Welche nicht so gern? Warum?
Arbeiten Sie zu viert und
nennen Sie auch Beispiele.

> Also, ich mag *Liebesfilme* total gern.
> Ich finde sie so *romantisch* und *gefühlvoll*.
> Ich kenne einen deutschen Film – Keinohrhasen –,
> der ist auch sehr *lustig*. ...

3 Wortbildung: Nachsilben bei Adjektiven → AB 48/Ü11

GRAMMATIK
Übersicht → S. 52/2

a Notieren Sie alle unterschiedlichen Endungen und ordnen Sie die Adjektive zu.

-isch: authentisch _____   _____
-ig: gruselig _____   _____
-ent, -ant: _____   _____
-... _____   _____

b Welche Endungen haben eine Bedeutung?
Erklären Sie.

c Was fällt bei den Adjektiven mit den Endungen
-ent, -ant, -iv und *-ell* auf? Markieren Sie.

> „humorvoll" bedeutet
> sicher, dass da viel Humor
> drin steckt!

☐ Sie drücken alle etwas Positives aus.
☐ Sie werden von einem Nomen abgeleitet.
☐ Sie kommen aus einer anderen Sprache.

> *Lerntipp Wortbildung*
> *In der deutschen Sprache gibt es zahlreiche Möglichkeiten zur Wortbildung durch*
> *Endungen. Von Verben kann man Adjektive oder Nomen ableiten, z. B. sich unter-*
> *halten – unterhaltsam – die Unterhaltung. Von Adjektiven lassen sich häufig*
> *Nomen und Verben ableiten, z. B.: aktuell – die Aktualität – etwas aktualisieren.*
> *Aus manchen Nomen kann man Adjektive bilden, z. B. der Witz – witzig oder das*
> *Tempo – temporeich.*

Ich kann jetzt ...

▪ beschreiben, was man in verschiedenen Berufen der Medienbranche macht.	☐	☐	☐
▪ Filmgenres mit Hilfe von Adjektiven charakterisieren.	☐	☐	☐
▪ einige Wortbildungsregeln bei Adjektiven verstehen und anwenden.	☐	☐	☐

1   Sehen Sie die Filmplakate an. Welcher Film würde Sie interessieren?

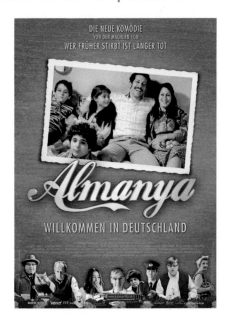

2   „Almanya – Willkommen in Deutschland"

Hören Sie einen Radiokommentar zum Film in Abschnitten.

Abschnitt 1

Was ist richtig? Markieren Sie.

1. Der kleine Cenk steht wie seine Cousine Canan manchmal gefühlsmäßig zwischen zwei Kulturen.
2. Hüseyin und Fatma, ihre türkischen Großeltern, fühlen sich inzwischen in Deutschland zu Hause.
3. Die Großeltern verraten niemandem, dass sie vor Kurzem offiziell Deutsche geworden sind.
4. Hüseyin möchte aber bald für immer in das neu gekaufte Haus in der Türkei zurückziehen.
5. Die Familie unternimmt gemeinsam eine Reise in die Türkei.
6. Während dieser Reise erfährt Cenk die Geschichte seiner Familie.

Abschnitt 2

1 Wie findet der Kritiker den Film? Markieren Sie.

☐ unterhaltsam, aber nicht sehr authentisch   ☐ einfühlsam und humorvoll

2 Warum gelingt es den Filmemacherinnen so gut, die Welt in „Almanya" darzustellen?

_____

3 Wie viele Menschen haben den Film im ersten Jahr in Deutschland gesehen?

_____

4 Bei welchem Wettbewerb erhielt der Film zwei Preise?

_____

3   Würden Sie den Film gern ansehen? Warum (nicht)? → AB 50/Ü13

> *Wussten Sie schon?* → AB 49/Ü12
> *Als deutsch-türkisches Kino werden Filme von Regisseuren aus der türkischen Zuwanderergruppe im deutschsprachigen Raum bezeichnet. In den 1970er- und 1980er-Jahren wurden nur einige wenige Filme über Migranten und ihre Schwierigkeiten im Leben in der neuen Heimat produziert, wie z.B. „40 qm Deutschland" von Tevfik Baser (1985). Erst ab Ende der 1990er-Jahre entwickelte sich ein vielfältigeres „Kino der doppelten Kulturen" von Filmemachern aus der zweiten Einwanderergeneration, wie beispielsweise Fatih Akin („Gegen die Wand"). Ein beliebtes Filmgenre sind inzwischen Komödien, deren Komik durch das Aufeinandertreffen unterschiedlicher Kulturen und Wertvorstellungen entsteht.*

4 Wir brauchen Kinokarten.

a **Was macht die Person auf dem Bild? Markieren Sie.**

☐ die Sterntaste drücken
☐ die Rautetaste drücken

b **Benny und seine Freundin Rebecca wollen zusammen ins Kino gehen. Hören Sie die Telefonansage in Abschnitten. Ergänzen Sie und markieren Sie.**

Abschnitt 1

1 Wo ruft Benny an? _____
2 Was kann man mit der Tastatur des Telefons noch machen?
  ▪ Karten _____
  ▪ den aktuellen _____ hören
  ▪ einen anderen _____ wählen
3 Welche Taste drückt Benny? _____

Abschnitt 2

1 Wie viele Filme werden angekündigt? _____
2 Sind alle für Kinder freigegeben? _____
3 Welche Taste muss man für eine Reservierung drücken? _____
4 Was kann man über das Telefon alles eingeben? Markieren Sie.
  ☐ Filmauswahl ☐ Uhrzeit ☐ Sitzplatznummer ☐ Anzahl der Karten ☐ Platzkategorie

Abschnitt 3

1 Was hat Benny reserviert? Ergänzen Sie.
  Den Film _____ um _____ für _____ . Kategorie
2 Was müssen die beiden bis spätestens 19.45 Uhr machen? _____

5 Uneingeleitete *wenn*-Sätze → AB 50/Ü14

GRAMMATIK
Übersicht → S. 52/3

a **Lesen Sie den Satz. Welcher Satz drückt das Gleiche aus? Markieren Sie.**

Möchten Sie reservieren oder Informationen zum Spielplan erhalten, drücken Sie bitte die 1.

☐ Möchten Sie reservieren oder Informationen zum Spielplan erhalten oder die 1 drücken?
☐ Wenn Sie reservieren oder Informationen zum Spielplan erhalten möchten, drücken Sie die 1.

b **Bilden Sie Nebensätze mit *wenn*.**

1 Möchten Sie in der vorderen Kategorie sitzen, drücken Sie bitte die 2.
2 Möchten Sie einen anderen Tag auswählen, drücken Sie bitte die 3.
3 Haben Sie keine Cinecard, drücken Sie bitte die 1.
4 Brauchen Sie noch weitere Informationen, warten Sie bitte auf den nächsten freien Mitarbeiter.
5 Suchen Sie einen bestimmten Film, geben Sie den Namen auf der Tastatur ein.

  1 Wenn Sie in der vorderen Kategorie sitzen möchten, drücken Sie bitte die 2.

c **Wortstellung: Ergänzen Sie jeweils die Wörter *wenn* und *das Verb*.**

  ▪ Im normalen Nebensatz steht _____ in Position 1, _____ steht am Ende.
  ▪ Im uneingeleiteten Nebensatz steht _____ in Position 1, _____ fällt weg.

Ich kann jetzt ...   ☺ ☺ ☹
  ▪ den Filminhalt und die Meinung einer Filmkritikerin verstehen.   ☐ ☐ ☐
  ▪ verstehen, wie man Kinokarten per Telefonansage bestellt.   ☐ ☐ ☐
  ▪ uneingeleitete *wenn*-Sätze verstehen und anwenden.   ☐ ☐ ☐

1 Wozu lädt das Schild ein? Markieren Sie.

☐ am Sonntagabend gemeinsam Spiele zu spielen
☐ sonntags den Tatort eines Verbrechens zu besuchen
☐ sonntags in einer Kneipe gemeinsam einen Fernsehkrimi anzusehen

2 Das „Tatort-Public-Viewing"

Lesen Sie die folgende Reportage und beantworten Sie die Fragen.

1 Was sehen Gäste in manchen Lokalen am Sonntagabend?
　die Krimiserie „Tatort"

2 Was hat man in einer Publikumsumfrage herausgefunden?

3 Wie kam Christian Rotzler auf die Idee, in seiner Kneipe den „Tatort" zu zeigen?
　▪ _____
　▪ _____

4 Was ist an „Tatort-Sonntagen" dort anders als sonst?

5 Wo gibt es „Kalte Morde – heiße Suppe" und welche Idee steckt dahinter?

6 Wodurch hebt sich der „Tatort" in den Augen des Publikums von anderen Sendungen ab?

TATORT Kneipe

Sonntagabend: Um die 60 Menschen drängen sich auf engstem Raum in einer kleinen Bar zusammen und starren gebannt auf eine Großleinwand. Es kommt kein Fußball im Fernsehen, es gab auch kein welterschütterndes Ereignis, das man im Fernsehen verfolgen muss und es wird kein internationaler Song-Wettbewerb gezeigt. Wie seit mittlerweile gut 40 Jahren flimmert auch diesen Sonntag wieder der „Tatort" über die Bildschirme – und inzwischen sogar über Großleinwände. Die deutscheste aller Krimiserien überhaupt ist nach so langer Zeit immer noch die erfolgreichste: Er wurde gerade erst in einer Umfrage gleich nach „Wer wird Millionär?" von den Zuschauern zu ihrer Lieblingsserie gekürt. Besonders bemerkenswert ist aber, dass „Tatort" auch beim jungen Publikum beliebt ist. Die Serie ist mittlerweile Kult bei jungen Menschen, und um das „Tatort"-Schauen zu einem besonderen und gemeinschaftlichen Erlebnis zu machen, haben sich einige Kneipenwirte etwas Besonderes einfallen lassen: das „Tatort-Public-Viewing".

In der Bar von Christian Rotzler läuft der Sonntag-Abend-Krimi bereits seit ein paar Jahren. Denn Rotzler ist „Tatort"-Fan. Er dachte sich, wenn er schon Sonntagabend arbeiten muss, dann könnte er seinen „Tatort" ja am Arbeitsplatz schauen und gleich ein Event daraus machen. Nachdem die Bar für die Fußball-WM 2006 einen Beamer angeschafft hatte und seitdem „Tatort" auf Großleinwand zeigt, kam der große Ansturm. Christian kann sich inzwischen gar nicht mehr vorstellen, den Krimi alleine anzuschauen. Der Wirt sorgt dafür, dass die Gäste ihre Getränke haben, denn zum „Tatort" ist der Laden immer voll mit „netten, gemütlichen Saft- und Rotwein-Trinkern". Selbstverständlich ist Wirt Christian interessiert daran, dass die Gäste zufrieden sind. Und er findet es großartig, so viele Menschen mit seinen Kneipen-Fernsehabenden glücklich zu machen.

Essen zum „Tatort" auf der Großleinwand gibt es auch anderswo – und das sogar umsonst. In der Freiburger Mensabar hat der „Internationale Club" damit begonnen, das „Tatort"-Schauen im großen Stil zu organisieren. Seit einiger Zeit gibt es hier jeden Sonntagabend „Tatort-Public-Viewing" unter dem Motto „Kalte Morde – Heiße Suppe". Die Studenten bekommen einen Teller Suppe umsonst, um das durchgefeierte Wochenende gemütlich bei „Tatort" & Suppe ausklingen zu lassen.

Was macht den „Tatort" eigentlich so besonders?
55 Wenn man die Gäste fragt, sind sich alle einig darin, dass es mehrere Gründe dafür gibt: Es sind die charakterstarken Kommissar-Teams und der Realismus. Natürlich ist es vor allem die

Tradition, die den unvergleichlichen Charme der Sendung ausmacht. Schließlich schaut man den „Tatort" schon seit Jahren, seit der Kindheit mit den Eltern, und selbst diejenigen, die das nicht gemacht haben, lassen sich von ihren Freunden anstecken. Viele geben zu, dass sie eine Schwäche für den „Tatort" haben. 60 65

3 In Ihrem Heimatland

Gibt es dort auch „Public Viewing" von Fernsehsendungen? Wenn ja, was sehen sich die Menschen gern gemeinsam an und warum? Welche Sendungen würden Sie persönlich dafür vorschlagen?

4 *dass*-Sätze oder Infinitiv + *zu* → AB 51/Ü15

GRAMMATIK
Übersicht → S. 52/4a

a **Formen Sie diese Sätze in *dass*-Sätze um. Was fällt Ihnen auf?**

1 Christian kann sich inzwischen gar nicht mehr vorstellen, den Krimi alleine anzuschauen.
   Christian kann sich nicht mehr vorstellen, dass
2 Er findet es großartig, so viele Menschen mit seinen Kneipen-Fernsehabenden glücklich zu machen.

b **Formen Sie die folgenden *dass*-Sätze in Sätze mit *Infinitiv + zu* um, wenn möglich.**

1 Die Zuschauer bekommen die Aufgabe, dass sie den Mörder erraten.
2 Der Wirt bittet die Gäste, dass sie nicht so laut sind.
3 Er weiß, dass er mit seinen Stammgästen rechnen kann.

c **Welchen der *dass*-Sätze kann man nicht in einen Infinitivsatz umformen? Warum?**

5 *dass*-Sätze als Ergänzung → AB 52–53/Ü16–17

GRAMMATIK
Übersicht → S. 52/4b

Lesen Sie folgende Sätze und ersetzen Sie die Nebensätze mit „*dass*" jeweils durch eine der folgenden Formulierungen. Ergänzen Sie den Artikel, wenn nötig.

ihre Schwäche · Zufriedenheit der Gäste · ~~Beliebtheit von „Tatort"~~ · Getränke der Gäste

1 Besonders bemerkenswert ist, **dass** „Tatort" auch beim jungen Publikum beliebt ist.
   Besonders bemerkenswert ist die Beliebtheit von „Tatort" beim jungen Publikum.
2 Der Wirt sorgt **dafür**, **dass** die Gäste ihre Getränke haben.
   Der Wirt **sorgt für** _____
3 Selbstverständlich ist Wirt Christian **interessiert daran**, **dass** die Gäste zufrieden sind.
   Selbstverständlich **ist** Christian _____ **interessiert.**
4 Viele geben zu, **dass** sie eine Schwäche für den „Tatort" haben.
   _____

Wussten Sie schon? → AB 53/Ü18
Beim „Public Viewing" werden meist Sportveranstaltungen oder andere Großereignisse live übertragen und auf großen Plätzen, in Einkaufszentren oder Gaststätten gezeigt. „Public Viewing" ist seit der Fußballweltmeisterschaft in Deutschland im Jahr 2006 in Deutschland weit verbreitet. Damals sahen Millionen von Menschen die Spiele auf öffentlichen Plätzen an.

Ich kann jetzt ...
- die Hauptinformationen eines Zeitungsartikels zum „Tatort-Public-Viewing" verstehen. ☺ ☺ ☹ ☐ ☐ ☐
- mich über beliebte Fernsehsendungen austauschen. ☐ ☐ ☐
- „dass-Sätze" und ihre Entsprechungen verstehen und anwenden. ☐ ☐ ☐

SPRECHEN

1 Nachrichtenquellen

Ordnen Sie den Nachrichtenquellen die Bilder zu.

☐ Radionachrichten ☐ Tageszeitungen ☐ Fernsehnachrichten ☐ Live-Ticker

2 Projekt: Meldungen aus Nachrichten präsentieren → AB 54/Ü19

a Entscheiden Sie sich nun für eine Nachrichtenquelle. Lesen, hören oder sehen Sie die Nachrichten des Tages und wählen Sie eine interessante Meldung aus.

b Analysieren Sie als Vorbereitung für Ihre Präsentation die ausgewählte Meldung nach folgenden Punkten:

> ▪ Wie wird die Nachricht präsentiert?
>   ☐ als Lesetext ☐ als Hördatei ☐ mit Bildern ☐ als ...
>
> ▪ Wie finden Sie die grafische/bildliche Darstellung der Nachrichten?
>
> | (un-)übersichtlich · gut bebildert · ansprechend · weckt Neugierde · ... |
>
> ▪ Wie ist die sprachliche Gestaltung in Bezug auf ...?
>   – Logik
>   – Komplexität
>   – Verständlichkeit
>
> ▪ Schlagen Sie schwierige Wörter im Wörterbuch nach und erklären Sie sie später in Ihrer Präsentation.
>
> ▪ Notieren Sie nun kurze Antworten auf die W-Fragen.
>   **Was** ist geschehen? **Wer** steht im Mittelpunkt der Nachricht?
>   **Wo** und **wann** hat es sich ereignet? **Wie** kam es dazu? **Warum** ...?

c Halten Sie jetzt mithilfe folgender Redemittel Ihre Nachrichtenpräsentation.

eine Nachrichtenmeldung zusammenfassen und bewerten

„ *Die folgende Nachricht stammt aus ... vom ...*
Sie ist dort als ... mit ... präsentiert.
Die Nachricht ist auf ... Weise präsentiert/dargestellt, denn ...
Der Text ist gut verständlich/logisch aufgebaut / ...
Sprachlich anspruchsvoll/gelungen/interessant ... finde ich ...
Diese Wörter aus dem Text möchte ich zuerst erklären/erläutern:
Am ... ereignete sich in ... Folgendes: ...
Man erfährt außerdem, dass ...
Ich habe die Nachricht gewählt, weil ...
Aus folgendem Grund habe ich den Artikel ausgesucht: ... „

Ich kann jetzt ...   ☺ ☺ ☹
▪ Nachrichten aus den Medien auswählen und anhand eines Fragenkatalogs analysieren. ☐ ☐ ☐
▪ anderen Nachrichten verständlich und klar strukturiert präsentieren.   ☐ ☐ ☐

SEHEN UND HÖREN 2

1 „KOKOWÄÄH" [kɔkovɛ̃]

a Sehen Sie die beiden Bilder aus
einem deutschen Kinofilm an.
Um was für ein Filmgenre
handelt es sich wohl?

b Was meinen Sie?
Wovon handelt der Film?
Arbeiten Sie zu zweit und
vergleichen Sie im Kurs.

2 Sehen Sie den Filmtrailer zu „KOKOWÄÄH" in Abschnitten. → AB 55/Ü20

Abschnitt 1

Was erfährt Henry aus dem Brief?

Abschnitt 2

1 Sehen Sie den Film zunächst <u>ohne Ton</u> und beantworten Sie die Fragen.
- Mit wem spricht Henry wohl per Skype?
- Worüber sprechen die beiden vermutlich miteinander?
- Wer könnte der andere Mann sein?
- Was passiert, als Henry und Magdalena zusammen essen?

2 Sehen Sie den Film nun <u>mit Ton</u> und beantworten Sie die Fragen.
- Waren Ihre Vermutungen richtig?
- Was bedeutet der Titel des Films „Kokowääh"?
- Warum wird er wohl falsch geschrieben?
- Wie könnte die Geschichte weitergehen?

Abschnitt 3

1 Berichten Sie:
- Was passiert in Henrys und Magdalenas Alltag?
- Wer ist die dunkelhaarige Frau?

2 Was möchte der andere Mann von Henry? Markieren Sie.
- ☐ Er will Henry Magdalena wegnehmen.
- ☐ Henry soll Magdalena zu ihrer Mutter zurückbringen.
- ☐ Henry soll sich wie ein richtiger Vater um Magdalena kümmern.

Abschnitt 4

1 Hören Sie den Abschnitt <u>ohne Bild</u>. Henry schüttet „sein Herz aus". Was ist mit ihm passiert und
wem erzählt er das wohl?

2 Sehen Sie den Abschnitt nun <u>mit Bild</u>. War Ihre Vermutung richtig?
3 Was meinen Sie? Wie geht die Geschichte weiter?

Abschnitt 5

Was erleben Henry und Magdalena zusammen? Beschreiben Sie die Vater-Tochter-Beziehung.

3 Würden Sie den Film gern ansehen? Warum (nicht)?

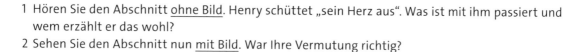

Ich kann jetzt ...	😊	🙂	🙁
▪ Vermutungen zu Filmausschnitten anstellen.	☐	☐	☐
▪ verstehen, in welcher Beziehung die Personen im Film zueinander stehen.	☐	☐	☐
▪ darüber spekulieren, wie die Geschichte im Film weitergeht.	☐	☐	☐

GRAMMATIK

1 Verweiswörter im Text ← S. 43/3

Verweiswörter sind Präpositionalpronomen *(damit, darauf, ...)* oder Demonstrativpronomen *(das, dies, ...)*. Sie nehmen Bezug auf einen vorhergehenden oder nachfolgenden Satz/Satzteil.

Bezug	Satz mit Verweiswort	Bezug
Dieser Trend ist für die Medien-branche sehr interessant.	Deshalb beschäftigen sich zuneh-mend mehr Experten damit.	
	Diese Zahlen deuten darauf hin,	dass sich der Medienkon-sum nicht gewandelt hat.
Wertevorstellungen werden in der Jugend von den Eltern geprägt.	Das ist eine andere Erklärung für die Popularität der Tagespresse.	
Hier schauen 70 Prozent der Erwachsenen in ihre Tageszeitung.	In den USA tun dies nur rund 40 Prozent.	

2 Wortbildung: Nachsilben bei Adjektiven ← S. 45/3

Adjektive werden häufig von einem Nomen oder Verb abgeleitet. Meist haben sie eine Endung. Typische Adjektivendungen sind die Nachsilben *-lich, -ig, -isch, -sam, -arm, -reich, -voll, -iv, -ent, -ant, -ell*. Adjektive, die aus dem Lateinischen stammen, enden oft auf *-iv, -ant, -ell*, z. B. *informativ, intensiv, interessant, tolerant, aktuell, sensationell*.

3 Uneingeleitete *wenn*-Sätze ← S. 47/5

Konditionale Nebensätze mit *wenn* können verkürzt werden. Sie beginnen dann mit dem konjugierten Verb, *wenn* entfällt.

Wenn Sie reservieren möchten, drücken Sie die 1. → Möchten Sie reservieren, drücken Sie die 1.

4 *dass*-Sätze und ihre Entsprechungen

a *dass*-Satz oder Infinitiv + *zu* ← S. 49/4

Ist das Subjekt oder Objekt im Hauptsatz identisch mit dem Subjekt im *dass*-Satz, bildet man den Nebensatz häufig mit Infinitiv + *zu*.
Nach Verben des Sagens *(sagen, antworten, berichten, ...)* der Wahrnehmung *(sehen, hören, bemerken, lesen)* und des Wissens *(wissen, vermuten, zweifeln)* steht **kein** Infinitiv + *zu*.

dass-Satz	Nebensatz mit Infinitiv + *zu*
Der Wirt kann sich inzwischen gar nicht mehr vorstellen, dass er den Krimi allein anschaut.	Der Wirt kann sich inzwischen gar nicht mehr vorstellen, den Krimi allein **anzuschauen**.
Ich bitte ihn, dass er die Rechnung bezahlt.	Ich bitte ihn, die Rechnung **zu bezahlen**.
Er weiß, dass er mit den Stammgästen rechnen kann.	*nicht möglich*

b *dass*-Sätze als Ergänzung ← S. 49/5

dass-Sätze stehen häufig anstelle einer Nominativ-, Akkusativ- oder Präpositionalergänzung im Satz.

Satz mit Ergänzung	Nebensatz mit *dass*
Besonders bemerkenswert ist der Erfolg von „Tatort" bei jüngeren Leuten. *(Nominativergänzung)*	Besonders bemerkenswert ist, **dass** „Tatort" bei jüngeren Leuten erfolgreich ist.
Viele geben ihre Schwäche für den „Tatort" zu. *(Akkusativergänzung)*	Viele geben zu, **dass** sie eine Schwäche für den „Tatort" haben.
Der Wirt **sorgt für** die Getränke der Gäste. *(Präpositionalergänzung)*	Der Wirt sorgt dafür, **dass** die Gäste ihre Getränke haben.

4

NACH DER SCHULE

1 Quiz

a   Sehen Sie das Foto an und markieren Sie.

1 Wofür steht wohl „Bufdi"?
- a Bundesfreiwilligendienst
- b Bund für DJs
- c Bildungs- und Freizeitwerk der Industrie

2 Was macht ein Bufdi wohl? Er ...
- a macht ein Praktikum bei einem Musikladen.
- b arbeitet für eine soziale Einrichtung.
- c macht eine Ausbildung im Ausland.

3 Wie lange ist ein Bufdi wohl meistens beschäftigt?
- a 1 bis 3 Wochen
- b 1 bis 3 Monate
- c 6 bis 12 Monate

4 Wer kann Bufdi werden?
- a Schüler bis 16 Jahre
- b Junge Leute zwischen 16 und 21 Jahren
- c Personen ab 16 Jahren.

b   Lesen Sie zur Auflösung Text E auf Seite 55.

LESEN

1 Zwischen Schule und Beruf

a Stellen Sie sich vor, Sie machen bald Ihren Schulabschluss. Was würden Sie danach gern tun? Sprechen Sie zu zweit.

> im Ausland arbeiten · ein Praktikum absolvieren · an einer Uni studieren ·
> eine Ausbildung machen · möglichst bald Geld verdienen ·
> eine lange und weite Reise unternehmen · …

b Sehen Sie die Fotos auf der gegenüberliegenden Seite an.
Welche Person würden Sie gern einen Tag begleiten? Warum?

2 Angebote für Schulabgänger → AB 59–60/Ü2–4

Sechs junge Leute (0–5) informieren sich im Internet über Ausbildungen und berufliche Tätigkeiten. An welcher der Möglichkeiten (A–F) wären diese interessiert? Für wen gibt es kein passendes Angebot? Es gibt jeweils nur eine richtige Lösung. Ordnen Sie zu.

> *Suchendes Lesen*
> *Lesen Sie zu Beginn nicht alle Texte von Anfang bis Ende durch. Suchen Sie lieber gezielt nach bestimmten Informationen. Gehen Sie dabei in zwei Schritten vor.*
> *Schritt 1: Welche der Texte A bis F könnten zu den Personen 1 bis 5 passen? Nehmen Sie zwei passende Texte in die engere Wahl.*
> *Schritt 2: Lesen Sie diese Texte nun genau. Unterstreichen Sie die wichtigsten Wörter. Entscheiden Sie dann, welcher Text am besten zu der Person passt.*

Beispiel 0: Bettina

Schritt 1: A oder E wären möglich; B, D und F passen nicht, weil Bettina in ihrer Heimatstadt bleiben und nicht ins Ausland möchte. C passt auch nicht, weil sie dabei zu wenig verdienen würde, um ausziehen zu können.

Schritt 2: E passt am besten, weil sie dort die Möglichkeit hat, in einer sozialen Einrichtung zu arbeiten und auch eine Unterkunft bekommt.

0 **E** Bettina möchte nach dem Schulabschluss von zu Hause ausziehen und sucht eine Wohnmöglichkeit. Sie ist sozial engagiert und sucht eine entsprechende Tätigkeit in ihrer Heimatstadt.

1 Franka ist froh, dass die Schule vorbei ist. Sie hat erst mal genug vom Lernen. Sie möchte selbstständiger werden und wäre gern finanziell unabhängig. Sie mag Kinder.

2 Christofs Eltern haben ein Restaurant, in dem er regelmäßig mitarbeitet. Er möchte mal rauskommen, etwas von der Welt sehen und viel reisen, bevor er im Restaurant seiner Eltern mitarbeitet. Er wäre gern von ihnen finanziell unabhängig.

3 Uwe studiert ab dem kommenden Semester Elektrotechnik. Er möchte während des Studiums einen Tag pro Woche bei einer Firma arbeiten, um sein Studium zu finanzieren und um später dort einen Arbeitsvertrag zu bekommen.

4 Melanie hat das Abitur geschafft, möchte aber lieber einen Beruf lernen, statt zu studieren. Sie arbeitet gern mit ihren Händen. Wichtig ist für sie, möglichst bald eigenes Geld zu verdienen.

5 Niki hat den Schulabschluss in der Tasche. Bevor er sich für einen Beruf entscheidet, möchte er erste Eindrücke vom Berufsleben bei einer Firma in seiner Nähe sammeln. Seine Eltern unterstützen ihn.

A Ausbildung

Nachdem sie die Schule abgeschlossen haben, entscheiden sich viele junge Menschen für eine Ausbildung. Sie erlernen einen Beruf im Handwerk, in der Landwirtschaft, im kaufmännischen oder industriellen Bereich. Man kann aber auch in der öffentlichen Verwaltung oder im Gesundheits- und Sozialwesen eine „Lehre" machen. Normalerweise dauert eine Ausbildung drei Jahre. Ein Arbeitsvertrag regelt die Bezahlung und die Arbeitszeiten. Neben dem praktischen Teil im Betrieb gibt es bei jeder Ausbildung einen theoretischen Teil an der Berufsschule.

B Au-pair

Das Wort stammt aus dem Französischen und bedeutet „auf Gegenseitigkeit". Ein „Au-pair" betreut bei einer Familie im Ausland die Kinder und kümmert sich um den Haushalt. Ein „Au-pair" wird im besten Fall als vollwertiges Mitglied der Gastfamilie aufgenommen. Auch junge Männer können als „Au-pair" arbeiten, meist sind es jedoch junge Frauen. Ein „Au-pair"-Aufenthalt ist eine gute Möglichkeit, die Landessprache zu erlernen und Erfahrungen mit der Kultur des Gastlandes zu sammeln.

C Praktikum

Während sie noch zur Schule gehen, machen viele Schüler schon Praktika. Dabei kommen sie mit der Berufswelt in Kontakt und sammeln erste Berufserfahrungen. Aber auch Studierende können ihre theoretischen Kenntnisse bei der Mitarbeit in einem Betrieb, einer Organisation oder einer Institution praktisch anwenden. Sie können auf diese Weise neues Wissen erwerben. Praktika dauern in der Regel ein paar Wochen oder Monate und werden meistens schlecht oder gar nicht bezahlt.

D Freiwilliger Dienst im Ausland

Im Mittelpunkt steht hier der Austausch zwischen Freiwilligen und Einheimischen. Die Freiwilligen können vor Ort in Projekten mitarbeiten. Zahlreiche Organisationen vermitteln junge Menschen in viele Länder der Welt. Afrika, Asien und Lateinamerika stehen ganz oben auf der Beliebtheitsskala. Dabei können sie nicht bloß erste Berufserfahrungen sammeln, sondern auch ihre Sprachkenntnisse verbessern und Land und Leute kennenlernen. Der freiwillige Dienst ist unbezahlt. Oft kostet die Dienstleistung der Organisation sogar etwas.

E Bufdi

Den Bundesfreiwilligendienst leisten meistens junge Menschen. Sie sind in einer sozialen oder gemeinnützigen Einrichtung tätig, z. B. in Krankenhäusern, Behindertenwerkstätten und ähnlichen Institutionen. Sobald man 16 Jahre alt ist, kann man einen Freiwilligendienst leisten. Dauer und Dienstbeginn sind flexibel, sechs bis zwölf Monate sind die Regel. Die sogenannten „Bufdis" werden sozialversichert, erhalten normalerweise ein Taschengeld und manchmal auch eine Unterkunft sowie einen Zuschuss zum Fahrgeld.

F „Work & Travel"

Diese Form des Arbeitens im Ausland wird immer beliebter. Mit Gelegenheitsjobs im Reiseland verdienen sich die jungen Reisenden Geld für ihren Aufenthalt. Ehe sie losfahren können, brauchen die jungen Leute ein Visum, das normalerweise zwölf Monate gültig ist. Auf Wunsch helfen Agenturen bei der Planung. Solange die „Work & Traveller" unterwegs sind, stehen sie mit Jobagenturen vor Ort in Verbindung. Viele junge Leute organisieren das Ganze aber auch auf eigene Faust.

3 Temporales ausdrücken → AB 61–64/Ü5–12

GRAMMATIK
Übersicht → S. 64/1, 2

a **Welcher Konnektor passt? Ergänzen Sie aus den Texten C, E und F.**

1 _____ sie noch zur Schule gehen, machen viele Schüler schon Praktika.

2 _____ man 16 Jahre alt ist, kann man einen Freiwilligendienst leisten.

3 _____ sie losfahren können, brauchen die jungen Leute ein Visum (...).

b **Ergänzen Sie in der Tabelle das zeitliche Verhältnis von Haupt- und Nebensatz.**

Die Handlung im Nebensatz passiert ...   Sie ist ...

zur selben Zeit wie die im Hauptsatz.   →   **gleich**zeitig

vor der Handlung im Hauptsatz   →   **vor**zeitig

nach der Handlung im Hauptsatz   →   **nach**zeitig

passiert	Nebensatz	Hauptsatz
	Während sie noch zur Schule gehen,	machen viele Schüler schon erste Praktika.
vorzeitig	Sobald man 16 Jahre alt ist,	kann man einen Freiwilligendienst leisten. = Zuerst wird man 16 Jahre alt. Dann kann man einen Freiwilligendienst leisten.
	Ehe sie losfahren können,	brauchen die jungen Leute ein Visum. = Zuerst brauchen die jungen Leute ein Visum. Erst dann fahren sie los.

c **Markieren Sie in den beiden Sätzen die Satzteile, die das Gleiche bedeuten.**

Bevor er sich für einen Beruf entscheidet, möchte Niki erste Eindrücke vom Berufsleben sammeln.

Vor seiner Entscheidung für einen Beruf möchte Niki erste Eindrücke vom Berufsleben sammeln.

d **Ergänzen Sie alternative Ausdrucksweisen aus den Texten A und F.**

verbal	nominal
	Nach dem Schulabschluss entscheiden sich viele junge Menschen für eine Ausbildung.
	Die Work & Traveller sind unterwegs. Während dieser Zeit stehen sie mit Jobagenturen vor Ort in Verbindung.

4 Wie geht es in Ihrem Heimatland nach der Schule weiter? Sprechen Sie.

- Bei wem können sich Schüler über Berufswege beraten lassen?
- Was ist beliebter: Studium oder Ausbildung? Warum?
- Wie hoch ist der Leistungsdruck?

über Perspektiven nach dem Schulabschluss sprechen

„ Schon während man zur Schule geht, kann/muss man ...
Schüler wissen bei uns nach der Schule oft schon/nicht ...
Sobald sie die Schule abgeschlossen haben, ...
Der Leistungsdruck während ... ist ... "

Ich kann jetzt ...   ☺ ☺ ☹
- Informationstexte über Betätigungsmöglichkeiten nach dem Schulabschluss verstehen.   ☐ ☐ ☐
- Personen relevante Informationen zuordnen.   ☐ ☐ ☐
- temporale Zusammenhänge in verschiedenen Satzstrukturen ausdrücken.   ☐ ☐ ☐

HÖREN

1 Bildunterschriften

Arbeiten Sie zu zweit. Wählen Sie für diese beiden Fotos geeignete Untertitel.

> Jobben an den schönsten Orten der Welt • Reisen, Arbeitserfahrung sammeln, Freundschaften schließen • Reisen und Arbeiten • ...

2 Radiosendung

Hören Sie einen Radiobeitrag in Abschnitten und beantworten Sie die Fragen. Hören Sie jeden Abschnitt zweimal.

> *Richtig hören – Vom Global- zum Detailverstehen*
> **Der Erfolg beim Hörverstehen hängt von einer guten Vorbereitung ab. Beantworten Sie nach dem ersten Hören folgende Fragen für sich selbst:** <u>Wer spricht?</u> <u>Worüber?</u> **Mit** <u>welchem Ziel?</u> **Falls Sie den Text zweimal hören können, konzentrieren Sie sich erst beim zweiten Hören auf Einzelheiten.**

Abschnitt 1

Markieren Sie. Worum geht es in der Sendung? Um ...

- ☐ Erlebnisberichte.
- ☐ Informationen über Arbeitsmöglichkeiten im Ausland.
- ☐ ein Streitgespräch über den Sinn eines Auslandsaufenthalts.

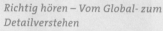

Abschnitt 2

1 Erklären Sie die Begriffe *die Auszeit* und *das Brückenjahr*.

2 Markieren Sie. Wie erklärt der Podcaster Florian „Work & Travel"? Es ist ...
- ☐ eine Aufenthaltserlaubnis ohne Arbeitserlaubnis.
- ☐ ein Visum für Touristen.
- ☐ ein Visum mit zeitlich begrenzter Arbeitserlaubnis.

3 Wer hat Florians Entscheidung beeinflusst? Markieren Sie.
- ☐ eine Mitschülerin   ☐ eine Freundin   ☐ eine Kollegin

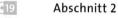

Abschnitt 3

1 Notieren Sie Stichworte.
- ▪ Für wen ist Österreich interessant? _____
- ▪ Wo in Österreich kann man arbeiten? _____
- ▪ In welcher Branche? _____

2 Welche der folgenden Tätigkeiten wird nicht angeboten? Streichen Sie durch.

> Kellner/in • Rezeptionist/in • Dolmetscher • Snowboardlehrer/in • Zimmermädchen

3 Notieren Sie Stichworte.
- ▪ Welche Tätigkeiten gehörten zu Beatas Aufgaben?
- ▪ Was hat Beata besonders gefallen?
- ▪ Welche Papiere brauchte sie?

3 Ihre Meinung → AB 64–65/Ü13–14

Wäre Work & Travel etwas für Sie? Warum (nicht)? Wenn ja, wo wären Sie gern unterwegs?

Ich kann jetzt ...

	☺	☺	☹
▪ einer Radiosendung Informationen über Arbeitserfahrungen im Ausland entnehmen.	☐	☐	☐
▪ praktische Informationen zur Organisation von Auslandsaufenthalten notieren.	☐	☐	☐

SCHREIBEN

1 Museumsbesuche

a Sehen Sie die beiden Fotos an. Welche Museen besuchen die jungen Leute?

> Wachsfigurenkabinett · Bauernhausmuseum · Museum für moderne Kunst · Technikmuseum

b Welches gefällt ihnen wohl besser? Warum?

2 Blog

a Lesen Sie den Beitrag unten. Wer schreibt hier? Worüber?

b Mit welchem Ziel wurde der Beitrag wohl geschrieben?

☐ Ereignisse protokollieren   ☐ Tipps geben   ☐ über persönliche Erlebnisse berichten

c Wo im Text finden Sie folgende Elemente des Blogbeitrags? Ordnen Sie zu.

1 der Autor / die Autorin
2 die Anrede
3 Hinweis auf die Textsorte „Blog"
4 Blogtext

☐ **„Johanna unterwegs"**

☐ Mein Journal – 12. Mai

☐ Hallo zusammen,

4 nach drei tollen Wochen mit dem Leonardo-Programm für Azubis in London sind wir wieder in „good old Germany". Am Freitag waren alle Azubis noch mal gemeinsam feiern. Schon toll, wie
5 gut man sich in drei Wochen kennenlernt und dabei neue Freundschaften schließt!

Ihr wollt wissen, wie wir die letzten Tage verbracht haben? Zum Schluss wollten wir außer unseren Praktikumsplätzen noch was von dieser unglaublichen Stadt sehen. Deshalb sind wir noch viel in der Innenstadt von London unterwegs gewesen. Shoppen natürlich. Mitbringsel für Freunde und Verwandte kaufen. Am Samstag waren wir in „Madame Tussaud's". Auf dem Foto
10 seht ihr Tamara und Lena mit ihrem derzeitigen Lieblingsschauspieler. Laut einer englischen Tageszeitung ist diese Wachsfigur zurzeit die meistgeküsste!

Ja und jetzt sind wir alle wieder zu Hause. Wir müssen echt sagen, es war eine besondere Zeit, die wir auf keinen Fall missen möchten. Wichtig war uns nicht nur die Verbesserung unserer Englischkenntnisse. Wir konnten auch eine fremde Kultur und neue Leute kennenlernen.
15 Und natürlich sind wir selbstständiger geworden. Ich kann so einen Auslandsaufenthalt nur weiterempfehlen. Das Leonardo-Programm ist wirklich super. Also, macht unbedingt mit!!!

SCHREIBEN

d **Antworten Sie.**

- Wie alt ist wohl die Person, die schreibt?
- Was ist der aktuelle Anlass für ihren Blogeintrag?
- Was genau hat sie in London gemacht? Zusammen mit wem?
- Was hat ihr am Leonardo-Programm gefallen?
- Was empfiehlt sie den Lesern ihres Blogs?

e **In welche Art von Journal würden Sie persönlich folgende Einträge normalerweise schreiben?**

1 Tagebuch   2 E-Mail an Freunde   3 Blog

☐ Erinnerungen aus der Kindheit · ☐ was Sie über Kollegen und Klassenkameraden denken ·
☐ was Sie über Ihre Geschwister denken · ☐ Ihre Meinung darüber, was die Regierungschefin
im Fernsehen gesagt hat · ☐ wie Sie den Film fanden, den Sie gestern im Kino gesehen haben ·
☐ was Sie im Kurs letzte Woche Lustiges gemacht haben · ☐ worüber Sie sich geärgert haben

Wussten Sie schon? → AB 66/Ü15
Das EU-Programm für berufliche Bildung ist nach dem Universalgenie Leonardo da Vinci benannt. Dieses Programm ermöglicht Auszubildenden und Arbeitnehmern Auslandsaufenthalte im Rahmen ihrer Aus- und Weiterbildung. Vor allem für Auszubildende ist dies eine gute Möglichkeit, berufliche Erfahrungen – z. B. während eines Praktikums – im Ausland zu sammeln.

3 Schreiben Sie einen Blogbeitrag über einen Auslandsaufenthalt. → AB 67/Ü16

Schreiben Sie darin,

- wo Sie waren.
- wo oder bei wem Sie gewohnt haben.
- was Sie dort erlebt haben.
- welches besondere Museum oder welche Sehenswürdigkeit Sie besucht haben.
- was Ihnen im Ausland besonders gefallen hat.
- wie Sie Ihren Auslandsaufenthalt insgesamt bewerten.
- ob Sie so einen Aufenthalt weiterempfehlen können.

etwas bewerten

„ *Ich muss sagen: So ein Auslandsaufenthalt ist in meinen Augen eine große Bereicherung.*
Es war eine tolle/schwierige/interessante/lohnende Erfahrung.
Ich möchte diese Zeit nicht missen.
Ich muss zugeben, mit so einer Erfahrung hatte ich nicht gerechnet. "

eine Empfehlung aussprechen

„ *Ich kann so einen Auslandsaufenthalt nur weiterempfehlen.*
Ich würde dir so einen Aufenthalt auch empfehlen.
Du solltest dir wirklich überlegen, auch eine Zeit im Ausland zu verbringen. "

Ich kann jetzt …   ☺ ☺ ☹
- einen Blogbeitrag verfassen.   ☐ ☐ ☐
- über einen Auslandsaufenthalt berichten.   ☐ ☐ ☐
- einen Auslandsaufenthalt bewerten.   ☐ ☐ ☐

SPRECHEN

1 Berufsorientierung → AB 68–69/Ü17–19

a Sehen Sie die Bilder an. Wo sind die jungen Leute wohl? Was tun sie?

b **Rollenspiel: Eine Schulklasse auf der Berufsorientierungsmesse**

Lesen Sie die Rollen für die Schüler und für die Messevertreter. Wählen Sie eine Rollenkarte.
Die Schüler überlegen, welche Angebote der Messevertreter zu ihnen passen könnten.
Die Messevertreter überlegen, was die Schüler an der Stelle interessieren könnte.

Die Schüler

Alexa
spielt mehrere Instrumente und möchte später im Ausland studieren. Sie möchte gern mal die Musikbranche kennenlernen.

Stefan
ist froh, dass die Schule endlich vorbei ist. Er möchte gern praktisch arbeiten, weiß aber noch nicht genau, was.

Inka
ist mit vielen Geschwistern auf dem Land aufgewachsen. Sie will endlich in die Großstadt, weiß aber noch nicht, was sie beruflich machen will.

Niko
hat viele Interessen. Er möchte nicht an die Uni, sondern sofort Geld verdienen.

Karin
ist die Klassenbeste. Sie möchte möglichst bald finanziell unabhängig von den Eltern sein.

Markus
hat den zweitbesten Notendurchschnitt der Schule. Er möchte einen Beruf, in dem er richtig gut verdienen kann.

Klara
ist gut in Kunst und Englisch. Sie möchte etwas Kreatives machen.

Richard
hat den schlechtesten Notendurchschnitt. Er möchte eine Tätigkeit ohne Leistungsdruck.

Laura
ist sehr selbstständig. Sie möchte die Welt kennenlernen.

Die Messevertreter

Frau Wagner
bietet einen Praktikumsplatz
bei den Web-Guerillas
(aus Lektion 2).

Herr Winkler
bietet Plätze für Werkstudenten,
die neben dem Studium einen
Tag pro Woche in der Firma arbeiten – gegen Bezahlung.

Herr Müller
bietet Stellen für einen Freiwilligendienst als Fahrer eines Rettungs-
wagens, Taschengeld inklusive.

Frau Kindler
bietet ein staatlich finan-
ziertes Orientierungsjahr
für künstlerische Berufe.

c Bereiten Sie sich mithilfe der Redemittel auf das Rollenspiel vor.
Machen Sie sich Stichpunkte für das anschließende Gespräch.

Schüler

sich vorstellen

„ *Ich habe das Gymnasium / die Realschule / ...
   erfolgreich absolviert.
Im Rahmen eines Projektes habe ich bereits ...
Ich habe bereits Erfahrung in ...* „

Wünsche, Vorlieben äußern

„ *Mich interessiert vor allem ...
... käme für mich infrage.
... wäre etwas für mich.
Noch lieber würde ich ...* „

eigene Stärken betonen

„ *Ich glaube, ich wäre für diese Arbeit/Stelle
   geeignet, weil ...
Diese Arbeit würde ich wirklich gern
   machen, weil ...
Ich könnte mir gut vorstellen, das zu
   machen, weil ...* „

Messevertreter

über Angebote informieren

„ *Bei dieser Tätigkeit handelt es sich um ...
Bei dieser Stelle ist ... wichtig.
Für diese Stelle müssen Sie ...
Sie werden vor allem ...* „

Fragen zur Person stellen

„ *Wie sieht es bei Ihnen denn mit ... aus?
Wo sehen Sie denn Ihre Stärken?
Welche Qualifikationen bringen Sie für die
   Stelle mit?* „

jemandem zusagen / absagen

„ *Ich halte Sie für (nicht) geeignet, weil ...
Ich würde Ihnen diese Stelle anbieten/
   empfehlen, denn ich glaube ...
Ich glaube, diese Stelle ist etwas/nichts für Sie,
   weil ...* „

d Die Schüler gehen zu den Vertretern, informieren sich über die Angebote und versuchen,
die Vertreter davon zu überzeugen, dass sie für ein bestimmtes Angebot geeignet sind.
Die Messevertreter entscheiden am Ende, wer welches Angebot bekommt.

Ich kann jetzt ...
- in einem Rollenspiel eine berufliche Ausgangssituation schildern.
- meine Wünsche und Vorlieben in Bezug auf berufliche Ziele äußern.
- über Angebote informieren.

WORTSCHATZ

1 Bewertungen ausdrücken

a Lesen Sie die Aussagen und sehen Sie die Bilder an. Welche Aussage passt?
Ordnen Sie zu.

☐

A
Mein Chef bezahlt mir im Freiwilligendienst ein Taschengeld.

B
Mein Chef bezahlt mir netterweise im Freiwilligendienst ein Taschengeld.

☐

C
Ich habe dummerweise nur eine Bewerbung abgeschickt.

D
Ich habe nur eine Bewerbung abgeschickt.

☐ ☐

b Bei welchen Sätzen erkennen Sie eine Bewertung?

c Formulieren Sie um. An welcher Position stehen die Adverbien mit der Endung -weise?

Karin reist nicht gern. Deshalb waren wir überrascht, dass sie als Au-pair arbeiten möchte.

Überraschenderweise …
Karin möchte überraschenderweise …

2 Nachsilbe -weise bei Adverbien → AB 70/Ü20

GRAMMATIK
Übersicht → S. 64/3

a Bilden Sie Wörter. Schlagen Sie wenn nötig im Wörterbuch nach.

glücklich   erfreulich   dumm   verständlich   erstaunlich

die Seite   interessant   die Wahl   lustig   freundlich

üblich   überraschend   -weise   das Beispiel   vernünftig

sinnvoll   schlau   nett   die Masse   notwendig

der Vergleich   blöd   zufällig

b Ergänzen Sie.

	Fugenelement				
	s	er	n	Ø	
normal					
die Beziehung	x			weise	beziehungsweise
die Stelle					
zur Probe					

c Ergänzen Sie die Regel.

Zwischen Adjektiv oder Nomen und der Nachsilbe -weise steht meistens ein Fugenelement.
Zwischen Adjektiv und -weise steht meistens _____. Zwischen Nomen und -weise
steht meistens _____, seltener _____ oder _____.

Ich kann jetzt …
☺ ☺ ☹
- mit Adverbien differenzierter ausdrücken, wie ich etwas bewerte.   ☐ ☐ ☐
- Adverbien mit der Nachsilbe -weise verstehen und bilden.   ☐ ☐ ☐

4

SEHEN UND HÖREN

1 Kunstausbildung

a Sehen Sie die Bilder an. Was studieren die Personen auf den Bildern wohl? Was passt?

> Bühnenbild · Kostüm · Maske · Musical · Gesang · Schauspiel · Tanz

b Sehen Sie den Anfang eines Films an. Was für ein Gebäude ist das? Sprechen Sie zu zweit.

2 Porträts von Studierenden einer Akademie → AB 70/Ü21

Sehen Sie Abschnitte eines Films an und beantworten Sie die Fragen.

Abschnitt 1

Formulieren Sie mögliche Fragen, die die Studierenden Evgenija und Marc beantworten. Folgende Begriffe können Ihnen helfen.

> Aufnahmeprüfung · Erfolg und Niederlage · Wünsche · Vorlieben

> **Wussten Sie schon?** → AB 70/Ü22
> *In den deutschsprachigen Ländern gibt es in jeder größeren Stadt ein Theater, das aus Steuergeldern finanziert wird. Dort finden Künstler vielfältige Arbeitsmöglichkeiten. Auf dem Spielplan dieser Stadttheater stehen Opern, Operetten, Musicals, Ballett und Dramen. Es werden Klassiker der Weltliteratur genauso aufgeführt wie Werke junger zeitgenössischer Künstler.*

Abschnitt 2

1 Wer spricht über welche Themen? Ordnen Sie zu.

Edoardo
Frau Effenberg
Herr Pfitzner
Melanie
Dimitrij

Aufgabenbereiche im Studiengang Maskenbild
Entwicklung während des Studiums
Kreativität
Lieblingsfächer
Produktionen, an denen sie/er mitgearbeitet hat
Kriterien von Kunst
Unterschiede zwischen Ausbildung und Studium

2 Konzentrieren Sie sich auf einen der fünf Sprechenden. Was ist ihre/seine Hauptaussage?

Abschnitt 3

Wie lautete wohl die Frage an diese Studierenden?

3 Unterhalten Sie sich.

Evgenija, Marc, Edoardo, Melanie, Dimitrij – mit wem würden Sie gern noch weiter über ihre Ausbildung sprechen? Warum?

Ich kann jetzt … ☺ ☺ ☹
- Interviews und Filmausschnitte über eine Akademie verstehen. ☐ ☐ ☐
- Hauptinformationen einer Reportage in eigenen Worten zusammenfassen. ☐ ☐ ☐
- Erklärungen von Studierenden und Dozenten über einen Studiengang verstehen. ☐ ☐ ☐

GRAMMATIK

1 Temporales ausdrücken ← S. 56/3

a Die Handlung im Nebensatz und die im Hauptsatz passieren **gleichzeitig**.

Konnektor	Beispiel
während	Während sie noch zur Schule gehen, machen Schüler schon Praktika.
solange	Manche Jugendliche machen bereits Praktika, **solange** sie noch in der Schule sind.
als	**Als** Eva ihre Online-Bewerbung abschicken wollte, stürzte der Computer ab.

b Die Handlung im Nebensatz und die im Hauptsatz passieren **nicht gleichzeitig**.

Konnektor	Beispiel
bevor/ehe	Bevor Tanja sich als Au-pair bewirbt, informiert sie sich über das Gastland. Ehe sie losfahren können, brauchen die jungen Leute ein Visum.
nachdem	Er beginnt mit dem Studium erst, **nachdem** er ein Jahr Pause gemacht hat. **Nachdem** er ein Jahr Pause gemacht hatte, begann er mit dem Studium.
sobald	Die meisten Schüler beginnen mit Bewerbungen, **sobald** sie die Schule abgeschlossen haben. **Sobald** man 16 Jahre alt ist, kann man einen Freiwilligendienst leisten.

2 Temporale Zusammenhänge ← S. 56/3

Temporale Zusammenhänge können verbal mit Konnektoren oder nominal mit Präpositionen ausgedrückt werden. Nominale Ausdrücke mit Präpositionen sind typisch für die Schriftsprache.

Verbal		Nominal	
Konnektor	Beispiel	Präposition	Beispiel
bevor/ehe	Bevor ich mich als Au-pair bewerbe, informiere ich mich über das Gastland.	vor + Dativ	**Vor** der Bewerbung als Au-pair informiere ich mich über das Gastland.
während/ solange	Während sie noch zur Schule gehen, machen Schüler schon Praktika.	während + Genitiv	**Während** der Schulzeit machen Schüler schon Praktika.
sobald	Die meisten beginnen bereits sich zu bewerben, **sobald** sie das Zwischenzeugnis erhalten haben.	(gleich) nach + Dativ	**Gleich nach** dem Erhalt des Zwischenzeugnisses beginnen die meisten bereits sich zu bewerben.
nachdem	Manche Schüler beginnen mit Bewerbungen erst, **nachdem** das Schuljahr beendet ist.	nach + Dativ	Manche Schüler beginnen mit Bewerbungen erst **nach** dem Ende des Schuljahrs.

3 Wortbildung: Nachsilbe -*weise* bei Adverbien ← S. 62/2

Modaladverbien mit der Nachsilbe -*weise* geben an, **wie** man etwas macht.
Sie drücken eine Bewertung aus. Sie können aus Adjektiven und Nomen gebildet werden.
Vor der Nachsilbe wird oft ein Fugenelement eingefügt.

aus Adjektiv	normal	normal	+	er	+	weise	=	normalerweise
aus Nomen	die Beziehung	Beziehung	+	s	+	weise	=	beziehungsweise
	die Stelle	Stelle	+	n	+	weise	=	stellenweise
	zur Probe	Probe	+	—	+	weise	=	probeweise

5
KÖRPERBEWUSSTSEIN

1 Gutes Styling ist (fast) alles! → AB 75/Ü2

a Sehen Sie die Fotomontage an. Was meinen Sie?

- Was ist der Unterschied zwischen der linken und der rechten Bildhälfte?
- Mit welchen „Hilfsmitteln" wurde die Veränderung erreicht?
- Warum sind die beiden Fotos hier wohl zusammengefügt worden?

„ *Auf der linken Bildhälfte sieht die Frau ... aus.*
Man hat den Eindruck, dass sie ...
Auf der rechten Bildhälfte dagegen wirkt sie ...
Man sieht, dass sie ...
Man würde (nicht) denken, dass ...
Vermutlich wurde sie ... "

b Was für eine Firma hat dieses Foto wohl für eine Werbekampagne genutzt? Warum?

c Welche Bildhälfte gefällt Ihnen besser? Warum?

1 „Ganz normale" Frauen

a **Lesen Sie den Blog-Eintrag von Laura. Was ist richtig? Markieren Sie.**

☐ Sie wird mit ihrer Freundin an einer Modenschau teilnehmen.
☐ Sie wird ihre Freundin zu einem Fotoshooting begleiten.
☐ Sie wird mit ihrer Freundin ein Fotoshooting machen.

Hallo Leute,

stellt Euch vor, ich habe mit Lina zusammen tatsächlich den Wettbewerb für das Fotoshooting gewonnen!!! Das heißt, nächste Woche
werden wir für die neue Ausgabe von *LUISA* fotografiert. Ich bin
schon sooo aufgeregt! Ich finde das einfach toll, dass wir diese
Chance kriegen, obwohl wir gar keine Models sind.

Schon die Ausschreibung für den Wettbewerb hat mir gefallen:
*„Jede Frau ist schön! Wir suchen Frauen, die sich im Leben nichts
mehr vorschreiben lassen."*
Ich denke, sie möchten in der *LUISA* selbstbewusste Frauen in ihrer
natürlichen Schönheit zeigen. Denn Schönheit ist eben vielseitig
und beschränkt sich nicht auf Models mit Idealfigur. Die haben
Frauen gesucht, die mitten im Leben stehen. Also uns! Wir dürfen sogar unsere Lieblings-
klamotten mitbringen, weil es ihnen wichtig ist, Mode aus dem täglichen Leben zu zeigen.

Das klingt alles super spannend, oder? Nächsten Donnerstag ist es soweit – da werden wir
gestylt und fotografiert.

Also, nächste Woche dann mehr – mit unseren Fotos!
Eure Laura

b **Welche Aspekte waren der Modezeitschrift bei dem Wettbewerb wichtig? Notieren Sie.**

2 Reaktionen → AB 76/Ü3–4

a **Lesen Sie einige Kommentare von Lauras Freunden. Wie beurteilen sie folgende Aspekte?
Markieren Sie** ρ **(= eher positiv) oder** n **(= eher negativ/kritisch). An welcher Stelle im Text wird
das jeweils deutlich? Markieren Sie im Text.**

1 Wie beurteilt Patrizia ...
  ▪ die Idee, bei Modeaufnahmen keine professionellen Models zu fotografieren? ☐
  ▪ die Tatsache, dass man trotzdem meist sehr attraktive junge Mädchen als Models wählt? ☐

2 Wie beurteilt Markus ...
  ▪ die Tatsache, dass die Frauen für Modeaufnahmen gestylt und geschminkt werden? ☐
  ▪ die Chancen von Laura und Lina, einen Job als Model zu bekommen? ☐

Hi Laura,

super, dass ihr ein Fotoshooting gewonnen habt. Ich finde die Idee, dass manche Modezeitschriften mal auf professionelle Models verzichten, im Grunde toll. Wir „Durchschnitts-
frauen" entsprechen nun mal nicht dem Schönheitsideal auf dem Laufsteg. Beim Durchblättern
dieser Zeitschriften stelle ich aber meist fest, dass die nicht-professionellen Models, die
sie ihre Mode vorführen lassen, doch wieder super jung, super schlank und super hübsch sind.
So wie ihr ☺. Normale Frauen mit kleinen Makeln findet man leider so gut wie gar nicht.
Da kann man so eine Aktion im Grunde gleich sein lassen, findest Du nicht?

Lieben Gruß und viel Spaß und Erfolg!
Patrizia

Liebe Laura,

gratuliere zum gewonnenen Fotoshooting! Ich bin ja selbst Fotograf und kann nur sagen: Ihr werdet sehen und staunen, was sich mithilfe von guten Fotografen und Stylisten aus „ganz normalen" Frauen machen lässt. Da kann man zeigen, was wirklich in JEDER Frau steckt! Auch die meisten professionellen Models sehen morgens nach dem Aufstehen nicht so hübsch wie in den Modezeitschriften aus. Und lasst euch nicht irritieren, wenn ihr nach dem Fotoshooting nicht gleich einen Job als Model bekommt, es gibt eben so viele schöne Frauen ;-)

Ciao, Markus

b   Diskutieren Sie zu viert. Wie beurteilen Sie diese Art der Modelsuche von manchen Modezeitschriften oder Katalogen? Hätten Sie selbst Lust, an einer ähnlichen Aktion teilzunehmen? Warum (nicht)?

einer Meinung zustimmen/widersprechen

„ *Ich finde, ... hat recht, wenn sie/er sagt, dass ...*
Ich sehe das ähnlich wie ...
Ich teile ... Meinung über ... (nicht).
Ich könnte mir schon vorstellen, ...
Für mich persönlich kommt ... nicht infrage, denn ... "

> *Wussten Sie schon?* → AB 77/Ü5
> *In den deutschsprachigen Ländern gibt es eine Vielzahl Frauenzeitschriften mit Titeln wie* Brigitte, Petra, Allegra, Annabelle, Freundin, Amica, Für Sie, Madame, Vogue, emotion. *Sie behandeln vor allem Themen wie Mode, Kosmetik, Kochen, Gesundheit, Psychologie, Liebe, Beruf und Kinder. Einige von ihnen sind inzwischen dazu übergegangen, neben professionellen Models auch „normale" Frauen als Models einzusetzen.*

3 Das Verb *lassen*   → AB 77–78/Ü6–8

GRAMMATIK
Übersicht → S. 76/1

a   Lesen Sie folgende Sätze mit dem Verb *lassen* noch einmal.
Ordnen Sie zu. In welchem Satz bedeutet *lassen* ...?

1 etwas nicht selbst machen, sondern andere damit beauftragen
2 anderen etwas (nicht) erlauben / (nicht) zulassen, dass andere etwas tun
3 etwas ist möglich / kann gemacht werden
4 dass man etwas nicht macht

2   Es sollen Frauen sein, die sich im Leben nichts mehr **vorschreiben lassen**.

☐   (...), dass die nicht-professionellen Models, die die Zeitschriften ihre Mode **vorführen lassen**, doch wieder (...) super hübsch sind.

☐   Da kann man so eine Aktion im Grunde gleich **sein lassen**.

☐   Ihr werdet sehen und staunen, was **sich** mithilfe von guten Fotografen und Stylisten aus „ganz normalen" Frauen **machen lässt**.

b   Setzen Sie folgende Sätze ins Perfekt. Was fällt Ihnen am Satzende auf?

1 Manche Zeitschriften lassen nicht-professionelle Models ihre Mode vorführen.
2 Aus ganz normalen Frauen lassen sich richtige „Hingucker" machen.
3 Laura und Lina lassen sich nicht irritieren.
4 Man lässt auch durchschnittlich aussehende Frauen mitmachen.

1 Manche Zeitschriften haben nicht-professionelle Models ihre Mode vorführen lassen.

Ich kann jetzt ...   ☺ ☺ ☹
■ Blogbeiträge zu einer Zeitschriftenkampagne im Detail verstehen.   ☐ ☐ ☐
■ meine eigene Meinung zu einer Kampagne formulieren.   ☐ ☐ ☐
■ die verschiedenen Funktionen des Verbs *lassen* unterscheiden und anwenden.   ☐ ☐ ☐

1 Leben auf dem Laufsteg

a Welche Anforderungen muss man als Model erfüllen? Sammeln Sie zu zweit Ideen.

b Welche besonderen Kriterien für das Aussehen männlicher Models gibt es? Was meinen Sie?
Notieren Sie Stichpunkte.

2 Interview mit einem Model → AB 79/Ü9

a Sehen Sie die Fotos von Kenta Kuhne an. Was meinen Sie: Würde er dem Schönheitsideal in Ihren
Heimatländern entsprechen? Aus welchen beiden Ländern kommen wohl seine Eltern? Sprechen Sie.

21 CD1

b Hören Sie nun ein Interview mit Kenta Kuhne. In welcher Reihenfolge werden die Themen
angesprochen? Nummerieren Sie.

- ☐ der japanische Geschmack
- ☐ Trennung von der Familie
- ☐ Entdeckung als Model
- ☐ Geldverdienen durch Modeln
- ☑ Kentas Herkunft

- ☐ Zukunftspläne
- ☐ Schulabbruch
- ☐ Reaktionen der Freunde
- ☐ Rückkehr nach Deutschland

c Hören Sie das Interview nun noch einmal in Abschnitten.

22 CD1

Abschnitt 1: Beantworten Sie die Fragen in Stichworten.

1 Woher stammen Kentas Eltern? _____

2 Wo und wie wurde er als Foto-Model entdeckt? _____

23 CD1

Abschnitt 2: Beantworten Sie die Fragen in Stichworten.

1 Was gefällt Japanern an seinem Typ? _____

2 In welchen Punkten unterscheiden sich die männlichen Schönheitsideale in Europa und Japan?

_____

24 CD1

Abschnitt 3: Welche großen Veränderungen gab es für Kenta? Markieren Sie.

- ☐1 Er arbeitete immer häufiger als Model.
- ☐2 Er hat sich persönlich sehr verändert.
- ☐3 Er verdiente plötzlich ziemlich viel Geld.
- ☐4 Seine Freunde waren neidisch und wunderten sich über ihn.
- ☐5 Weil er zu viele Model-Jobs hatte, konnte er die Schule nicht beenden.
- ☐6 Er zog von zu Hause aus, weil er allein leben wollte.

C25
CD1

Abschnitt 4: Ergänzen Sie die Sätze.

1 Mit 21 Jahren _____

2 Bisher hat er in Deutschland noch nicht _____

3 Die japanische Kultur hat ihn sehr geprägt, weil er _____

4 An der japanischen Mentalität schätzt er besonders _____

5 Fuß fassen, also leben und arbeiten, möchte er _____

3 Nach dem Interview

Diskutieren Sie: Welche positiven wie auch negativen Seiten kann die Arbeit als Fotomodel mit sich bringen?

Vorteile darstellen

„ *In diesem Job hat man sicher die Chance, ...*
Auf jeden Fall kann man in kurzer Zeit ...
Vermutlich wird man bewundert, weil ... "

Nachteile darstellen

„ *Andererseits muss man aber darauf achten, ...*
Für junge Menschen könnte es riskant sein, ...
Kritisch wird es auch, wenn ... "

> **Sich zu einem Thema äußern**
> *Bevor Sie sich in der Fremdsprache zu einem Thema kritisch äußern, legen Sie sich zwei bis drei Argumente zu Ihrer Position zurecht. Sie können sie auch mithilfe von Redemitteln schon vorformulieren. So müssen Sie in der Diskussion nicht mühsam nach Worten suchen und Sie wirken selbstbewusster und souveräner.*

5

4 Futur II → AB 79–81/Ü10–13

GRAMMATIK
Übersicht → S. 76/2

C26
CD1

a Hören Sie einige Äußerungen aus dem Interview noch einmal und ergänzen Sie sie.

- Da _____ sich Ihr Leben ganz schön _____ _____.
- Und Ihre Freunde, die _____ ein bisschen neidisch _____ _____.
- Als 17-Jähriger _____ das am Anfang gar nicht so einfach _____ _____.

b Wann benutzt man das Futur II (*werden* + Partizip II + *haben/sein*)? Markieren Sie.

☐ bei Fragen, die die Zukunft betreffen
☐ zur Beschreibung von Vorgängen
☐ bei Vermutungen über die Vergangenheit

c Formulieren Sie die Äußerungen in a neu mit *vermutlich, wahrscheinlich, ich nehme an, ...*

Vermutlich hat sich ... _____

_____

_____

Ich kann jetzt ...   ☺ ☺ ☹
- Hauptaussagen und Details in einem Interview verstehen.   ☐ ☐ ☐
- Vor- und Nachteile der Arbeit als Fotomodel darstellen.   ☐ ☐ ☐
- Vermutungen über Ereignisse in der Vergangenheit mithilfe des Futur II ausdrücken. ☐ ☐ ☐

SPRECHEN

1 Wie kann man attraktiver werden? → AB 81/Ü14

Stellen Sie sich vor: Ihre Bekannten Elsa und Sven möchten ihr Aussehen verbessern. Was könnten sie dafür alles tun? Sammeln Sie zu zweit Ideen.

> sich neu einkleiden
> sich von einer Kosmetikerin stylen lassen
> ...

ELSA   SVEN

2 Rollenspiel → AB 82/Ü15

a Lesen Sie die Rollenkarten und wählen Sie eine aus.

> Elsa ist mit ihrem Aussehen nicht ganz zufrieden. Sie wäre gern etwas schlanker und findet ihr Gesicht und ihre Frisur zu durchschnittlich.

> Sven wünscht sich einen muskulösen, durchtrainierten Körper und ist mit seiner Garderobe nicht glücklich. Er sucht nach einem besonderen, eigenen Kleidungsstil.

> Elsas beste Freundin Lisa ist Kosmetikerin von Beruf. Sie unterstützt Elsa in jeder Hinsicht und würde ihr gern helfen, sich richtig toll zu stylen.

> Svens Bruder hat seit Kurzem einen Neben-job in einem Fitnesscenter und möchte ihm gern Tipps zum Körpertraining geben.

> Elsas Mutter plädiert für Natürlichkeit. Sie findet Elsa wunderschön so, wie sie ist.

> Svens neue Freundin Charlotte findet seine Klamotten eher langweilig. Sie würde ihn in Kleidungsfragen gern beraten.

> Elsas Freund Paul ist Arzt. Er findet, dass nichts gegen operative Verschönerung spricht, wenn man damit einen Menschen glücklich machen kann.

> Svens Vater engagiert sich für Menschen in Not. Seiner Meinung nach konzentriert sich die Jugend zu sehr auf Äußerlichkeiten.

b Ordnen Sie nun die Redemittel für eine Diskussion in die Tabelle ein.

jemandem etwas raten	jemandem von etwas abraten
	... ist viel zu gefährlich / absolut übertrieben.

> An deiner Stelle würde ich ... • Warum versuchst du nicht, ... ? • Von ... kann ich nur abraten. • Auf keinen Fall solltest du ... Die Folgen sind nämlich ... • Probier doch mal ... • ~~... ist viel zu gefährlich / absolut übertrieben.~~ • Wenn du wirklich ... werden möchtest, würde ich auf jeden Fall ... • Dass ... ungefährlich ist, behauptet nur, wer keine Ahnung von ... hat. • ... ist weder effektiv, noch ... • ... solltest du unbedingt ausprobieren / machen (lassen).

c Notieren Sie für Ihre Rolle mithilfe der Redemittel Argumente. Elsa und Sven formulieren die eigenen Wünsche und Bedenken.

d Rollenspiel: Bilden Sie zwei Diskussionsrunden, eine mit Elsa und eine mit Sven. Bringen Sie Ihre Argumente vor. Am Ende entscheiden Elsa und Sven, welche Ratschläge sie befolgen.

Ich kann jetzt ...
- eine bestimmte Meinung vertreten.
- jemandem Ratschläge erteilen.

WORTSCHATZ

1 Redewendungen zum Thema „Körper" → AB 83/Ü16

Lesen Sie die Redewendungen. Welcher Körperteil passt jeweils? Ordnen Sie zu und ergänzen Sie die Redewendungen. Achten Sie darauf, ob der Körperteil im Singular oder im Plural steht.

Auge · Fuß · Schulter · ~~Kopf~~ · Hand · Hals

1 _____   auf eigenen _____ stehen
                   auf großem _____ leben
                   kalte _____ bekommen

2 _____   kein _____ zutun
                   jemandem die _____ öffnen
                   ein _____ zudrücken

3 Kopf   den _____ verlieren
                   sich etwas durch den _____ gehen lassen
                   von _____ bis Fuß

4 _____   etwas hängt einem zum _____ heraus
                   jemandem um den _____ fallen
                   _____ über Kopf

5 _____   etwas in die _____ nehmen
                   zwei linke _____ haben
                   in festen _____ sein

6 _____   eine starke _____ zum Anlehnen brauchen
                   etwas auf die leichte _____ nehmen

2 Bedeutungen der Redewendungen

a   Arbeiten Sie zu zweit. Wählen Sie einen Körperteil aus, z. B. *Kopf*. Finden Sie die Bedeutungen/ Umschreibungen zu den Redewendungen aus 1 in einem einsprachigen Wörterbuch und notieren Sie sie.

> *Arbeit mit einem einsprachigen Wörterbuch*
> *Versuchen Sie, möglichst oft mit einem einsprachigen Wörterbuch zu arbeiten. Mit der Zeit verstehen Sie Erklärungen für unbekannte Wörter und Ausdrücke auf Deutsch immer besser und lernen selbst, Wörter zu umschreiben. Das hilft Ihnen in vielen Situationen im deutschsprachigen Alltag.*

b   Wählen Sie eine Ihrer Redewendungen aus a: Beschreiben Sie eine konkrete Situation, in der die Redewendung gut passt. Lassen Sie dabei eine Lücke für die Redewendung.

> Lena hat einen Arbeitsplatz gefunden und ist von zu Hause ausgezogen.
> Jetzt _____ .

c   Tauschen Sie Ihren Text mit zwei anderen Lernpartnern und finden Sie die passenden Redewendungen zu deren Texten. Kontrollieren Sie sich gegenseitig.

d   Wählen Sie eine Redewendung aus Aufgabe 1 und überlegen Sie eine pantomimische Darstellung. Spielen Sie sie dem Kurs vor. Die anderen erraten die Redewendung.

Ich kann jetzt ...   ☺ ☺ ☹
■ die Bedeutung von Redewendungen zu Körperteilen erschließen.   ☐ ☐ ☐
■ eine Situation schildern, in der eine Redewendung passt.   ☐ ☐ ☐

1 Wie fit sind Sie?

a Was tun Sie für Ihre Fitness bzw. was würden Sie gern tun?

b Lesen Sie das Vorwort zu einem Test. Wozu dient dieser Test? Was braucht man dafür?

> Sie wollen wissen, wie es mit Ihrer Kraft, Beweglichkeit und Koordination steht? Nur ein paar Übungen und Sie wissen mehr über sich. Warum Sie eine gute Fitness brauchen? Ganz klar! Wer fit ist, fühlt sich wohler, hat gute Laune, kann sich besser konzentrieren und Stress erfolgreicher bewältigen. Und das brauchen Sie für den Test: Eine 1-Liter-Wasserflasche und eine Uhr.

c Überfliegen Sie die Übungen aus dem Test in 1d und ordnen Sie sie den Zeichnungen zu.

A: Übung ☐   B: Übung ☐   C: Übung ☐

D: Übung ☐   E: Übung ☐   F: Übung ☐

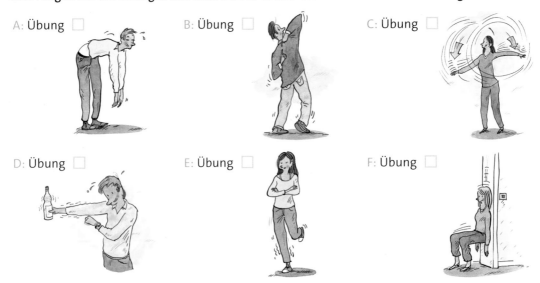

d Arbeiten Sie in Kleingruppen und lesen Sie die Anleitungen reihum vor.
Dann probieren alle die Übungen aus. → AB 83/Ü17

Übung 1 Nehmen Sie die Wasserflasche in eine Hand und strecken Sie den Arm waagerecht nach vorne. Wie lange können Sie die Flasche so halten?
a Kürzer als 30 Sekunden.   b Kürzer als 75 Sekunden.   c Länger als 75 Sekunden.

Übung 2 Stellen Sie die Füße eng nebeneinander. Beugen Sie sich nun mit gestreckten Beinen vor. Wie weit kommen Sie?
a Ich komme nicht bis zum Boden.   b Meine Fingerspitzen berühren den Boden.   c Ich kann die Handflächen flach auf den Boden legen.

Übung 3 Stellen Sie sich mit dem Rücken an eine Wand und rutschen Sie nun so weit runter, als würden Sie auf einem Stuhl sitzen. Wie lange halten Sie durch?
a Bis zu 15 Sekunden.   b Bis zu 30 Sekunden.   c Über 30 Sekunden.

Übung 4 Stellen Sie sich auf ein Bein und verschränken Sie die Arme. Nun schließen Sie Ihre Augen und zählen die Sekunden: Wie lange können Sie das Gleichgewicht halten?
a Kürzer als 5 Sekunden.   b Bis zu 15 Sekunden.   c Länger als 15 Sekunden.

Übung 5 Ein Arm greift von oben hinter den Rücken, als wollten Sie sich am Nacken kratzen, einer von unten. Berühren sich Ihre Finger?
a Klappt nicht ganz.   b Die Fingerspitzen berühren sich gerade.   c Ich kann mir hinter dem Rücken die Hand geben.

Übung 6 Versuchen Sie es mal mit gegengleichem Armkreisen. Ein Arm kreist nach hinten, einer nach vorne – natürlich gleichzeitig. Kriegen Sie das hin?
a Geht gar nicht.   b Mit etwas Konzentration klappt es einige Male.   c Kein Thema. Wo ist da das Problem?

e Welche Übung trainiert die Kraft, welche die Beweglichkeit und welche die Koordination? Sprechen Sie.

f Zählen Sie nun Ihre Punkte zusammen. Für jede Antwort a erhalten Sie einen Punkt, für b zwei Punkte und für c drei Punkte.

g Zu welcher Gruppe gehören Sie? Lesen Sie. Passt das Ergebnis zu Ihnen? Tauschen Sie sich aus.

Sie haben mehr als 12 von 18 Punkten erreicht: TOP FIT
Respekt! Sie sind tatsächlich fit wie ein Turnschuh, super gelenkig und Ihre Kondition ist prima. Wahrscheinlich treiben Sie regelmäßig Sport. Aber denken Sie dran: Versuchen Sie, nicht nur ranzuklotzen, sondern auch mal Stretching und sanfte Übungen einzuplanen. Machen Sie weiter so, denn Sie wissen ja: Ein gesunder Geist wohnt bekanntlich in einem gesunden Körper!

Sie haben 9–12 von 18 Punkten erreicht: RELATIV FIT
Alles im grünen Bereich! Sie haben eine gute Grundfitness. Wahrscheinlich bewegen Sie sich gerne, aber regelmäßiges Training liegt Ihnen nicht so. Gehen Sie zum Beispiel öfter mal joggen, kommen Sie richtig ins Schwitzen und testen Sie so Ihre Grenzen. Das steigert Ihre Kondition und Sie werden sehen – mehr Erfolg bedeutet auch mehr Spaß! Probieren Sie es auch mal mit etwas Ausgefallenerem: Machen Sie Aqua-Jogging oder lernen Sie Zumba tanzen.

Sie haben bis zu 8 von 18 Punkten erreicht: NOCH NICHT SO FIT
Aha! Ihre Muskeln brauchen dringend ein gezieltes Training, denn nur so schützen Sie sich vor Rücken- und Gelenkproblemen oder Haltungsschäden. Mit einer besseren Kondition lässt sich der Alltagsstress besser bewältigen. Wenn Sie sich schwer allein motivieren können, ist vielleicht ein Verein für Sie das Richtige. Und: Es gibt so viele tolle und interessante Sportarten – es muss ja nicht immer Jogging oder Krafttraining im Fitnessstudio sein.

2 Verbverbindungen → AB 84/Ü18–19

GRAMMATIK
Übersicht → S. 76/3

a Lesen Sie den Forumseintrag zum Test und markieren Sie die Sätze mit den Verben *hören, sehen, gehen, lernen, bleiben.*

Komisch, nach Eurem Test bin ich gar nicht so fit. Und ich dachte immer, ich wäre total sportlich. Ich bin jahrelang regelmäßig schwimmen gegangen und habe gut Tennis spielen gelernt. Vielleicht stimmt da was mit dem Punktesystem nicht… Aber der Test war trotzdem total lustig. Als ich nämlich die Übungen gemacht habe, habe ich plötzlich hinter mir meinen Freund laut lachen hören. Er hat mich auf einem Bein stehen sehen und wollte unbedingt ein Foto machen. Ich bin natürlich so lange stehen geblieben.

Alicia, 22, Frankfurt/Main

b Vergleichen Sie in den markierten Sätzen die Formen im Perfekt. Was fällt Ihnen auf? Ergänzen Sie.

Verbverbindungen mit _____ und _____ sind im Perfekt identisch mit dem Infinitiv.

Ich kann jetzt …   🙂 🙂 🙁
- einen Fitnesstest nach schriftlichen Anleitungen durchführen.   ☐ ☐ ☐
- die Auswertung eines Fitnesstests verstehen.   ☐ ☐ ☐
- Verbverbindungen mit *hören* und *sehen* im Perfekt verstehen und anwenden.   ☐ ☐ ☐

1 Gemeinsam Sport treiben

Lesen Sie folgende Kleinanzeigen.

Was suchen die Inserenten? Ergänzen Sie.

1 _____

2 _____

3 _____

- - - RAUM STUTTGART - - -

Ich (m, 22) möchte wieder öfter Tennis spielen und suche einen Partner auf mittlerem Niveau. Ab Frühling wieder draußen, am liebsten auf der Tennisanlage Sonnenfeld. Di oder Do ab 17 Uhr oder am Wochenende. Bitte meldet euch!

Hast du (m, 22–35) auch mal wieder Lust auf Bewegung? Suche Tanzpartner für Tanzkurs mit lateinamerikanischen Tänzen (Salsa/Reggaeton/Tango) in Stuttgart. Niveau: Anfänger bis leicht Fortgeschrittene. Bin Studentin, 23, und freue mich auf Zuschriften.

Hallo! Ich (w, 25) suche nach einem Partner (m/w) für Nordic Walking im Raum Stuttgart-Süd. Laufe seit Kurzem wieder regelmäßig zwischen 4–8 Kilometer im mittleren Tempo. Gerne zweimal pro Woche abends ab 18 Uhr. Wer hat Zeit und Lust?

2 Einen Sportpartner suchen

a **Bei welcher sportlichen Aktivität hätten Sie gern eine Partnerin / einen Partner? Notieren Sie.**

b **Verfassen Sie nun selbst eine Such-Anzeige. Gehen Sie auf folgende Punkte ein:**

- Sportart/Niveau
- Informationen zu Ihrer Person
- gewünschte Häufigkeit oder Uhrzeiten
- Ort

3 Einen Sportpartner finden → AB 85/Ü20–21

a **Legen Sie nun alle Anzeigen auf einen Tisch. Lesen Sie die Anzeigen der anderen und wählen Sie eine aus. Schreiben Sie Ihre Antwort auf die Rückseite. Gehen Sie auf alle angesprochenen Punkte ein und machen Sie einen konkreten Vorschlag für ein erstes Treffen.**

Lieber Tennisspieler,
im Sportforum habe ich Deine
Anzeige gelesen. Ich bin auch ...

Wussten Sie schon? → AB 86/Ü22
Sportvereine gibt es in den deutschsprachigen Ländern bereits seit über 200 Jahren. Der geistige Vater dieser ersten Turnvereine war Friedrich Ludwig Jahn. Derzeit sind in Deutschland 27 Millionen, in Österreich 3 Millionen und in der Schweiz 2,7 Millionen Menschen Mitglieder in über 130 000 Sportvereinen. Sie bieten die unterschiedlichsten Sportarten an: von Angeln über Fußball, Gymnastik, Klettern, Tennis bis Yoga.

b **Jeder bekommt nun seine Anzeige wieder und liest die Reaktion des künftigen Sportpartners.**

c **Suchen Sie Ihre Sportpartnerin / Ihren Sportpartner und tauschen Sie sich aus.**

Ich kann jetzt ...

- in Kleinanzeigen verstehen, was der Inserent genau sucht.	☐	☐	☐
- eine eigene Anzeige zur Sportpartnersuche verfassen.	☐	☐	☐
- auf eine Anzeige zur Sportpartnersuche reagieren.	☐	☐	☐

SEHEN UND HÖREN

1 Sehen Sie die Bilder an.

a Welche Art von Sport/Tanz machen die Leute? Haben Sie das auch schon einmal gemacht?

b Was braucht man alles dazu?

c Warum ist diese Art von Sport wohl in Mode?

2 Sehen Sie den Anfang des Videos <u>ohne Ton</u> an.

25 DVD1

Welche Musik passt Ihrer Meinung nach zu diesen Bewegungen?

3 Sehen Sie nun das Video in Abschnitten <u>mit Ton</u> an.

26 DVD1

Abschnitt 1: Beantworten Sie die Fragen.

1 Die Fitnesslehrerin vergleicht den Tanz Zumba mit einem Blumenstrauß. Warum?
2 Warum ist Zumba laut dem Leiter der Klubschule so attraktiv?
3 Warum meint die Trainerin, dass bei Zumba jeder leicht mitmachen kann?
4 Wo lebt wohl die Trainerin? Woran erkennen Sie das?

27 DVD1

Abschnitt 2: Ergänzen Sie.

1 Die Kursteilnehmerin Stefanie kam zu Zumba, weil eine Kollegin _____.
2 Der Kursteilnehmerin Maura gefällt Zumba so gut, weil man _____ sein kann.
3 Der Leiter der Klubschule ist froh, dass er 30 _____ ausbilden ließ. Insgesamt
  gibt es in der Deutsch-Schweiz über _____ Zumba-Kurse pro _____.

4 Sehen Sie das Video noch einmal ganz an.

28 DVD1

a Welche Bewegungen sehen Sie? Markieren Sie.

- [X] in die Hände klatschen
- [ ] sich auf den Boden legen
- [ ] Arme über dem Kopf strecken
- [ ] Hüften kreisen
- [ ] den Kopf schütteln

- [ ] rückwärts hüpfen
- [ ] springen mit Armkreisen
- [ ] auf einem Bein hüpfen
- [ ] vorwärts hüpfen
- [ ] Körper nach vorne beugen

b Wenn Sie Lust haben, stellen Sie selbst aus diesen Bewegungen eine kleine Choreografie zusammen. Arbeiten Sie zu viert. Zeigen Sie sie anschließend zur Musik des Videos vor dem Kurs.

5 Wortbildung: Nominalisierung von Verben mit Nomen/Adverbien → AB 86–87/Ü23–24

GRAMMATIK
Übersicht → S. 76/4

Aus welchen Verben mit Nomen/Adverbien sind diese Komposita zusammengesetzt?

das Hüftkreisen: *mit den Hüften kreisen*
das Armkreisen: _____
das Kopfschütteln: _____
das Rückwärtshüpfen: _____

Ich kann jetzt …
- eine Kurzreportage über eine neue Sportart verstehen.
- Bewegungen einer Tanzgymnastik benennen.

☺ ☺ ☹
[ ] [ ] [ ]
[ ] [ ] [ ]

5

1 Das Verb *lassen* ← S. 67/3

a *lassen* + Infinitiv

Bedeutung	Beispiel
1 anderen etwas (nicht) erlauben; (nicht) zulassen, dass andere etwas tun	Laura lässt (nicht) gern Fotos von sich machen.
2 etwas nicht selbst machen, sondern andere mit etwas beauftragen	Manche Modezeitschriften lassen nicht-professionelle Models ihre Mode vorführen.
3 etwas ist möglich; kann gemacht werden	Es ist erstaunlich, was sich mit Hilfe von Stylisten aus ganz normalen Frauen machen lässt.
4 etwas nicht machen, nichts verändern	Man kann diese Aktion auch (sein/bleiben) lassen.
	Sie lässt ihre Frisur so, wie sie ist.

b *lassen* im Perfekt

lassen	Perfekt
lassen als Vollverb	Sie hat ihre Frisur so gelassen, wie sie war.
lassen + Infinitiv im Hauptsatz	Laura hat gern Fotos von sich machen lassen.

2 Futur II – Vermutungen ← S. 69/4

Vermutungen über Ereignisse in der Vergangenheit kann man mit Adverbien oder Futur II ausdrücken. Man bildet das Futur II mit dem Hilfsverb *werden* + Partizip II + *haben/sein*.

Vermutung mit Futur II	Vermutung mit Adverb
Da wird sich Ihr Leben ziemlich verändert haben.	Da hat sich Ihr Leben wohl ziemlich verändert.
Ihre Freunde werden neidisch gewesen sein.	Ihre Freunde waren vermutlich neidisch.

3 Verbverbindungen ← S. 73/2

Einige Verben verbindet man mit Infinitiven ohne *zu*, z. B. *gehen, lernen, bleiben, sehen* und *hören*. Verbverbindungen mit *sehen* und *hören* bilden das Perfekt mit Doppelinfinitiv.

Verb	Präsens	Perfekt
gehen	Sie gehen öfter mal joggen.	Sie sind öfter mal joggen gegangen.
lernen	Viele Leute lernen Zumba tanzen.	Viele Leute haben Zumba tanzen gelernt.
bleiben	Ich bleibe sofort stehen.	Ich bin sofort stehen geblieben.
sehen	Er sieht mich auf einem Bein stehen.	Er hat mich auf einem Bein stehen sehen.
hören	Ich höre ihn laut lachen.	Ich habe ihn laut lachen hören.

4 Wortbildung: Nominalisierung von Verben mit Nomen/Adverbien ← S. 75/5

Der Infinitiv des Verbs wird zum neutralen Nomen, das Nomen wird vorangestellt.

		Kompositum
Nomen + Verben	mit den Hüften kreisen	→ das **Hüftkreisen**
	mit der Schulter zucken	→ das **Schulterzucken**
	mit den Armen kreisen	→ das **Armkreisen**
	den Kopf schütteln	→ das **Kopfschütteln**
Adverbien + Verben	vorwärts / rückwärts hüpfen	→ das **Vorwärtshüpfen** / das **Rückwärtshüpfen**

Stadt(ent)führung Dresden

mit Fräulein Kerstin

6
STÄDTE ERLEBEN

1 Sehen Sie diese Anzeige an.

a   Wofür wird hier wohl Werbung gemacht?
b   Wie stellen Sie sich eine Stadt(ent)führung vor?
c   Würden Sie gern teilnehmen? Warum (nicht)?

2 Stellen Sie sich vor: Sie reisen nach Dresden.

Was würden Sie gern sehen, erleben oder kennenlernen? Bilden Sie für sich eine Reihenfolge.
Vergleichen Sie mit Ihrer Lernpartnerin / Ihrem Lernpartner.

- Die ältesten und wichtigsten Gebäude
- Feste und Veranstaltungen in der Stadt
- Kaffeehäuser, Lokale, Bars
- Museen, Galerien
- Schlösser, Burgen
- Wanderungen, Radtouren in der Umgebung
- Kulinarische Spezialitäten

3 Wie kann man eine Stadt am besten kennenlernen?
Diskutieren Sie zu zweit. → AB 91–92/Ü2–3

> eine Führung mitmachen · Bücher/Reiseführer lesen · die Stadt auf eigene Faust erkunden · …

1 Unterwegs in einer fremden Stadt

a Sehen Sie die Fotos an. Welche Erfahrungen haben Sie bei Rundgängen oder Führungen gemacht? Berichten Sie.

b Was denken Sie: Welche Art, eine Stadt zu besichtigen, ist am effektivsten? Warum?

2 Stadtführung 2.0

Was stellen Sie sich unter einer „Stadtführung 2.0" vor? Sprechen Sie.

> *Verstehen von Filmbeiträgen bei hohem Sprechtempo*
> *Wenn man Filme im Original sieht, muss man sich an das hohe Sprechtempo von Muttersprachlern gewöhnen. Beim ersten Hören reicht es aus, zu verstehen, worum es geht. Üben Sie sich darin, aus dem „Strom der Wörter" die Hauptinformationen herauszufiltern.*

3 Erste Orientierung: Orte

a Sehen Sie den Magazinbeitrag ohne Ton an.
Was für Sehenswürdigkeiten und Orte werden im Film gezeigt? Sammeln Sie im Kurs.
Was meinen Sie? Welche beiden Orte sind wohl keine normalen Sehenswürdigkeiten?

b Sehen Sie den Beitrag nun mit Ton an. Welche Orte und Sehenswürdigkeiten sind bekannt?

4 Audioguide Münster

Sehen Sie den Magazinbeitrag nun in Abschnitten noch einmal an.

Abschnitt 1

1 Was kann man mit der App für Münster machen? Markieren Sie.
Man kann ...
- ☐ an Orten anhalten und sich Hintergrundinformationen dazu geben lassen.
- ☐ die Entfernung zwischen den Sehenswürdigkeiten messen.
- ☐ Öffnungszeiten von Geschäften abrufen.

2 Was erklärt Alexander? Markieren Sie.
- ☐ Für welche Stadt es schon Audioguides gab.
- ☐ Was die Entwicklung der App gekostet hat.
- ☐ Wer die App entwickelt hat.

Abschnitt 2

Warum interessiert sich Jana für die Buchhandlung? Markieren Sie.
- ☐ Weil sie die Stimme des Kommentators kennt.
- ☐ Weil sie die Buchhandlung aus ihrem Studium kennt.
- ☐ Weil sie gern Krimis liest.

32
DVD1

Abschnitt 3

Welche Informationen erhält Jana zu einem Ort auf dem Domplatz? Markieren Sie.

☐ Die Toiletten sind ein Kunstwerk.

☐ Die Toiletten sind nicht mehr in Betrieb.

☐ Am Domplatz kann man vornehm ausgehen.

33
DVD1

Abschnitt 4

1 Wie beurteilt Jana die von ihr getestete App? Berichten Sie.

2 Was ist der Unterschied zu einer Stadtführung mit gedrucktem Stadtführer? Fassen Sie zusammen.

5 Irreale Bedingungen → AB 92–94/Ü4–8

GRAMMATIK
Übersicht → S. 90/1

a **Lesen Sie die Sätze und ergänzen Sie sie in der Tabelle.**

Jana hat die App verwendet und dadurch alle Attraktionen gesehen.
~~Wenn Jana die App nicht verwendet hätte, hätte sie nicht alle Attraktionen gesehen.~~
Jana verwendet die App und sieht alle Attraktionen.
Wenn Jana die App nicht verwenden würde, würde sie nicht alle Attraktionen sehen.

	reale Situation	irreale Bedingung
Gegenwart		
Vergangenheit		Wenn Jana die App nicht verwendet hätte, hätte sie nicht alle Attraktionen gesehen.

b **Mit welcher Verbform können irreale Bedingungen ausgedrückt werden? Markieren Sie.**

☐ Imperativ   ☐ Konjunktiv II   ☐ Futur

c **Wie wird der Konjunktiv II in der Vergangenheit gebildet?**
Markieren Sie in der Tabelle in a die Verbformen.

d **Formulieren Sie irreale Bedingungen in der Vergangenheit.**

1 Ich bin ohne Navi losgefahren. Ich habe mich in der Stadt verfahren.
  Wenn ich nicht ohne Navi losgefahren wäre, hätte ich mich nicht in der Stadt verfahren.
  Wäre ich nicht ohne Navi losgefahren, hätte ich mich nicht in der Stadt verfahren.

2 Er hat mir seine Adresse nicht verraten. Ich besuche ihn nicht.

3 Wir haben unseren Schirm vergessen. Jetzt müssen wir beim Regen im Café warten.

4 Sie konnten sich das Musical nicht ansehen. Sie hatten keine Karten bestellt.

Ich kann jetzt ...   ☺ ☺ ☹

- einen Filmbeitrag über eine Stadtführer-App verstehen.   ☐ ☐ ☐
- praktische Informationen über die Funktionsweise einer App verstehen.   ☐ ☐ ☐
- irreale Bedingungen in der Vergangenheit formulieren.   ☐ ☐ ☐

1 Die Schweiz

Was fällt Ihnen zu diesem Land ein?
Sammeln Sie zu dritt Ihre Ideen und vergleichen Sie.

2 Städtereisen → AB 94/Ü9

a Sehen Sie die Fotos an. Kennen Sie diese Schweizer Städte?
Welche davon würden Sie gern besuchen? Warum?

Zürich

Bern

Basel

b Welcher Text passt zu welcher Stadt? Ordnen Sie zu.

Zürich asel
☐ der Kulturstadt am Rhein

Ein Tag in ...
Bern
☐ der Hauptstadt

Zürich
☐ der Trendstadt am See

---

*09:00 Einkaufsbummel
mit Charme*

In dieser Stadt wird jede Shoppingtour zum Sightseeing-Erlebnis. Von der altehrwürdigen „Mittleren Brücke" gelangt man rasch über den Marktplatz in die malerische Gerbergasse. Lohnenswert ist auch der Spalenberg mit vielen kleinen Boutiquen.

*14:30 Eine Sammlung von
Weltformat*

Die Foundation Beyerle im Vorort Riehen gilt als eines der wichtigsten Museen der Welt und vereint rund 200 Meisterwerke aus dem 20. Jahrhundert mit Schwerpunkt klassischer Moderne. Bei Kunstliebhabern sind die Sonderausstellungen beliebt.

18:00 Zum Apéro hoch hinaus

Der Lift hält im 31. Stock des 105 Meter hohen Messeturms. Vielleicht hat man Glück und über der Stadt geht gerade die Sonne unter. Doch auch vor- und nachher gilt die „Bar Rouge" dort oben als populärer „Hot Spot".

11:30 Hier ist der Bär los

Seit 2009 ersetzt der Bären-Park den einstigen Bärengraben – sehr zur Freude der Wappentiere, die hier 6000 Quadratmeter Auslauf genießen. Der Besuch des Bären-Parks ist kostenlos und an 365 Tagen im Jahr möglich.

14:55 Wem die Stunde schlägt

Beim Flanieren durch die Altstadt kommt man früher oder später am „Zytglogge" vorbei, dem Zeitglockenturm mit seinem mittelalterlichen Uhrwerk. Jede Stunde kräht vier Minuten vor dem Glockenschlag der Hahn. Darauf beginnt das poetische Spektakel.

15:15 Epizentrum der Politik

Auf dem lebendigen Bundesplatz repräsentieren 26 Wasserfontänen die Schweizer Kantone. Das sollte man gesehen haben. Dahinter: das Bundeshaus mit seiner charakteristischen Kuppel. Den Sitz der Schweizer Regierung und des Parlaments kann man von Montag bis Samstag gratis besichtigen.

---

*08:30 Das beste „Müesli"
der Welt*

Beginnen Sie den Tag im siebten Himmel bei der über 175 Jahre alten „Confiserie Sprüngli" am Paradeplatz. Bestellen Sie das legendäre „Birchermüesli". Und zwar oben, im ersten Stock, wo sich auch die Prominenz gerne blicken lässt.

17:00 Shopping im Viadukt

Die Stadt ist berühmt für ihre Einkaufsmöglichkeiten an der luxuriösen Bahnhofsstraße. Die neueste Attraktion aber ist die lebendige Markthalle in den alten Viaduktbögen im Westen der Stadt. Handwerk und urbane einheimische Labels findet man hier ebenso wie frische Lebensmittel direkt ab Bauernhof.

23:30 Der älteste Schweizer Club

Mindestens so bekannt wie für das „Müesli" ist die Stadt für ihr Clubbing. Zum Beispiel im „Mascotte", dem ältesten Club der Schweiz. Dort begeistern Live-Auftritte berühmter Musiker die Musikfans aus aller Welt.

c Welche der drei Städte hat für diese Reisenden etwas zu bieten? Markieren Sie.
Es ist möglich, dass mehrere Lösungen passen.

	Basel	Bern	Zürich
1 Familie Huber mit Kindern im Alter von 2 und 4 Jahren.	✓		
2 Die Jugendlichen Arun, Ben und Chris, die nur wenig Geld haben.		✓	
3 Eine Gruppe von Rentnern, die alte Zeitmessgeräte sammeln.			
4 Drei junge Frauen, die etwas Außergewöhnliches zum Anziehen suchen.			✓
5 Eine Schulklasse mit ihrer Lehrerin.	✓		
6 Ein Ehepaar, das gern gesund isst.			✓

3 Adjektive mit Präpositionen → AB 95–96/Ü10–11

GRAMMATIK
Übersicht → S. 90/2

a Unterstreichen Sie in den folgenden Fragen die Adjektive und die
dazugehörigen Präpositionen.

1 Für welches Frühstück ist Zürich international bekannt?
2 Wofür ist die Züricher Bahnhofsstraße berühmt?
3 Womit sind Musikliebhaber sehr zufrieden?
4 Warum sind die Basler besonders stolz auf ihre Stadt?
5 Worüber sind viele Besucher in Bern überrascht?
6 Wovon sind Gäste in Basel an manchen Tagen begeistert?

> *Adjektive mit Präpositionen*
> *Kombinationen wie bekannt für kommen in der Alltagssprache oft vor.*
> *Schreiben Sie diese in eine Vokabelkartei oder an einen besonderen Platz in Ihr*
> *Vokabelheft. Wiederholen Sie die Liste regelmäßig und lernen Sie sie am besten*
> *auswendig.*

b Stellen Sie nun eigene Fragen und beantworten Sie die Fragen Ihrer Lernpartner.

bekannt für · berühmt für · zufrieden mit · stolz auf ·
überrascht über · begeistert von · beliebt bei · ...

Wofür ist die Schweiz bekannt?

Für gute Schokolade natürlich!

> *Wussten Sie schon?* → AB 97/Ü12
> *Die Schweiz hat vier Landessprachen. Deutsch spricht man im größten Gebiet,*
> *Französisch in der Westschweiz, Italienisch im Süden, Rätoromanisch in eini-*
> *gen Berggebieten im Südosten. Deutschsprachige Schweizer verwenden in der*
> *schriftlichen Kommunikation in der Regel die Schweizer Varietät des Hochdeut-*
> *schen. Sie klingt ein wenig anders als das Hochdeutsche in Deutschland oder*
> *Österreich und verwendet statt „ß" immer „ss". In der gesprochenen Sprache*
> *verwenden die Deutschschweizer meistens ihre Mundart (Dialekt).*

Ich kann jetzt ...   ☺ ☺ ☺
 ▪ Hauptaussagen eines Reiseführers verstehen.   ☐ ☐ ☐
 ▪ für Touristen mit unterschiedlichen Interessen passende Angebote finden. ☐ ☐ ☐
 ▪ Adjektive mit den dazu passenden Präpositionen verwenden.   ☐ ☐ ☐

1 Spiel: Stadt-Land-Fluss der deutschsprachigen Länder

a Arbeiten Sie zu viert. Bereiten Sie jeder einen Zettel mit folgenden Begriffen vor.

Stadt	Land/Region	Fluss	Name	Berühmte Person	Beruf
Linz	Luxemburg	Lahn	Luise	König Ludwig	Lehrer

b Lesen Sie die Spielanleitung und spielen Sie.

Der jüngste Spieler beginnt das Alphabet mit „A" und geht danach leise für sich das Alphabet durch, bis der Spieler rechts von ihm „Halt" sagt. Dieser Spieler sagt dann den Buchstaben laut, an dem er angelangt ist, z.B. „L". Alle vier Spieler schreiben nun so schnell sie können in jede Spalte auf ihrem Zettel ein Wort mit diesem Buchstaben. Der erste, der seine Reihe gefüllt hat, ruft „Stopp". Alle vergleichen ihre Ergebnisse. Für jedes richtige Wort gibt es einen Punkt. Wiederholen Sie das Spiel mindestens noch dreimal. Wer am Ende die meisten Punkte hat, hat gewonnen.

2 Wie gut kennen Sie Städte in den deutschsprachigen Ländern?

Beantworten Sie zu zweit diese Quizfragen. Markieren Sie.

1 Wie heißt die Hauptstadt von Österreich?
- a Salzburg
- b Innsbruck
- c Wien

2 Welche Stadt war 1949 bis 1990 die Hauptstadt der Bundesrepublik?
- a Berlin
- b Bremen
- c Bonn

3 Wie heißt die Hauptstadt der Schweiz?
- a Zürich
- b Bern
- c Genf

4 Bei welchem dieser Länder heißt die Hauptstadt nicht so wie das Land?
- a San Marino
- b Liechtenstein
- c Luxemburg

5 Welche dieser Städte liegt am Fuß eines Hochgebirges?
- a Dresden
- b Garmisch
- c Nürnberg

6 Welche dieser Städte hat den größten Hafen?
- a Bremerhaven
- b Hamburg
- c Lübeck

7 Lange Schatten werfen die Hochhäuser in …
- [a] Frankfurt.
- [b] Salzburg.
- [c] Zürich.

8 Wo liegt die Stadt Graz?
- [a] In Österreich.
- [b] In der Ostschweiz.
- [c] In Ostdeutschland.

9 Welche Stadt liegt an drei Flüssen?
- [a] Düsseldorf
- [b] Passau
- [c] Bern

10 In welchem deutschen Bundesland liegt
die Stadt Halle/Saale?
- [a] Hessen
- [b] Saarland
- [c] Sachsen-Anhalt

Lesen Sie nun die Auflösung auf Seite 182. Wie viele Fragen haben Sie richtig beantwortet?

3 Schreiben Sie nun selber Quizfragen zu Städten, die Sie gut kennen. → AB 98/Ü13

drei mögliche Antworten

Arbeiten Sie zu viert.

Schritt 1: Themen auswählen. Was können Sie über Städte alles fragen?

- Geschichte
- Architektur, z. B. moderne Hochhäuser
- Bekannte Bauwerke, z. B. Schloss, Museum
- Berühmte Einwohner

- Infrastruktur, z. B. Flughafen, Hafen
- Landschaft, z. B. Lage an einem Fluss
- Auto-Kennzeichen
- …

Schritt 2: Fragen formulieren

Formulieren Sie vier Fragen. Orientieren Sie sich an den Beispielen oben. Jeder in der Gruppe schreibt seine Fragen auf einen eigenen Zettel. Nummerieren Sie die Fragen von 1 bis 4.

Schritt 3: Auswahlantworten formulieren

Notieren Sie eine richtige und zwei falsche Antworten, die auch wahrscheinlich wären.

Schritt 4: Lösung angeben

Notieren Sie auf einem extra Zettel die richtigen Antworten.

Schritt 5: Quiz durchführen

Setzen Sie sich nun zu neuen Vierergruppen zusammen. Stellen Sie Ihre vier Fragen jeweils den anderen Gruppenmitgliedern. Diese notieren ihre Antworten. Zum Beispiel: 1a, 2c, …
Danach stellt der Nächste seine Fragen. Jeder hat am Ende 3 x 4 Antworten, also 12 Lösungen.

Schritt 6: Gruppensieger ermitteln

Vergleichen Sie Ihre Ergebnisse. Für jede richtige Lösung gibt es einen Punkt. Wer am Ende die meisten Punkte hat, hat gewonnen.

Ich kann jetzt …	☺	☺	☹
auf Deutsch das Spiel „Stadt-Land-Fluss" spielen und dabei landeskundliches Wissen, z. B. geografische Namen notieren.	☐	☐	☐
Quizfragen zu deutschsprachigen Städten beantworten.	☐	☐	☐
für ein Quiz Fragen und Alternativantworten verfassen.	☐	☐	☐

1 Mein Stadtteil

In was für einem Stadtteil wohnen Sie oder würden Sie gern wohnen?
Beschreiben Sie kurz, was dafür typisch ist:

- die Lage (am Stadtrand, in der Stadtmitte, weit außerhalb)
- die Häuser (Einfamilien-, Mehrfamilien-, Hochhäuser, Wohnblocks)
- die Straßen (breit, eng, ein-/mehrspurig, Spielstraße, Hauptverkehrsader, ruhige Nebenstraße)
- die öffentlichen Verkehrsmittel (Bus, Straßenbahn, U-Bahn, …)
- die Einkaufsmöglichkeiten (Lebensmittelgeschäft, Supermärkte, Kiosk, Bank, Bäcker, …)

2 Stadtteile von Berlin und ihre Bewohner → AB 99–100/Ü14–16

a Sehen Sie die Fotos von verschiedenen Stadtteilen an.
In welchem davon würden Sie am liebsten wohnen? In welchem nicht so gern? Warum?

Prenzlauer Berg   Wannsee   Kreuzberg

b Lesen Sie die Texte. Welcher Stadtteil ist wohl gemeint? Ordnen Sie zu.

Prenzlauer Berg	Wannsee	Kreuzberg
Text A	Text ☐	Text B

HIER BIN ICH ZU HAUSE!
Drei Berliner Bürger erzählen von ihrem Stadtteil

A **Nina Vogel (32) wohnt seit sieben Jahren in …**

Mein Mann und ich sind keine gebürtigen Berliner. Wir sind hierher gezogen,
als mein Mann eine feste Stelle im Umweltministerium bekam. Ich hatte frei-
beruflich in Hamburg gearbeitet und bin dann zu ihm nach Berlin gezogen. Vor
vier Jahren ist unsere Tochter Charlotte geboren worden, mein Sohn Luis ist
sechs Monate alt. Wir haben eine 4-Zimmer-Wohnung in einem sanierten Alt-
bau gefunden. Die ist zwar nicht ganz billig, aber das Stadtviertel hat für junge
Familien sehr viel zu bieten. Für die Kinder gibt es Tagesstätten und Spielplätze.
Kindersachen kaufe oder tausche ich oft in Second-Hand-Läden oder auf Flohmärkten. Das ist alles
richtig gut hier. Was ich noch toll finde: In Cafés treffen sich nachmittags Väter und Mütter, die
gerade ihre Kinder betreuen, und tauschen sich aus.

B **Hedwig Böger (78) ist in … aufgewachsen**

Als ich ein Kind war, war das hier ein gutbürgerliches Viertel. Man sieht das
noch an den Fassaden entlang dem Paul-Linke-Ufer zum Beispiel. Das waren
alles Bürgerhäuser. Die Lage am Landwehr-Kanal war natürlich immer schon
attraktiv. Im Laufe der Jahrzehnte ist aber leider vieles heruntergekommen. Die
Mieten sind dadurch für Studenten und Künstler bezahlbar geworden. Und für
Leute wie mich. Ich lebe von einer kleinen Rente. In den 60er-Jahren hat sich
das Viertel stark gewandelt. Da kamen immer mehr Gastarbeiter. Hier in der
Straße gab's plötzlich so Multi-Kulti-Läden und einen Markt. Ich finde den Markt toll, denn ich pro-
biere gern mal exotischere Produkte. Nach der Wende 1989 ging es dann los mit dem Auffrischen.
Ein Wohnhaus nach dem anderen wurde renoviert. Und jetzt wohnen hier ganz viele Leute mit
gut bezahlten Stellen. Jetzt gibt es hier Designerläden, aber meine leckeren Berliner Schrippen, die
finde ich kaum noch im Viertel.

Recreation

C Herbert Barth (49), Landschaftsgärtner im Naherholungsgebiet ...

Also die Seen hier am Rande der Stadt sind einfach einzigartig. Hier kommen zwei Dinge zusammen: schöne Natur zur Erholung und sehenswerte Architektur. Es gibt Villen, die 150 Jahre alt sind. Im Kaiserreich ab 1870 haben sich hier reiche Geschäftsleute, aber auch Künstler wie der Maler Max Liebermann eindrucksvolle Landhäuser gebaut. Das Viertel hat etwas von einem Freilichtmuseum. Mir gefällt es sehr, weil es so viel Grün gibt. Der Golfplatz gehört zu einem Verein, der seit 1895 existiert. Außerdem gibt es hier 21 Segel- und zehn Rudervereine. Für „Normalsterbliche" gibt es leider weniger Angebote ... einen Fußballverein, das ist alles. Am Wochenende wimmelt es nur so von Ausflüglern. Toll, dass ich hier meinen Arbeitsplatz habe. Hier zu wohnen, könnte ich mir nicht leisten.

c Was erwähnen die drei Bewohner als positiv, was als negativ? Ergänzen Sie. Arbeiten Sie in Gruppen.

Prenzlauer Berg	Kreuzberg	Wannsee
+ ihr gefällt ...	+ ...	+ ...
– ...	– sie vermisst ...	– er findet es schade, dass ...

3 **Irreale Wünsche** → AB 101/Ü17–18

GRAMMATIK
Übersicht → S. 90/1

6

a Lesen Sie die Aussagen. Wie kann die Person ihren irrealen Wunsch ausdrücken? Markieren Sie.

> *Ich wohne nun schon ein paar Monate in Hannover und arbeite dort. Früher hab ich in Berlin gewohnt, dort war es viel schöner. Doch leider habe ich dort keine Arbeit.*

☒ Könnte ich doch wieder in Berlin wohnen!
☒ Ach wäre ich doch wieder in Berlin!
☐ Berlin war wirklich schön.
☐ Mir hat Berlin sehr gut gefallen.
☒ Wenn ich in Berlin Arbeit finden würde, wäre ich glücklich.
☒ Wenn ich doch nur in Berlin wohnen könnte!
☒ Ach, hätte ich bloß meine Arbeitsstelle in Berlin nicht gekündigt!
☒ Hätte ich die Wahl, würde ich nach Berlin ziehen.

b Markieren Sie in a alle Wörter zum Ausdruck von irrealen Wünschen.

Beispiel: <u>Könnte</u> ich doch wieder in Berlin <u>wohnen</u>!

c Arbeiten Sie zu zweit. Sprechen Sie.
Wo würden Sie gern einmal wohnen?
Wo hätten Sie früher gern einmal gewohnt?

> *Ich wohne außerhalb der Stadt. Wenn ich doch nur im Zentrum wohnen könnte! Dann könnte ich abends öfter ausgehen.*

Ich kann jetzt ...   😊 🙂 🙁
■ einen Stadtteil detailliert beschreiben.   ☐ ☐ ☐
■ Informationen über verschiedene Stadtteile Berlins detailliert verstehen.   ☐ ☐ ☐
■ irreale Wünsche verstehen und formulieren.   ☐ ☐ ☐

WORTSCHATZ

1 Was gehört alles zu einer Stadt? → AB 102/Ü19

a Ergänzen Sie Begriffe zu den einzelnen Punkten.

Stadt		
Nahverkehrssystem	Straßenbahn, …
Infrastruktur	Stadtautobahn, …
Kulturangebote	Konzerthalle, …
Angebote zum Essen	
Sport- und Freizeitangebote	
Einkaufsgelegenheiten	Kaufhaus, …
Service, Dienstleistungen	
Sehenswürdigkeiten	

b Ordnen Sie die Begriffe in 1a zu.

> das Einkaufszentrum · der Imbissstand · der Biergarten · das Postamt / die Post ·
> das Rathaus · das Schwimmbad · das Stadttor · das Theater · der Bahnhof ·
> der Flughafen · der Park · der Zoo · die Brücke · die U-Bahn · die Wasserleitung ·
> das Restaurant · der Brunnen · der Spielplatz · die S-Bahn · das Eisstadion ·
> der Konzertsaal · die Einkaufspassage · Freizeitpark · die Stadtmauer

c Was davon war wohl vor 150 Jahren in einer Stadt besonders wichtig?

d Was gab es damals noch nicht?

2 Welche Stadt ist wohl gemeint?

Ordnen Sie zu und vergleichen Sie dann mit der Lösung auf Seite 182.

> Arbil · Babylon · Chongqing · Hongkong · Hamburg ·
> London · Mumbai · New York · Philadelphia · Tokyo

Zehn Dinge, die Sie noch nicht wussten über …

1 Als älteste von Menschen bewohnte Stadt gilt
  Erbil .
  Dort leben Menschen seit 4300 Jahren.

2 Die USA hatte seit dem Jahr 1789 drei verschiedene
  Hauptstädte: New York (1789 bis 1790),
  Philadelphia (1790 bis 1800) und
  Washington D. C. (seit 1800).

3 Babylon war im Jahr 775 vor Christus
  mit etwa 200 000 Einwohnern die erste Großstadt der
  Menschheitsgeschichte.

4 *Changing* ist eine der größten
Städte der Welt. Innerhalb der Stadtgrenzen leben
über 32 Millionen Menschen. Das Verwaltungsgebiet
der chinesischen Stadt ist dabei fast so groß wie
Österreich.

5 In *London* und New York ist die
Wasserversorgung auf manchen Strecken ziemlich
schadhaft: Nicht wenige Leitungen sind noch aus
Holz, entsprechend viel Frischwasser geht verloren.

6 Keine andere Stadt bietet ein größeres Angebot an
verschiedenen Speisen als *Tokyo*.
Dort gibt es angeblich mehr als 160 000 Restaurants.

7 Verkehrsprobleme von gestern: Um 1850 sagten
Stadtplaner voraus, dass die Straßen von
New York wegen der Zunahme
von Kutschen bis zum Jahr 1910 meterhoch mit
Pferdemist bedeckt sein würden.

8 Jeden Tag ziehen 1000 Menschen in die indische
Stadt *Mumbai*.
Im Einzugs- und Stadtgebiet leben heute über
20 Millionen Menschen.

9 Um alle Einwohner von *Hong Kong*
mit Lebensmitteln, Wasser und Energie zu versorgen,
ist das 2000-Fache der Stadtfläche nötig.

10 *Hamburg* hat die meisten Brücken
in Europa, nämlich mehr als 2500. Damit gibt
es in dieser Stadt mehr Brücken als in Venedig,
Amsterdam und London zusammen.

3 Quizfrage

Schreiben Sie einen kurzen Text zu einer Stadt, die Sie kennen, nach dem Beispiel der Aufgabe 2.
Er sollte eine interessante oder witzige Information enthalten. Lesen Sie Ihren Text im Kurs vor.
Die anderen raten.

Ich kann jetzt …
- Teile der Infrastruktur einer Stadt benennen.
- detaillierte Informationen zu verschiedenen Städten erschließen.

☺ ☺ ☹
☐ ☐ ☐
☐ ☐ ☐

1 Freizeitangebote in der Großstadt → AB 102/Ü20

a Welcher Titel passt zu welchem Bild? Ordnen Sie zu.

> Stadt-Marathon · Rollschuh-Nacht · Gymnastik im Park · Tai-Chi für alle ·
> Nacht der offenen Museen · Grillplätze im Park · Kostenlose Stadtführungen

b Stellen Sie sich vor: Ihre Stadtverwaltung möchte ein neues Freizeitangebot einführen. Die Bürger der Stadt dürfen entscheiden, welches. Welches aus den Angeboten in a wäre Ihnen am liebsten? Arbeiten Sie in zwei Schritten.

Schritt 1: Lesen Sie zunächst die Redemittel und ordnen Sie sie den Rubriken zu.

> ~~Meine Nummer eins ist auf jeden Fall ..., weil ...~~ · ~~Ist das auch für ... geeignet?~~ · *Also ich bin ganz klar für ..., denn ...* · *Kann denn da jeder dran teilnehmen?* · *Aber ... wird immer beliebter. Fast jeder in unserer Stadt hat/ist schon mal ...* · *Dann sind wir also einer Meinung, dass ... am besten geeignet ist.* · *Ich bin mir nicht sicher, ob ...* · *Gut, dann entscheiden wir uns also für ...* · *Von ... bin ich nicht so überzeugt.* · *... ist für unsere Stadt ideal, weil ...* · *Da hast du / da habt ihr recht. Das wäre wohl dann das beste Angebot.* · *Ja, natürlich. ... ist doch wirklich für viele interessant.*

einen Vorschlag machen und begründen

„ *Meine Nummer eins ist auf jeden Fall ..., weil ...*

_____

_____ "

Nachfragen stellen / Bedenken äußern

„ *Ist das auch für ... geeignet?*

_____

_____ "

Fragen beantworten / Bedenken entkräften

„ _____

_____ "

zu einer Entscheidung kommen

„ _____

_____ "

Schritt 2: Diskutieren Sie zu dritt und einigen Sie sich auf ein Freizeitangebot. Verwenden Sie mindestens drei Redemittel aus Schritt 1.

c Präsentieren Sie gelungene Gespräche im Kurs.

d Feedback: Wie beurteilen Sie die Gesprächsteilnehmer? Was haben sie gut gemacht?

> Inhalt der Diskussion · logischer Zusammenhang der Sätze ·
> verwendete Wörter · richtige grammatische Struktur

Ich kann jetzt ...

	😊	🙂	🙁
▪ einen Vorschlag für ein kostenloses Freizeitangebot machen und begründen.	☐	☐	☐
▪ Nachfragen stellen und beantworten.	☐	☐	☐
▪ Bedenken äußern und entkräften.	☐	☐	☐
▪ mit anderen zu einer Einigung kommen.	☐	☐	☐

1 Irrealer Vergleich → AB 102–103/Ü21–22

GRAMMATIK
Übersicht → S. 90/1

a Sehen Sie die Fotos an und lesen Sie die Sprechblasen. Beschreiben Sie dann, was Sie auf den Fotos sehen. Verwenden Sie Sätze mit *als ob*.

> Auf dem rechten Bild sieht es so aus, **als ob** die Welle so hoch wie ein Haus **wäre**.

> Auf dem anderen Bild sieht es aus, **als hätten** die Surfer wenig Platz.

b Wo wurden die beiden Aufnahmen wohl gemacht?

2 Eisbachsurfer

`34 DVD1` a Sehen Sie den Anfang eines Films <u>ohne Ton</u> an. Wo wurde der Film wohl gedreht? Woran erkennen Sie das?

`35 DVD1` b Sehen Sie das Interview mit einem Surfer an. Auf welche der folgenden Fragen geht er näher ein? Markieren Sie.

> *Globalverstehen*
> *Lesen Sie die Aufgaben immer <u>vor</u> dem Hören genau und markieren Sie darin die Schlüsselwörter. Gewöhnen Sie sich die ersten 10 Sekunden an die individuelle Sprechweise einer Person, also Tempo, Akzent, individueller Sprachgebrauch. Sie brauchen beim ersten Hören nicht jedes Wort zu verstehen. Versuchen Sie, weniger relevante Einzelheiten bewusst zu überhören.*

  1 Wie fühlt sich der Surfer, kurz bevor er auf die Welle springt? ☒
  2 Worauf achtet er vor dem Sprung? ☐
  3 Wie heißt surfen auf Deutsch? ☐
  4 Welche Verletzungen hatte der Surfer schon? ☒
  5 Wie ist seine Einstellung zu Verletzungen? ☐
  6 Warum machen Stadtbewohner diesen Sport? ☐
  7 Was ist anders als bei einer Welle am Meer? ☒
  8 Warum ist das Surfen auf dem Eisbach eigentlich verboten? ☐
  9 Wie oft geht der Interviewte surfen? ☒
10 Was ist mindestens genauso wichtig wie das Surfen? ☒

`35 DVD1` c Sehen Sie das Interview noch einmal an. Machen Sie Notizen zu mindestens zwei der Fragen, auf die der Surfer eingeht. Berichten Sie dann darüber im Kurs.

3 Welche ungewöhnliche Sportart würden Sie gern in Ihrer Stadt machen?

Ich kann jetzt ...
  ☺ 😐 ☹
- irreale Vergleiche verstehen und formulieren.   ☐ ☐ ☐
- ein Interview mit einem Sportler verstehen.   ☐ ☐ ☐
- detaillierte Informationen zu einer Sportart verstehen.   ☐ ☐ ☐

GRAMMATIK

1 Bedeutungen des Konjunktiv II ← S. 79/5; 85/3; 89/1

Mit dem Konjunktiv II lassen sich Bedingungen, Wünsche und Vergleiche ausdrücken.

	reale Situation	irreale Bedingung
Gegenwart	Jana verwendet die App und sieht alle Attraktionen.	Wenn Jana die App nicht verwenden würde, würde sie nicht alle Attraktionen sehen.
Vergangenheit	Jana hat die App verwendet und dadurch alle Attraktionen gesehen.	Wenn Jana die App nicht verwendet hätte, hätte sie nicht alle Attraktionen gesehen.
	Jana konnte ihren Freund nicht anrufen und hat sich darum verlaufen.	Wenn Jana ihren Freund hätte anrufen können, hätte sie sich nicht verlaufen.

	realer Wunsch	irrealer Wunsch
Gegenwart	Ich möchte in Berlin wohnen.	Könnte ich doch* in Berlin wohnen!** Wenn ich doch* nur in Berlin wohnen könnte!
Vergangenheit	Ich wollte in Köln bleiben.	Wäre ich bloß* in Köln geblieben!** Wenn ich bloß* in Köln geblieben wäre!

* *doch, doch nur, bloß* oder *nur* ist in diesen Wünschen obligatorisch.

** Wird der Satz ohne *wenn* gebildet, steht das Verb im Konjunktiv II am Satzanfang.

	realer Vergleich	irrealer Vergleich
Gegenwart	Die Welle ist so hoch wie ein Haus.	Es sieht so aus, als ob die Welle so hoch wie ein Haus wäre.* (Ich bin nicht sicher.)
Vergangenheit	Die Welle war so hoch wie ein Haus.	Es sah so aus, als ob die Welle so hoch wie ein Haus gewesen wäre.*

* Auch ohne *ob* möglich: Es sieht so aus, **als wäre** die Welle so hoch wie ein Haus.

Es sah so aus, **als wäre** die Welle so hoch wie ein Haus **gewesen**.

Einige häufig benutzte Verben verwendet man in der Originalform des Konjunktiv II:
kommen → käme, wissen → wüsste, finden → fände, geben → gäbe. Bei *sein (wäre), haben (hätte)*
und den Modalverben *(könnte, müsste, dürfte, wollte, sollte)* benutzt man immer den Konjunktiv II.

2 Adjektive mit Präpositionen ← S. 81/3

Manche Adjektive verwendet man in Verbindung mit Präpositionen.

Adjektiv mit Präposition + Akkusativ		Beispiel
auf	stolz auf	Basel ist stolz auf seine Kunstsammlung.
für	bekannt* für	Zürich ist bei jüngeren Touristen bekannt für sein Nachtleben.
in	verliebt in	Dieser Tourist ist ganz verliebt in die Berner Altstadt.
über	überrascht über	Viele sind überrascht über das große Kulturangebot von Basel.

Adjektiv mit Präposition + Dativ		Beispiel
an	interessiert an	Tom ist sehr interessiert an der Schweizer Kultur.
bei	bekannt* bei	Zürich ist bei jüngeren Touristen bekannt für sein Nachtleben.
mit	zufrieden mit	Musikliebhaber sind mit dem Angebot an Konzerten sehr zufrieden.
nach	verrückt nach	Tom ist ganz verrückt nach diesem neuen Müsli.
von	begeistert von	Die Besucher sind begeistert von der neuen Ausstellung.
zu	nett zu	Sei doch mal nett zu mir.

* Einige Adjektive werden mit unterschiedlichen Präpositionen verwendet.

7
BEZIEHUNGEN

1 Familiäre Beziehungen

a Sehen Sie die Personen auf dem Bild an. Wie wirkt diese Familie auf Sie?

b Was meinen Sie?

- Wer ist mit wem verheiratet? Wer ist der Exgatte von wem?
- Wer ist wessen leibliches Kind, wer ist wessen Stieftochter oder Stiefsohn?

2 Familienkonstellationen →AB 107/Ü2

Wie leben Sie und Ihre Familie? Welche Familienkonstellation gibt es bei Ihnen?
Berichten Sie.

über Familienkonstellationen sprechen

„ *Zu meiner Familie gehören …*
Ich lebe mit meiner/meinem/meinen … in …
Das ist in meinem Heimatland ganz normal / etwas ungewöhnlich / …
Aber im Haushalt meiner/meines … zum Beispiel wohnen nicht nur …, sondern auch …
Außerdem kenne ich ein Paar, das … "

1 Bilderrätsel

Sehen Sie das Bild an. Welche Familienform wird wohl dargestellt? Markieren Sie.

[handschriftlich: verbringen / spend time]

- ☐ eine multikulturelle Familie mit Eltern aus verschiedenen Ländern bzw. Kulturen
- ☐ eine „Patchwork-Familie", zusammengesetzt aus Mitgliedern verschiedener Familien
- ☐ eine Großfamilie mit Mitgliedern aus mehreren Generationen

2 Eine Radioreportage über Familien in Deutschland

Hören Sie die Reportage in Abschnitten. Welche Aussagen sind jeweils richtig? Markieren Sie.

[handschriftlich: manipulieren - man.]

> *Richtig hören – vor dem Hören*
> *Lesen Sie die Aussagen zu jedem Abschnitt vor dem Hören aufmerksam durch. Markieren Sie Schlüsselwörter. Konzentrieren Sie sich beim Hören darauf, was zu den markierten Wörtern gesagt wird und entscheiden Sie dann, welche Aussage richtig ist.*

C 2 CD 2

Abschnitt 1

1. Viele Ehepaare lassen sich nach einem Jahr wieder scheiden. ✓
2. Nach einer Scheidung finden viele bald wieder einen neuen Partner.
3. Es gibt unterschiedliche Möglichkeiten der Zusammensetzung von Patchwork-Familien.

[handschriftlich: composition]

C 3 CD 2

Abschnitt 2

1. Früher heiratete man vor allem dann wieder, wenn der Ehepartner verstorben war.
2. Heutzutage ist die finanzielle Absicherung kein alleiniger Grund mehr für eine Wiederheirat.
3. Der Wunsch nach finanzieller Sicherheit ist immer noch genauso wichtig wie der Wunsch nach einer glücklichen Partnerschaft.

C 4 CD 2

Abschnitt 3

1. Viele Eltern denken, dass ihre Kinder den neuen Partner schnell akzeptieren.
2. Kinder wünschen sich meist einen Ersatz für den Elternteil, der nicht mit ihnen lebt.
3. Stiefvater oder -mutter wird man oft plötzlich, sodass die neue Rolle schwierig sein kann.
4. In Zukunft wird es nicht mehr so viele Patchwork-Familien wie zurzeit geben.

[handschriftlich: 1) leiblichen Stiefkind 2) streiten 3) regeln 4) Ferien]

> *Wussten Sie schon?* → AB 108/Ü3
> *Die Bezeichnung Stief- in Wörtern wie Stiefmutter, Stiefvater, Stiefsohn oder -tochter ruft leider manchmal noch negative Assoziationen hervor. Der Grund dafür ist in zahlreichen bekannten Märchen zu finden, wie z. B. Aschenputtel, Frau Holle, Schneewittchen. Darin gibt es das Stereotyp der „bösen Stiefmutter", die als lieblose Nachfolgerin der leiblichen Mutter charakterisiert wird. Deshalb bezeichnet man heutzutage eine Stieftochter oder einen Stief-sohn auch häufig als „Tochter oder Sohn meiner Partnerin / meines Partners".*

3 Diskussion

a **Welche Chancen und möglichen Probleme sehen Sie in der Familienform Patchwork-Familie? Arbeiten Sie zu viert. Zwei Personen ergänzen Chancen, die anderen beiden mögliche Probleme.**

Chancen	Mögliche Probleme
Man weiß, was in der ersten Ehe/Beziehung nicht geklappt hat.	Man hat keine enge Beziehung zu den Kindern des Partners.

b   Diskutieren Sie nun mithilfe der Redemittel zu viert über das Thema.

über Chancen sprechen

„ *Ein Vorteil dieser Familienform ist auf
jeden Fall, dass ...
Das Gute ist, dass man bereits ...
Natürlich müssen die Familienmitglieder
(sich) erst einmal ...* „

über mögliche Probleme sprechen

„ *Möglicherweise hat man auch nicht genug
Verständnis für ...
Problematisch könnte es werden, wenn ...
Nicht so einfach scheint mir ...* „

4   Nomen mit Präposition → AB 108–109/Ü4–7

GRAMMATIK
Übersicht → S. 104/1

a   Hören Sie einige Sätze aus der Reportage noch einmal und ergänzen Sie
die Nomen mit Präposition.

1 Der Hauptgrund für eine Wiederheirat ist heute meist nicht mehr das <u>Bedürfnis   nach</u>
sozialer und finanzieller Absicherung.

2 Es besteht jedoch bei vielen Eltern weiterhin der <u>Wunsch   heliger</u> einer „heilen"
Familie und <u>nach</u> einer glücklichen Partnerschaft.

3 Das gilt besonders dann, wenn ihnen dieser neue Partner als <u>Ersatz für die Muter</u>
den Vater oder die Mutter präsentiert wird.

4 Viele haben <u>Angst ~~für~~ vor</u> ihrer neuen Rolle, besonders dann, wenn sie
bisher keine <u>Erfahrung   in</u> Kindererziehung hatten.

5 Oft haben die Jugendlichen dadurch sogar flexiblere <u>Vorstellungen von</u> den
Rollen, die man als Mann und Frau zu erfüllen hat, als Kinder aus traditionellen Familien.

b   Ordnen Sie die Nomen aus a den Präpositionen zu. Notieren Sie jeweils neue Ergänzungen.

das Bedürfnis	nach (+ Dativ)	mehr Freiheit, einem sorglosen Leben, …
Wunsch	nach (+ Dativ)	einer glücklichen Partnerschaft
Ersatz	für (+ Akk.)	den Vater oder die Mutter
Angst	vor (+ Dativ)	vor ihrer neuen Rolle
Erfahrung	in (+ Dativ)	in Kindererziehung
Vorstellung	von (+ Dativ)	von den Rollen die man als Kinder aus traditionellen Famili

c   Ergänzen Sie passende Nomen mit Präposition und Artikel aus b.

1 Mit Anfang 20 wird bei jungen Menschen_____ einem
selbstständigen Leben häufig sehr stark.

2 Für kinderlose Ehepaare ist ein Hund, um den sie sich intensiv kümmern können, häufig
_____ ein Kind.

3 Partner haben manchmal unterschiedliche_____ Zusammenleben.

4 Meine Nachbarin hat seit einem halben Jahr einen neuen Partner mit zwei kleinen Kindern.
Sie hat aber noch nicht so viel_____ Umgang mit ihnen.

Ich kann jetzt …

	☺	☺	☹
▪ einer Radioreportage zu neuen Familienformen wichtige Informationen entnehmen.	☐	☐	☐
▪ mich zu Chancen und möglichen Problemen von neuen Familienformen äußern.	☐	☐	☐
▪ Nomen mit Präposition anwenden.	☐	☐	☐

WORTSCHATZ

1 Beziehungs- und Lebensformen

a Was bedeuten die Begriffe links? Ordnen Sie zu.

1 die Kleinfamilie
2 die Ein-Eltern-Familie
3 die Patchwork-Familie
4 die (nichteheliche) Lebensgemeinschaft
5 der Single
6 die Wohngemeinschaft

A Paar mit gemeinsamen Kindern und/oder Kindern aus vorherigen Beziehungen
B das Zusammenleben ohne Trauschein
C die/der Alleinerziehende mit Kind/ern
D das Zusammenleben mit anderen
E die/der Alleinstehende
F Vater, Mutter und Kind

WG

b Sehen Sie folgende Klingelschilder an.
Welche Lebensformen aus a sind das wohl?
Sprechen Sie.

doorbell

> Im Erdgeschoss wohnen
> Paula Weninger und Markus Jochim.
> Das könnte wegen der verschiedenen Nachnamen
> eine Wohngemeinschaft sein. Oder ...

2 | Victoria & Sven Hansen mit Lina *1*
5 | Andrea Völkner mit Tim *1*
1 | Martin Kempe *5*
4 | Paul Lauber und Frauke Kraft-Lauber mit Cosima Kraft, Johannes und Lukas Lauber *3*
EG | Paula Weninger und Markus Jochim
3 | Heiner Kraus / Berni Mattes / Carsten Lahm / Finn Schuller *6*

c Wie sehen Klingelschilder in Ihrem Land aus? Was verraten sie über die Bewohner? Berichten Sie.

2 Statistiken in Worte fassen → AB 110/Ü8

a Mengenverhältnisse beschreiben. Wie kann man noch sagen?
Ordnen Sie die Ausdrücke den Prozentzahlen zu.

fast die Hälfte • ~~knapp ein Drittel~~ • doppelt so viele • gut ein Viertel • dreimal so viele

26 % = _____
90 % im Vergleich zu 30 % = _____
47 % = _____
32 % = *knapp ein Drittel*
70 % im Vergleich zu 35 % = _____

b Veränderungen beschreiben. Was drücken die Verben aus? Ordnen Sie zu.

~~abnehmen~~ • zunehmen • sich erhöhen • stagnieren •
sinken • steigen • sich verringern • gleich bleiben

erniedrigen → to humiliate

wenig

etwas wird weniger	etwas ist unverändert	etwas wird mehr
abnehmen sich verringern		

94

WORTSCHATZ

c   Wie kann man noch sagen? Ergänzen Sie passende Verben aus b in der richtigen Form.

1 Vor hundert Jahren gab es sehr viele Familien mit drei oder mehr Kindern. Heute gibt es
das kaum noch. Die Zahl der kinderreichen Familien _hat abgenommen_ /
hat sich verringert / ist _gesunken_ .

2 Dagegen lebt in fast 40 % der Haushalte nur noch eine Person, die Anzahl der Ein-Personen-
Haushalte _hat sich erhöht_ / hat _zugenommen_ /
ist _gestiegen_ .

3 In den letzten 10 Jahren ist die Zahl der Lebensgemeinschaften fast _____ /
hat die Zahl der Lebensgemeinschaften fast _hat zugenommen_ .

4 Wenn die Zahl der Geburten weiter _sich vervielfacht_ / _sinkt_ /
abnimmt , kann sich das negativ auf das Wirtschaftswachstum auswirken.

5 Da sich Ehepaare heutzutage häufiger trennen, wird (sich) die Zahl der Ein-Eltern-Familien
zunehmen / _steigen_ /
erhöhen .

Informationen auf Schaubildern beschreiben
Bei der Beschreibung eines Schaubilds oder einer Grafik muss man zunächst angeben,
worüber die Zahlen genau informieren, z. B. über Geldmengen, eine Anzahl von Men-
schen oder Dingen oder Ähnliches. Zu beachten ist, ob die Angaben als Prozentzahl
oder z. B. in Tausender-Einheiten zu lesen sind.
Häufig zeigt eine Grafik auch Zahlen aus verschiedenen Jahren. Achten Sie darauf, die
Zahlen zu vergleichen und auf Veränderungen hinzuweisen.

---

d   Arbeiten Sie zu viert. Je zwei Personen sehen sich eine Statistik näher an. Formulieren Sie mithilfe
der Redemittel die Hauptaussagen Ihrer Statistik und beschreiben Sie sie dem anderen Team.

eine Statistik beschreiben

„ *Die Statistik gibt Auskunft über ...*
Sie informiert darüber, wie viel Prozent der Familien/Haushalte ...
Das Schaubild stellt dar, wie viele Kinder ...
In der Grafik / Im Schaubild wird ... mit ... verglichen.
Die Zahl der unehelichen Kinder / Ein-Personen-Haushalte ist ...
Dagegen hat ... (deutlich) zugenommen/abgenommen.
... gab/gibt es wesentlich mehr/weniger ... als ...
Dafür gibt es doppelt / fünfmal so viele ... wie ... "

Ich kann jetzt ...   ☺ ☺ ☹
- verschiedene Beziehungs-und Lebensformen benennen.   ☐ ☐ ☐
- Informationen aus Statistiken in Worte fassen.   ☐ ☐ ☐

LESEN 1

1 Stimmen zum Erstlingsroman „Das Blütenstaubzimmer"

a **Lesen Sie folgende Kommentare. Welche Aussage passt? Markieren Sie.**

☐ Die Kritiker sind unterschiedlicher Meinung über die Qualität des Romans.
☐ Alle Kritiker äußern großes Lob.
☐ Nach Meinung der Kritiker erkennt man, dass es ein Erstlingsroman ist.

„Eine so gelungene erste Erzählung habe ich lange nicht mehr gelesen." DIE ZEIT

„Ein fulminanter Erstlingsroman. Das Blütenstaubzimmer wird schnell mehr als eine Kindheitsgeschichte – es ist einer der ersten und radikalsten Romane der Technogeneration, adressiert in aller Härte an die 68er-Eltern." FACTS

„Mit ihrem ersten Roman traf Zoë Jenny eine ganze Generation mitten ins Herz!" STERN

b **Was erfährt man über die Autorin und die Leser, die hauptsächlich angesprochen sind?**

2 Auszug aus dem Roman „Das Blütenstaubzimmer" → AB 110–111/Ü9–11

Lesen Sie einen Auszug aus dem Roman in Abschnitten und beantworten Sie die Fragen.

Abschnitt 1: 1 Wo befinden sich die Erzählerin und Lucy und was machen sie gerade?
2 In welcher Beziehung stehen sie wohl zueinander?
3 Was erfährt man über den Nachbarn Giuseppe?

Obwohl erst früh am Morgen, ist es im Garten schon sehr warm. Lucy liest im Schatten der Palme eine Zeitung. Ihr Haar ist hochgesteckt, das Gesicht zugedeckt mit einer nach Gurke riechenden Schönheitsmaske. Sie läßt[1] die Zeitung sinken, als ich mich zu ihr an den Tisch setze. Um die Augen ist die Maske ausgespart, aus den hautfarbenen Kreisen blicken mich ihre blauen Augen an.

5 „Ich habe heute Abend einen Freund eingeladen. Vito; er wird dir gefallen."

Dann nimmt sie die Zeitung wieder auf.

„Möchte wissen, was du hier die ganze Zeit tust, wenn ich nicht da bin", sagt sie beiläufig, aber die Neugier in ihrer Stimme ist nicht zu überhören.

„Lesen. Ich habe einen ganzen Stapel Bücher in meinem Zimmer. Ich habe gestern bis spät in die Nacht
10 hinein gelesen", sage ich, und es klingt wie eine Rechtfertigung. *Justificat-*

Ich gehe hinein, um das Frühstück zu holen, und als ich mit einem Tablett mit Brot, Käse und Honig wieder in den Garten trete, höre ich in Giuseppes Keller die Vögel kreischen. Bevor seine Frau an einem Schlaganfall starb, sah man abends ihre Schatten hinter den Fenstern, und man hörte, wie er seine Frau anschrie. Jetzt hört man nur noch die Vögel in seinem Keller kreischen, wenn er hinuntergeht, um sich einen
15 zum Essen zu fangen. Lucy behauptet, er sei verrückt geworden.

Abschnitt 2: 1 War Ihre Vermutung zur Beziehung zwischen Lucy und der Ich-Erzählerin Jo richtig?
2 Was schlägt Lucy Jo vor? Warum?
3 Wie wird Jo wohl darauf reagieren?

Ich stelle das Tablett auf den Tisch. Lucy blickt angestrengt, das Kinn auf die Hand gestützt, zu dem Kloster hinüber.

„Hör mal, Jo, ich habe Vito gegenüber nichts von dir erwähnt, ich meine, er hat keine Ahnung, daß ich eine Tochter habe. Ich dachte, wir sagen der Einfachheit halber, du seist meine jüngere Schwester."

---

1 Da der Roman 1997, d. h. vor der Rechtschreibreform im Jahre 2006 erschien, wurden die Änderungen in der Orthografie hier nicht vorgenommen, z. B. folgt nach kurzem Vokal hier weiterhin „ß" statt heute „ss". Auch in den Beispielsätzen aus dem Text in Aufgabe 3 wird diese Schreibweise beibehalten.

Abschnitt 3: 1 Ist Jos spontane Reaktion aus Ihrer Sicht verständlich?
2 Was sagen Lucys Verhalten, ihre Kleidung und ihre Frisur über sie aus?
3 Wie verhält sich Jo gegenüber Lucy?

20 „Klar", sage ich trocken, so schnell und selbstverständlich, als hätte ich für diesen Moment jahrelang geübt. Sie fährt sich mit der Hand schwungvoll und erleichtert durchs Haar. Die Maske auf ihrer Haut ist mittlerweile getrocknet und fest geworden. Sie redet mit einer hellen, unbekümmerten Stimme, aber ich höre ihr kaum zu, bewege mich kein Stück, nicke nur gelegentlich und fixiere die eingetrocknete Gurkenmaske, die langsam von ihrem Gesicht bröckelt. Immer größere Stücke beginnen sich von der Haut zu lösen
25 und abzufallen; sie preßt die Hände aufs Gesicht, als wolle sie es zusammenhalten, damit es nicht vollständig auseinanderbricht, entschuldigt sich und eilt ins Bad. Sie verbringt fast den ganzen Tag dort. Auf dem Sofa im Eßzimmer halte ich ein aufgeschlagenes Buch auf den Knien, vor mir die Wörter, die für mich nutzlos geworden sind, und denke an Alois, der tot unter den Pappeln liegt und immer toter wird. Lucy kommt in einem langen schwarzen Rock zurück, der unten glockig auseinanderschwingt. Dazu trägt sie eine hellblaue
30 Bluse. Als sie hereinkommt und sich an den Tisch setzt, rieche ich den sauberen Duft ihres Parfums. Aus den Augenwinkeln sehe ich ihr Profil. Die frisch gewaschenen Haare sind mädchenhaft hinter die Ohren gelegt.

Abschnitt 4: 1 Welche Fragen würde Jo ihrer Mutter gern stellen?
2 Was meinen Sie: Warum tut sie es nicht?
3 Was wird Jo nach dieser Erfahrung machen? Diskutieren Sie.

Eine dunkle Ahnung steigt in mir hoch, und plötzlich drängt es mich, sie zu fragen, ob sie ganz sicher sei, daß sie damals meinen Vater verlassen habe und ins Flugzeug gestiegen sei. Oder ob nicht vielleicht alles ganz anders gewesen war; und ob sie denn wirklich ganz sicher sei, daß ich aus ihr herausgekommen bin.
35 Denn das scheint mir in diesem Moment vollkommen unmöglich. Sie blickt zu mir herüber, und ich blättere schnell die Seite um.

3 Indirekte Rede → AB 112–114/Ü12–15

GRAMMATIK
Übersicht → S. 104/2

a **Lesen Sie die folgenden Sätze aus dem Text noch einmal.**
Welche Aussage stimmt? Markieren Sie.

1 Lucy behauptet, *er sei verrückt geworden.*
2 Wir sagen der Einfachheit halber, *du seist meine jüngere Schwester.*

Die Sätze …
☐ drücken eine Überzeugung aus.
☐ geben die Aussage einer Person wieder.   — sign
☐ drücken Wünsche aus.

b **An welchen Verben erkennt man das? Markieren Sie.**

c **Welche der kursiv gedruckten Satzteile in a geben eine Aussage in der Gegenwart wieder,**
welche eine Aussage in der Vergangenheit?

d **Formen Sie die Aussagen in die direkte Rede um.**

1 Lucy behauptet: „Er ist _____ "
2 _____

Ich kann jetzt …   ☺ ☺ ☹
■ einen literarischen Textauszug verstehen.   ☐ ☐ ☐
■ Vermutungen über Gefühle und Beweggründe literarischer Figuren anstellen.   ☐ ☐ ☐
■ Formen der indirekten Rede verstehen.   ☐ ☐ ☐

SCHREIBEN

1 Ehe auf Zeit

Lesen Sie folgende Zeitungsmeldung. Über welchen Vorschlag wird hier berichtet und wie begründet die Befürworterin des Vorschlags die Idee?

„Bis dass der Tod euch scheidet" – schon lange ein Märchen

↑ Proponent

Vergangene Woche schlug eine Politikerin vor, Ehen zeitlich auf sieben Jahre zu befristen. Falls die Beziehung dann doch scheitern sollte, könn-ten hohe Scheidungskosten gespart werden, so die Befürworterin der „Ehe auf Zeit". Das heißt auch: Wer sich nicht trennen will, kann zu einer Verlängerung der Ehe aktiv „Ja" sagen. So kann es durchaus auch viele lebenslange Ehen geben. Der Vorschlag stieß in vielen Kreisen auf Unver-ständnis, obwohl die Idee keineswegs so neu ist. In islamischen Ländern oder im alten Japan waren zeitlich begrenzte Ehen früher schon üblich und auch Goethe beschrieb in seinem Roman „Die Wahlverwandtschaf-ten" das Angebot einer Ehe auf fünf Jahre.

5

unaus-gegoren

10

Wem es also nicht gefällt oder nicht gelingt, sein ganzes Leben an der Seite eines Partners zu verbringen, der könnte mit der „Ehe auf Zeit" glücklich werden.

2 Leserbrief → AB 114/Ü16

Hausaufgabe

a Schreiben Sie zum Thema einen Leserbrief an die Zeitungsredaktion. Bringen Sie folgende Punkte in eine sinnvolle Reihenfolge.

- ☐ Bedeutung und Entwicklung der Institution „Ehe" in Ihrem Heimatland
- ☐ Grund für Ihr Schreiben
- ☐ andere Möglichkeiten, die hohen Scheidungsraten zu verringern   *– decrease*
- ☑ Ihre Meinung zum Vorschlag „Ehe auf Zeit"

b Überlegen Sie sich, was Sie zu jedem Punkt schreiben wollen und notieren Sie Stichpunkte.

c Formulieren Sie Ihren Text mithilfe der folgenden Redemittel.

zu einem Thema schriftlich Stellung nehmen

„ *In Ihrer Zeitungsmeldung berichten Sie über ...*
Zu ... möchte ich Stellung nehmen.
Ich persönlich halte von ... nichts/viel.
Die Bedeutung ... wird überbewertet/unterschätzt.
Meiner Meinung nach sollte/müsste man ...
... wäre keine / doch eine gute Idee. "

> *Richtig schreiben – einen Text prüfen*
> *Prüfen Sie Ihr Schreiben am Ende noch mal: Sind die folgenden Elemente alle enthalten? (Bezug auf die Zeitungsmeldung, Stellungnahme zu allen Punkten, eigenes Fazit). Ist die Argumentation logisch aufge-baut? Haben Sie Konnektoren zur Verknüpfung der Sätze verwendet? Wird Ihre Meinung deutlich?*

3 Generalisierende Relativsätze → AB 115/Ü17–19

GRAMMATIK
Übersicht → S. 104/3

Lesen Sie die Sätze und ihre Umformungen. Markieren Sie das richtige Pronomen.

1 *Wer sich nicht trennen will, (der) kann zu einer Verlängerung der Ehe aktiv „Ja" sagen.*
→ Eine Person, ☑ die ☐ was ☐ wer sich nicht trennen will, kann (...)

2 *Wem das lebenslange Eheleben nicht gefällt, der könnte mit der „Ehe auf Zeit" glücklich werden.*
→ Ein Mensch, ☐ wem ☑ dem ☐ der das lebenslange Eheleben nicht gefällt, der (...)

Ich kann jetzt ...   ☺ ☺ ☹
- eine Zeitungsmeldung zum Thema „Ehe auf Zeit" verstehen.   ☐ ☐ ☐
- meine Meinung zur befristeten Ehe schriftlich formulieren.   ☐ ☐ ☐
- generalisierende Relativsätze erkennen und verstehen.   ☐ ☐ ☐

1 Mini-Gespräche

Sehen Sie das Paar auf dem Foto an. Worüber könnten sie diskutieren?
Überlegen Sie sich zu zweit ein Mini-Gespräch und spielen Sie es vor.

2 Zwei Paargespräche → AB 116/Ü20

Gespräch 1: „Blau oder Braun?"

a   Hören Sie das Gespräch in Abschnitten.
    Ergänzen Sie die Aussagen und beantworten Sie die Fragen.

C 6
CD 2

Abschnitt 1

- Die Frau möchte von ihrem Mann wissen, welches Kleid *Ihr besser passt*
- Er findet, dass *Braune* kleid *seiner Frau besser steht*.
- Wie könnte das Gespräch weitergehen? Sammeln Sie Ideen.

„Farbe oder form?
zu eng.
zu dick

C 7
CD 2

Abschnitt 2

- Warum ist **sie** mit **seinen** Antworten nicht zufrieden?
- Was macht sie am Ende? Warum?

b   Arbeiten Sie zu zweit und ordnen Sie die Sätze des Mannes denen der Frau zu. *Zu*

> ~~Hm, das Braune.~~ · Nein. · Das seh' ich sofort – das Braune! · Beides. · Doch! Aber das Braune
> steht dir besser! · Nein! · ~~Steht dir einfach besser.~~ · Was fragst du mich denn dann? · Das hab'
> ich nicht gesagt! Du hast mich gefragt, welches dir besser steht und ich habe gesagt „das Braune".

Frau

- Was findest du besser – das Blaue oder das Braune?
- Du hast ja gar nicht richtig hingeschaut!
- Und warum?
- Du findest, das Blaue steht mir nicht?
- Wegen der Farbe oder wegen der Form?
- Du meinst, das Blaue steht mir nicht, weil es zu eng ist?
- Findest du mich zu dick für das Blaue?
- Wirklich nicht?
- Gut. Dann nehm' ich das Blaue.
- Ich wollte nur sichergehen.

Mann

- Hm, das Braune.
- *Das sehe ich sofort – das Ba.*
- *Steht dir einfach besser.*
- *Doch Aber das Braune steht dir bes*
- *Beides.*
- *Das hab ich nicht gesagt*
- *Nein!*
- *Nein! ... denn?*
- *Was fragst du*

C 8
CD 2

c   Hören Sie nun das Gespräch noch einmal und vergleichen Sie.

ausrufezeich

Gespräch 2: „Endspiel"

HiN.

C 9
CD 2

a   Hören Sie den Anfang des Gesprächs. Worum geht es?

b   Schreiben Sie zu zweit eine Fortsetzung des Gesprächs und lesen Sie sie im Kurs vor.

Nur so

C 10
CD 2

c   Hören Sie nun das ganze Gespräch. Warum ist der Mann am Ende genervt?

d   Wie würden Sie in dieser Situation reagieren?

nur so

3 Klischee oder Realität?

Sind die beiden Gespräche realistisch? Warum (nicht)? Diskutieren Sie.

Ich kann jetzt ...   ☺ 😐 ☹
- private Paargespräche verstehen.   ☐ ☐ ☐
- ein angefangenes Paargespräch zu Ende schreiben.   ☐ ☐ ☐

1 Bedeutung gesucht! → AB 116/Ü21

Lesen Sie die Wörter mit *Fern-*. Was bedeuten sie wohl?
Überlegen Sie mit Ihrer Lernpartnerin / Ihrem Lernpartner und
vergleichen Sie mit der Erklärung im Wörterbuch.

seher

reise

verkehr   ziel

Fern-

weh

studium   bedienung

fahrer

beziehung

2 Fernbeziehungen

a Hatten Sie selbst schon einmal eine Fernbeziehung oder kennen Sie jemanden,
der in so einer Beziehung lebt? Wie sieht wohl eine typische Woche in so einer Beziehung aus?
Was meinen Sie?

b Überfliegen Sie den Text unten. Was erfahren Sie darin? Markieren Sie.

☐ Warum Menschen heutzutage gern in Fernbeziehungen leben.
☐ Welche konkreten Erfahrungen Paare in einer Fernbeziehung machen.
☐ Worauf man in einer Fernbeziehung achten sollte.

c Lesen Sie den Text noch einmal. Welche Überschrift passt zu welchem Abschnitt? Ordnen Sie zu.

[3] *Zeigen Sie sich, dass
Sie auch getrennt
„ein Team" sind.*

[1] *Kommunikation ist alles!*

[6] *„Verschonen" Sie Ihren
Partner nicht.*

[2] *Gönnen Sie sich Zeit für
Spontaneität und bloßes
Nichtstun.*

[5] *Genießen Sie auch
die Zeit allein.*

[4] *Achten Sie auf sich selbst.*

[4] *Sorgen Sie für gemeinsame
Perspektiven.*

Wenn die Liebe pendeln muss –
Fernbeziehung: So gelingt die Liebe auf Distanz

Andreas studiert in Kiel, Katrin arbeitet in Stuttgart. Verena wohnt in Berlin, Jakobs neuer Job ist
in Frankfurt … Während Fernbeziehungen vor kaum zwanzig Jahren noch bedauernswerte Ausnahmen waren, sind sie heute längst Alltagsrealität. Schließlich leben wir in modernen Zeiten.
Und die erfordern eben nicht nur auf dem Arbeitsmarkt, sondern auch in der Liebe Flexibilität. 5
Damit so eine Fernbeziehung gelingt, sollte man folgende Tipps beachten:

[1] Tauschen Sie sich mit Ihrem Partner über Ihre Gedanken, Gefühle, Erwartungen und Ängste aus. Je
mehr Sie vom Innenleben Ihres Partners wissen, desto sicherer können Sie sein, dass beim Wiedersehen nicht plötzlich ein Fremder vor Ihnen steht. Einen besonderen Zauber haben übrigens immer 10
noch altmodisch-romantische Liebesbriefe. Etwas Handgeschriebenes, das von Herzen kommt,
bringt Sie Ihrem Partner näher als jede E-Mail.

[2] Überfrachten Sie die knappe gemeinsame Zeit nicht mit zu vielen Erwartungen und Plänen! Lassen Sie es auch mal auf sich zukommen, was das gemeinsame Wochenende für Sie beide bringen
wird. Je entspannter Sie miteinander umgehen, umso wohler fühlen Sie sich. 15

[3] Sie gehören sowohl in der gemeinsamen als auch in der getrennten Zeit als Paar zusammen!
Beweisen Sie das Ihrem Partner immer mal wieder durch kleine Gesten, nette Anrufe oder ein
„Mitbringsel".

[4] Nur wer sich selbst pflegt und innerlich ausgeglichen ist, kann sowohl die getrennte als auch die
gemeinsame Zeit in vollen Zügen genießen. Je attraktiver Sie sich selbst fühlen, desto besser gefal- 20
len Sie auch Ihrer/Ihrem Liebsten.

5   Fernbeziehungen lassen besonderen Raum für Aktivitäten, für die sich in der „Nahbeziehung" selten Platz findet. Je interessanter Sie die Tage „dazwischen" für sich gestalten, umso rascher ver-
fliegt die Zeit bis zum Wiedersehen.

6   Weder ungelöste Konflikte noch Befürchtungen und Ängste sollten unter den Teppich gekehrt wer-   25
den. Auch wenn Sie noch so sehr auf Harmonie aus sind: Auf Dauer entfremden Sie sich dadurch
von Ihrem Partner. Deshalb gilt die Devise: Je ehrlicher Sie zueinander sind, umso näher bleiben
Sie sich gefühlsmäßig.

7   Tauschen Sie sich immer wieder neu über Ihre Zukunftsvorstellungen,
Sehnsüchte, Hoffnungen und Träume aus – und entwickeln Sie zusammen   30
Bilder einer gemeinsamen Zukunft, auf die Sie sich freuen können.

↳ desire

d   **Unterhalten Sie sich in kleinen Gruppen.
Welche Tipps finden Sie besonders nützlich
und realistisch, welche weniger? Warum?**

> *Dass man die gemeinsame
> Zeit nicht total verplanen soll, ist absolut
> richtig! Man braucht schließlich auch Ruhe
> und Zeit füreinander!*

3   Vergleichssätze   → AB 117–118/Ü22–24

GRAMMATIK
Übersicht → S. 104/4

a   **Lesen Sie die beiden Sätze. Welches Wort steht jeweils am Satzanfang,
welches direkt nach dem Komma? Suchen Sie im Text weitere Sätze mit dieser
Struktur und markieren Sie sie.**

- Je mehr Sie vom Innenleben Ihres Partners wissen, desto sicherer können Sie sein, dass beim
  Wiedersehen nicht plötzlich ein Fremder vor Ihnen steht.
- Je entspannter Sie miteinander umgehen, umso wohler fühlen Sie sich.

b   **Wo steht das Verb im Satz mit *je*, wo im Satz mit *desto/umso*?**

c   **Ergänzen Sie.** | Komparativ · Komparativ · Nebensatz |

_____		Hauptsatz	
je + _____		*desto* + _____ *umso* +	
Je mehr *Je* entspannter	Sie vom Innenleben Ihres Partners wissen, Sie miteinander umgehen,	*desto* sicherer *umso* wohler	können Sie sein, ... fühlen Sie sich.

d   **Bilden Sie aus je zwei Sätzen einen Vergleichssatz mit *je ..., desto/umso ...***

1   Sie sehen Ihren Partner lange nicht. / Die Freude auf das Wiedersehen ist groß.
    Je länger   , desto größer

2   Man kennt sich gut. / Man kann leicht in einer Fernbeziehung leben.   kann m
    Je besser sich kenn   desso leichter lebt m
        man

3   Sie sehen sich selten. / Sie haben sich viel zu erzählen.
    Je selten sich sehen   desto mehr haben zu zu erza

Ich kann jetzt ...   😊   🙂   🙁
- Wörter mit *Fern-* erklären.   □   □   □
- über verschiedene Aspekte des Begriffs „Fernbeziehung" sprechen.   □   □   □
- Ratschläge zum Thema „Fernbeziehung" verstehen und bewerten.   □   □   □
- Vergleichssätze mit *je ..., desto/umso ...* verstehen und anwenden.   □   □   □

SPRECHEN

1 Bikulturelle Beziehungen

Berichten Sie.

- Kennen Sie Paare, die aus zwei unterschiedlichen Kulturen stammen? Unterscheiden Sie sich von anderen Paaren? Wenn ja, in welcher Hinsicht? Berichten Sie.
- Glauben Sie, dass eine Beziehung mit einem Partner aus einem anderen Kulturkreis schwieriger ist als eine Beziehung mit einem Partner aus dem gleichen? Warum (nicht)?

Meine Freundin ist Spanierin und ihr Mann stammt aus Indien. Die beiden verstehen sich im Grunde ziemlich gut. Nur wenn es zum Beispiel um Erziehungsfragen geht, denkt er wesentlich strenger als meine Freundin.

2 Ein ansprechendes Titelbild wählen → AB 118/Ü25

a Arbeiten Sie zu dritt. Für einen Ratgeber zum Thema „Bikulturelle Beziehungen" sollen Sie ein geeignetes Titelbild wählen. Sehen Sie die Fotos an. Welcher Aspekt des Themas „Bikulturelle Beziehung" steht hier jeweils im Vordergrund? Ordnen Sie zu und erklären Sie.

> Vertrauen · Exotik · gute Mischung · Gegensätze ziehen sich an · Geborgenheit · unterschiedliche Temperamente · Harmonie · ...

die Wirkung eines Fotos beschreiben

„ *Auf dem Foto ... ist/sind ... abgebildet.*
Das Besondere daran ist, dass ...
Auf dem Foto ... steht ... im Vordergrund. Das erkennt man an ...
Das Ganze wirkt ...
Man hat den Eindruck ... "

b Wählen Sie aus jeder Rubrik ein Redemittel, das Sie benutzen möchten. Bereiten Sie eine Diskussion über die Wahl des Titelbilds vor.

Vorschläge machen	dem Gesprächspartner widersprechen	zu einer Entscheidung kommen
„ *Ich schlage vor, wir nehmen ...* *Es eignet sich besonders, denn ...* *Mir gefällt an dem Bild ..., dass es ...* *Wichtig finde ich ...* *Deshalb scheint mir ...* "	„ *Da bin ich nicht ganz deiner Meinung: Das Foto mit ... ist nicht so passend, weil ...* *Das Foto ... finde ich zwar ..., aber ...* *Ich hätte einen anderen Vorschlag, und zwar ...* "	„ *Lass uns doch noch einmal überlegen, was ... aussagen soll.* *Na gut, im Grunde finde ich das ... Bild auch ...* *Könnten wir uns auf ... einigen?* "

c Diskussion: Welches Foto passt am besten als Titelbild? Diskutieren Sie zu dritt über die Fotos und einigen Sie sich dann mithilfe Ihrer Redemittel auf eins.

Ich kann jetzt ...	☺	☺	☹
▪ über bikulturelle Beziehungen sprechen.	☐	☐	☐
▪ erläutern, welchen Aspekt ein Foto besonders betont.	☐	☐	☐
▪ darüber diskutieren, warum sich ein bestimmtes Foto als Titelbild eignet.	☐	☐	☐

SEHEN UND HÖREN

1 Du baust einen Tisch

 a **Sehen Sie einen Teil eines Videos <u>ohne Ton</u> an. Sprechen Sie.**

- Wo ist die Frau? Woran erkennen Sie das?
- Was macht man an diesem Ort normalerweise?
- Was macht die Frau dort? Warum wohl?

 b **Sehen Sie das Video <u>mit Ton</u> einmal ganz an.
Wie wirkt es auf Sie?**

c **Sehen Sie das Video nun in Abschnitten.**

 Abschnitt 1

1 Welche Aussage passt? Markieren Sie.
Die Frau ...
- ☐ trägt ein modernes Gedicht vor.
- ☐ schickt ihrem Freund eine Videobotschaft.

2 Worum geht es wohl in dem Text?

 Abschnitt 2

1 Lesen Sie einzelne Textzeilen. Was hat die Frau wirklich gesehen,
was stellt sie sich vermutlich nur vor?

> Ich hab dich Bretter über eine Kreuzung tragen sehen

> Tisch für vier Ellbogen
> Vier Füße
> Vier Unterarme
> Zwei Töpfe

> Einen Tisch baust du

> Einen Tisch für euch zwei
> Unter den ihr eure Füße streckt

2 Wofür stehen die genannten Dinge und Zahlen? Warum werden Sie mehrmals wiederholt?
3 Wie ist die Stimmung der Frau? Woran merkt man das?

 Abschnitt 3

1 Worüber ärgert sich die Frau? Markieren Sie.
- ☐ Darüber, dass sie keinen selbst gebauten Tisch hat.
- ☐ Darüber, dass sie im Leben dieses Mannes keine Rolle mehr spielt.
- ☐ Darüber, dass er mit seiner neuen Freundin schlecht über sie spricht.

2 Welchen Wunsch deutet sie am Ende an?

competition

> **Wussten Sie schon?** → AB 118/Ü26
> *Ein Poetry Slam ist eine Art „Dichterwettstreit". Mehrere, meist junge Poeten tragen
> in einer festgelegten Zeit einem Publikum selbst geschriebene Texte vor. Anschließend
> wählen die Zuhörer, meist durch Intensität und Dauer ihres Applauses, den Sieger. Die
> ursprünglich aus den USA (Chicago) stammende Kunst- und Veranstaltungsform ist in
> den deutschsprachigen Ländern äußerst beliebt.*

Ich kann jetzt ...
- ein modernes Gedicht im Detail verstehen.   ☐   ☐   ☐
- verstehen, was ein Autor indirekt sagen will.   ☐   ☐   ☐

GRAMMATIK

1 Nomen mit Präposition ← S. 93/4

Neben Verben und Adjektiven gibt es Nomen, die mit Präpositionen fest verbunden sind, z. B.

Nomen + Präposition + Dativ	Das Bedürfnis **nach** sozialer und finanzieller Absicherung ist groß.
	Die Vorstellung **von** der Verantwortung macht Partnern oft Angst.
Nomen + Präposition + Akkusativ	Die Erinnerung **an** das Zusammenleben mit beiden Eltern bleibt.
	Einige Kinder haben kein Verständnis **für** die neue Situation.

2 Indirekte Rede ← S. 97/3

a Funktion

In der indirekten Rede gibt man wieder, was jemand geäußert hat.
Sie wird häufig in Nachrichten- oder Pressetexten verwendet.

direkte Rede	Lucy sagt: „Jo ist meine jüngere Schwester."
indirekte Rede	Lucy sagt, Jo sei ihre jüngere Schwester.

b Formen

Für die indirekte Rede wird normalerweise der **Konjunktiv I** verwendet.
Häufig wird der Konjunktiv I aber durch den *Konjunktiv II* ersetzt, besonders dann, wenn der Konjunktiv I nicht vom Indikativ unterscheidbar ist.

	sein	*haben*	Modalverben	andere Verben
ich	sei / *wäre*	habe / *hätte*	wolle / *wollte*	gehe / *ginge*
du	seist / *wär(e)st*	habest / *hättest*	wollest / *wolltest*	gehest / *ging(e)st*
er/sie/es	sei / *wäre*	habe / *hätte*	wolle / *wollte*	gehe / *ginge*
wir	seien / *wären*	haben / *hätten*	wollen / *wollten*	gehen / *gingen*
ihr	sei(e)t / *wär(e)t*	habet / *hättet*	wollet / *wolltet*	gehet / *ging(e)t*
sie/Sie	seien / *wären*	haben / *hätten*	wollen / *wollten*	gehen / *gingen*

Es gibt in der indirekten Rede nur eine Vergangenheit. Man bildet sie durch *haben/sein* im Konjunktiv I bzw. II + Partizip Perfekt.

Verben mit *haben*-Perfekt	Sie habe ihn verlassen. / Die Leute hätten das nicht verstanden.
Verben mit *sein*-Perfekt	Sie sei ins Flugzeug gestiegen. / Sie seien bald zurückgekommen.

3 Generalisierende Relativsätze ← S. 98/3

Mit Relativsätzen mit *wer*, *wen* oder *wem* formuliert man eine allgemein gültige Aussage. Der nachfolgende Hauptsatz beginnt mit einem Demonstrativpronomen, z. B. *der, die, das*. Sind Relativ- und Demonstrativpronomen im gleichen Kasus, kann das Demonstrativpronomen wegfallen.

Relativsatz	Hauptsatz
Wer sich nicht trennen will,	(der) kann zu einer Verlängerung der Ehe „ja" sagen.
Wem das Eheleben nicht gefällt,	der könnte mit der „Ehe auf Zeit" glücklich werden.

4 Vergleichssätze ← S. 101/3

Mit *je ...*, *desto ...* vergleicht man zwei Aussagen.

je + Komparativ	*desto / umso* + Komparativ
Je entspannter Sie miteinander umgehen,	umso wohler fühlen Sie sich.
Je mehr* Sie mit Ihrem Partner telefonieren,	desto besser kennen Sie sich.

* Bei Sätzen ohne Adjektiv verwendet man *mehr* als Komparativ.

ERNÄHRUNG

1 Kaum zu glauben – aber wahr!

a Was meinen Sie? Wie viel von jedem Lebensmittel konsumiert der Durchschnittsdeutsche in seinem Leben? Ordnen Sie die fehlenden Zahlen zu.

> 33 Stück · 2400 kg · 4522 kg · 32536 Liter · 1226 kg · 3233 Liter · 720 Stück · 392 kg · 912 kg

Lebensmittel	Wie viel davon?	Lebensmittel	Wie viel davon?
Äpfel		Milch	
Bier	4161 Liter	Reis	
Brot		Rinder	8 Stück
Butter und Margarine	710 kg	Schokolade	
Hühner		Schweine	
Käse		Tomaten	1968 kg
Kartoffeln	2355 kg	Wasser	

b Sprechen Sie über Ihre Zuordnungen und vergleichen Sie dann mit den Lösungen auf S. 182.

c Wie würde so eine Statistik in Ihrem Heimatland vermutlich aussehen? Berichten Sie.

1 Du bist, was du isst. → AB 123/Ü2–3

a Sehen Sie die Bilder an und lesen Sie die Überschrift des Artikels sowie den ersten Absatz. Was erwarten Sie vom Inhalt des Artikels?

Vom Veganer bis zum Flexitarier – Deutsche essen immer weniger Fleisch

Die Fleischdebatte ist in vollem Gange: Am Welt-Vegetariertag beispielsweise wird auf Probleme wie Massentierhaltung und deren negativen Folgen für die Landwirtschaft in den Entwicklungsländern hingewiesen. Bei Millionen von Menschen kommt natürlich immer noch Fleisch auf den Tisch, der
5 allgemeine Verbrauch geht jedoch zurück. Vegetarier zu sein, liegt im Trend: Dass Vegetarier nicht gleich Vegetarier ist, und welche Ernährungsweisen es sonst noch gibt, zeigt diese Übersicht:

Die Fleischesser

Vor allem Männer verzichten ungern auf Fleisch und Wurst. Laut einer Studie des Ernährungsministeriums essen Männer doppelt so viel davon wie Frauen. Während der Zeit des Wirtschaftswunders
10 in den 50er-Jahren nahm der Appetit auf Fleisch in der Bevölkerung besonders zu. Mittlerweile soll jeder Deutsche 88,2 Kilogramm Fleisch im Jahr verzehren. Ein Hauptargument der Fleischesser ist, Fleisch sei für den menschlichen Organismus wichtig, da es schon seit Jahrtausenden zum Speiseplan des Menschen gehöre. Außerdem liefere es Eisen, Vitamine und Mineralstoffe, ohne die der Körper Mangelerscheinungen aufweise. Die folgende Gruppierung gehört ebenfalls zu den Fleisch-
15 essern – wenn auch zu den gemäßigten:

Die Flexitarier

Sie sind gegen Massentierhaltung, möchten die Umwelt schützen oder sich einfach gesünder ernähren – ganz auf Fleisch verzichten wollen Flexitarier aber nicht. Dafür achten die „Teilzeit-Vegetarier" darauf, was auf dem Teller landet. Statt industriellem Billigfleisch kommt etwa teures Bio-Steak in die
20 Pfanne. Kritiker werfen Flexitariern vor, damit nur ihr Gewissen zu beruhigen. Diese Kritik ist vielleicht berechtigt, ernst nehmen sollte man die Gruppierung aber auf jeden Fall: In Deutschland sollen schon 42 Millionen Menschen diesen Ernährungsstil übernommen haben.

Die Vegetarier

Ob Ex-Beatle Paul McCartney oder die Sängerin Nena – viele Prominente verzichten auf Fleisch.
25 In Deutschland beispielsweise ernähren sich laut Vegetarierbund rund sechs Millionen Menschen vegetarisch – Tendenz steigend. Weltweit soll es eine Milliarde Vegetarier geben, davon mehr als 200 Millionen Inder. Lange Zeit erhielt die Vegetarierbewegung vor allem aus Glaubensgründen Zulauf, heute nennen viele „Fleischverweigerer" eine gesündere Lebensweise sowie den Tier- und Umweltschutz als Gründe für ihre Ernährungsweise. Studien zufolge ist der typische Vegetarier weiblich,
30 jung und gut ausgebildet. Zu den Vegetariern zählt man auch folgende Gruppierungen:

Die Veganer

Sie meinen, erkannt zu haben, dass Tierschutz nicht beim Fleischverzicht endet und streichen alle tierischen Produkte wie Milch, Eier, Gelatine oder Honig von ihrem Speiseplan. Manche Veganer nennen sich darum Hardcore-Vegetarier. Viele verzichten sogar auf tierische Nebenprodukte wie
35 beispielsweise Leder oder Wolle. Mediziner sorgen sich jedoch um die Gesundheit der Veganer: Wissenschaftler behaupten, dass der Verzicht auf tierische Produkte zu Nährstoffmangel führt.

Die Frutarier

Selbst viele Extrem-Veganer betrachten sie als Sonderlinge – bei Frutariern landen auf dem Tisch nur Produkte oder Früchte von Pflanzen, die bei der Ernte nicht „sterben müssen". Also etwa Obst oder Nüsse. Karotten, Fenchel, Lauch und Co. sind tabu. Einige Frutarier essen gar nur Obst, das auf natürliche Weise vom Baum gefallen ist. Ihre Haltung hat ethische Beweggründe: Sie wollen der Natur keinen Schaden zufügen.

40

b Hat der Artikel Ihre Vermutungen aus a bestätigt?

c Wie begründen die Anhänger der verschiedenen Ernährungsformen jeweils ihre Richtung? Ergänzen Sie Stichpunkte.

Ernährungstypen	Gründe
Fleischesser	*Fleisch ist gesund, gehört seit Jahrtausenden zur menschlichen Ernährung, …*

d Wer isst Ihrer Meinung nach am gesündesten?
Welche Ernährungsweise ist mehr, welche weniger genussorientiert? Warum?

e Wie ernähren Sie sich? Berichten Sie.

2 **Subjektive Bedeutung des Modalverbs *sollen*** → AB 124–125/Ü4–6   GRAMMATIK
Übersicht → S. 118/1

a **Lesen Sie folgenden Satz aus dem Text noch einmal.
Was bedeutet hier *sollen*? Markieren Sie.**

*Mittlerweile **soll** jeder Deutsche 88,2 Kilogramm Fleisch im Jahr **verzehren**.* (Z. 11)
☐ Es drückt eine Empfehlung aus.
→ *Es wäre gut, wenn jeder Deutsche 88,2 kg Fleisch verzehren würde.*
☐ Es gibt etwas wieder, was jemand gehört oder gelesen hat.
→ *Man sagt, / Es wird gesagt/behauptet, dass jeder Deutsche 88,2 kg Fleisch verzehrt.*

b **Schreiben Sie die Sätze ohne *sollen*.**

1 Weltweit *soll* es eine Milliarde Vegetarier *geben*, davon mehr als 200 Millionen Inder.
Man sagt,

2 In Deutschland *sollen* schon 42 Millionen Menschen diesen Ernährungsstil *übernommen haben*.
Es wird behauptet,

c **Bilden Sie Sätze mit *sollen*.**

1 *Laut einer Studie* essen Männer doppelt so viel Fleisch und Wurst wie Frauen.
Männer sollen

2 *Wissenschaftler behaupten, dass* der Verzicht auf tierische Produkte zu Nährstoffmangel führt.

Ich kann jetzt …   ☺ ☺ ☺
▪ verstehen, worin sich verschiedene Ernährungstypen unterscheiden.   ☐ ☐ ☐
▪ mich mit anderen über verschiedene Ernährungsweisen austauschen.   ☐ ☐ ☐
▪ das Modalverb *sollen* in subjektiver Bedeutung verstehen und anwenden.   ☐ ☐ ☐

studenten futter

1 Selbst Speisen zubereiten

**Sprechen Sie mit Ihrer Lernpartnerin /
Ihrem Lernpartner.**

- Wie viele verschiedene Gerichte können
  Sie kochen? Von wem haben Sie das gelernt?
- Was kochen Sie häufig? Was weniger oft? Warum?
- Welche Gerichte würden Sie gern noch
  kochen lernen? Für welche Gelegenheiten?
- Wo oder wie kann man Ihrer Meinung nach gut
  und relativ schnell kochen lernen?

2 Kochkurse → AB 125–126/Ü7–8

11
CD 2

a Hören Sie den Anfang einer Nachricht auf dem Anrufbeantworter. Wer ruft hier wen an?
Worum geht es?

12
CD 2

b Lesen Sie das Programm für die Kochkurse unten. Hören Sie dann die Nachricht und
korrigieren Sie die falschen Informationen oder ergänzen Sie die fehlenden Informationen.
Sie hören die Nachricht nur einmal.

> *Einmaliges Hören und Informationen ergänzen oder korrigieren*
> *Sind bei einer Höraufgabe Informationen zu ergänzen oder zu korrigieren, ist es wichtig, sich*
> *die Vorgaben vor dem Hören genau anzusehen, besonders natürlich die Stellen, an denen man*
> *etwas ergänzen oder korrigieren soll. Beim Hören konzentrieren Sie sich dann ganz auf diese*
> *Informationen und notieren Sie sie sofort mit, da es keine Wiederholung gibt. Schreibfehler*
> *können Sie nach dem Hören verbessern.*

Termin	Thema	Ort	Kursleitung	Kosten
Mittwoch, 24. 4. 18:00–21:00 Uhr	Besuch im Nudelpara- dies – Pasta mal anders	Schlemmerwerkstatt, 0 _Spitalstraße 24_	Lara Spirelli	57,– € pro Person
Samstag, 4. 5. 14:00–18:00 Uhr	Frühlingssalate und leckere Vorspeisen 1 _Vegetarisch_	Essbar am Hauptmarkt 13	Gisela Frischmann	45,– € pro Person
Mittwoch, 19.5. 2 _A2:4_ 18:00–22:00 Uhr	Fantastisch aromatisch – die Kunst des Würzens	Schlemmerwerkstatt, Spitalstr. 24	Caroline Kreuter	65,– € pro Person
Freitag, 31. 5. 17:00–21:00 Uhr	Keine Angst vor großen Fischen – Zubereitung von heimischen und exotischen Fischen	Gourmetstudio Feiner, Goethestr. 40 3 _Blauenkuch_	Patrick Barsch	96,– € pro Person
Samstag, 15. 6. 15:00–19:00 Uhr	Küchenzauberei – Zauberküche? Einblick in die Molekularküche	Restaurant „Hasenküche“, Am Bachsteg 2	Heide Haas 4 _Peter_	89,– € pro Person
Donnerstag, 4.7. 18:00–22:00 Uhr	Genussvolle Rezepte aus der Küche der Regionen	Essbar am Hauptmarkt 13	Caroline Kreuter	66,– € pro Person 5 ____

c Würden Sie gern einen dieser Kurse besuchen? Warum (nicht)?

67
76

Ich kann jetzt ...   ☺ ☺ ☹
- eine Unterhaltung übers Kochen führen.   ☐ ☐ ☐
- Hauptinformationen einer Nachricht auf dem Anrufbeantworter verstehen.   ☐ ☐ ☐
- Informationen in einem Kursprogramm ergänzen oder falsche korrigieren.   ☐ ☐ ☐

SPRECHEN 1

1 „Kalter Hund" & Co.

a Kennen Sie diese Gerichte? Wie heißen sie wohl? Ordnen Sie die Fotos zu.

Österreich   *Deutschland*   *Nonnen fürtz*

| C Kaiserschmarrn · A Geschnetzeltes mit Rösti · B Kalter Hund |

b Welches Gericht stammt wohl aus Deutschland, aus Österreich, aus der Schweiz? Sprechen Sie.

c Lesen Sie nun die folgenden Zutaten und ordnen Sie die Speisen aus a zu.

1 Eier, Salz, Zucker, Milch, Mehl, Butter, Rosinen, Puderzucker/Staubzucker: C

2 Kartoffeln, Zwiebeln, Kalbsschnitzel, Champignons, geschlagene Sahne, Butter, Salz, Pfeffer: A

3 Eier, Puderzucker, Kakaopulver, Kokosfett, Rum, Butterkekse: B

d Kennen Sie andere Gerichte aus den deutschsprachigen Ländern? Welche? Woher stammen sie?

2 Speisen aus Ihrer Region → AB 126–127/Ü9–10

U · A,

a Schreiben Sie die Zutaten für ein typisches Gericht aus Ihrer Region auf einen Zettel.

b Die Zutatenzettel werden gemischt und verteilt. Nennen Sie nun reihum den Namen Ihres Gerichts. Wer glaubt, die passenden Zutaten dazu zu haben, liest sie vor. Wenn richtig geraten wurde, ist der nächste Teilnehmer an der Reihe.

c Arbeiten Sie zu viert.
Tauschen Sie sich zu den folgenden Punkten über die Gerichte aus.

- Genaue Herkunft
- Namensgebung
- Anlass/Gelegenheit
- Passende Getränke
- Geschmack
- Zubereitung

über ein Gericht berichten

„ *... ist ein typisches Gericht aus ...*
Es hat seinen Namen von ...
Meist wird es zu ... gekocht/zubereitet/...
Dazu passt am besten ...
Es schmeckt/riecht ein bisschen nach ...
Man schneidet/schält/vermischt/brät/kocht zuerst ... Dann ... "

Ich kann jetzt ...
- über typische Gerichte und Zutaten in deutschsprachigen Regionen sprechen.
- Informationen zu Speisen/Gerichten erfragen.
- über ein typisches Gericht aus meiner Heimat berichten.

1 Ein breites Angebot

a Sehen Sie folgende Anzeigen an und ergänzen Sie die fehlenden Teile der Werbetexte.

| Frisch vom Erzeuger • Das absolute In-Getränk • Blitzschnelle Zubereitung • Aus rein biologischem Anbau • Neue Ernte • Geht schneller als Kuchenbacken |

Frisch vom Erzeuger

Fleisch aus der Region

Aus rein

Leckeres junges Gemüse für die Wok-Pfanne

Das absolute

prickelnd, kalorienarm und natürlich durstlöschend

Blitzsmll

... und schmeckt wie zu Omas Zeiten – „Plams" tiefgefrorener Apfelkuchen

Gehtschneller

Zwei Minuten in die Mikrowelle – heiß auf den Tisch

Neu ernten

Nur das Gesündeste kommt in Ihr Gebäck!

b Welche Anzeige spricht Sie an, welche eher nicht? Warum?

2 Nominalisierung von Verben → AB 128–129/Ü11–13

GRAMMATIK
Übersicht → S. 118/2

a Ordnen Sie in der rechten Spalte die Nomen aus den Anzeigen in Aufgabe 1a zu und ergänzen Sie links die dazugehörigen Verben.

Verben	Nominalisierung der Verben ...		Beispiele
erzeugen	durch Endung -er	→ maskulin	der Erzeuger
anbauen	vom Verbstamm	→ maskulin	der Anbau
backen	durch Vorsilbe Ge-	→ maskulin, neutral	das Gebäck
Kuchenbacken	vom Infinitiv	→ neutral	das Kuchenbacken
	durch Endung -e	→ feminin	
	durch Endung -ung	→ feminin	

WORTSCHATZ

b   **Welches Verb passt inhaltlich? Nominalisieren Sie es und ergänzen Sie.**

1   Die deutschsprachigen Länder sind bekannt für ihre Vielfalt an ___Gebäck___ .
    Jede Bäckerei hat eigene Spezialitäten. (<u>backen</u> / essen / trinken)

2   Viele Biersorten unterscheiden sich stark im _____ , einige sind herber,
    andere süßlicher. (riechen / schmecken / verzehren)

3   Bei der _____ von Kaffee oder anderen Lebensmitteln wird sehr viel
    Wasser verbraucht. (herstellen / mischen / verschwenden)

4   Eine geeignete _____ der Speisen, z. B. in einer dunklen, kühlen
    Kammer ist wichtig, um Geschmack und Konsistenz möglichst lange zu erhalten.
    (aufbewahren / ernähren / kochen)

5   Beim biologischen _____ von Lebensmitteln wird auf künstliche
    Hilfsmittel verzichtet. (anbauen / erzeugen / verbrauchen)

6   Die Bauern hoffen im Herbst auf eine ertragreiche _____ .
    (ernten / reiben / speisen)

3   Wissensspiel – Was uns ernährt   → AB 129/Ü14

Arbeiten Sie zu viert und bilden Sie zwei Teams. Stellen Sie abwechselnd
dem anderen Team eine Frage. Für jede richtige Antwort gibt es einen Punkt.
Gewonnen hat das Team mit den meisten Punkten.

> **Fragen von Team A** (Die Lösungen finden Sie auf S. 182)
> 1 Nennt drei Obstsorten, die an Bäumen wachsen.
> 2 Nennt zwei Gemüsesorten, die man nicht roh essen kann.
> 3 Welche sind die drei Hauptbestandteile von Lebensmitteln?
>   Eigelb – Eiweiß – Kohlenhydrate – Kohlensäure – Fett – Öl
> 4 Enthalten Getreideprodukte mehr Eiweiß oder Kohlenhydrate?
> 5 Nennt drei Lebensmittel, die besonders viel Fett enthalten.
> 6 Nennt drei Früchte, in denen besonders viel Vitamin C ist.

> **Fragen von Team B** (Die Lösungen finden Sie auf S. 182)
> 1 Nennt drei Obstsorten, die an Sträuchern oder Büschen wachsen.
> 2 Nennt zwei Gemüsesorten, die unter der Erde wachsen.
> 3 Nennt drei Getreidesorten.
> 4 Enthalten tierische Lebensmittel mehr Eiweiß oder Kohlenhydrate?
> 5 Nennt drei Milchprodukte.
> 6 Nennt drei Zutaten, mit denen man Speisen würzen kann.

8

Ich kann jetzt …   ☺ ☺ ☹
- Werbetexte ergänzen und darin enthaltene Nominalisierungen erkennen.   ☐ ☐ ☐
- aus Verben nach verschiedenen Nominalisierungsarten Nomen bilden.   ☐ ☐ ☐
- Wissensfragen zu Lebensmitteln und Lebensmittelgruppen beantworten.   ☐ ☐ ☐

SCHREIBEN

1 Eine Kundin meldet sich

Lesen Sie folgenden Brief von Frau Abel und beantworten Sie die Fragen.

1 An wen wendet sich Frau Abel und warum?
2 Was erwartete Frau Abel von dem Produkt, das sie gekauft hatte?
3 Warum fühlt sie sich getäuscht?
4 Was soll ihrer Meinung nach getan werden?
5 Mit welchem Schritt droht sie?

An:	service@zettel-gmbh.com
Datum:	12. 5. 20..
Betreff:	Ihr Produkt „Zwei-Früchte-Frühstücksdrink Kirsche / Rote Traube"

Sehr geehrte Damen und Herren,

gestern kaufte ich den Zwei-Früchte-Frühstücksdrink Kirsche / Rote Traube (200 ml), ein Produkt Ihrer Firma. Geschmacklich war das Getränk sehr gut, aber nachdem ich auf ein Stück Birne
gebissen hatte, sah ich mir die Zutaten genauer an: Fruchtsaft aus Fruchtsaftkonzentraten:
5   Apfel 33 %, Rote Traube 12 %, Zitrone 19 %, Birnenstückchen 12 %, Sauerkirschpüree 11 %, Apfel-
püree 8 %, Wasser, natürliches Aroma. Der Anteil an Kirschen und roten Trauben beträgt also
weniger als ein Viertel der Zutaten!
Meines Erachtens ist dies nicht in Ordnung, da auf der Vorderseite der Flasche nicht von
anderen Obstzusätzen gesprochen wird. Auch auf der Abbildung sind nur Kirschen und rote
10   Trauben zu sehen. Das führt den Verbraucher doch in die Irre! Man müsste beim Kauf eines
so teuren Produkts genau wissen, was darin enthalten ist. Man müsste also entweder Bild und
Text auf der Flasche ändern oder den Anteil von Kirschen und Trauben deutlich erhöhen.
Nun würde ich Sie um eine schlüssige Erklärung für diesen Widerspruch bzw. eine Entschädi-
gung für die Täuschung bitten. Sofern Sie an der Zufriedenheit Ihrer Kunden interessiert
15   sind, werden Sie meiner Bitte sicher nachkommen.
Falls ich allerdings keine Reaktion von Ihnen erhalte, wende ich mich an die Verbraucherzen-
trale, um mich über meine Rechte als Verbraucherin zu informieren.

Mit freundlichen Grüßen
Rosetta Abel

2 Konditionale Zusammenhänge   → AB 130–131/Ü15–17

GRAMMATIK
Übersicht → S. 118/3

a   **Lesen Sie folgende Sätze aus dem Brief noch einmal.**
    Was bedeutet hier *sofern* bzw. *falls*? Markieren Sie.

    1 *Sofern Sie an der Zufriedenheit Ihrer Kunden interessiert sind, werden Sie meiner Bitte sicher
       nachkommen.*
    2 *Falls ich keine Reaktion von Ihnen erhalte, wende ich mich an die Verbraucherzentrale.*

    ☐ als   ☐ wenn   ☐ da

b   **Welche Varianten des folgenden Satzes sind gleichbedeutend? Markieren Sie.**

    *Man müsste **beim Kauf eines so teuren Produkts** genau wissen, ...*

    ☐ Variante 1: Man müsste, falls man ein so teures Produkt kauft, genau wissen, ...
    ☐ Variante 2: Man müsste durch den Kauf eines so teuren Produkts genau wissen, ...
    ☐ Variante 3: Man müsste, wenn man ein so teures Produkt kauft, genau wissen, ...

c **Formulieren Sie um.**

1 Bei Unzufriedenheit können Verbraucher sich an den Hersteller wenden.

Sofern Verbraucher unzufrieden sind, können ...

2 Bei einer Verbraucherreklamation bieten viele Firmen Gratisprodukte an.

Falls

3 Wenn ich Fertigprodukte kaufe, achte ich immer auf die Zutaten.

3 Ihre Erfahrungen → AB 131/Ü18

a **Waren Sie schon einmal mit gekauften Lebensmitteln unzufrieden? Wenn ja, was hat Sie gestört? Markieren und berichten Sie.**

- ☐ Verhältnis von Verpackungsgröße und Inhalt
- ☐ nicht genannter Inhalt
- ☐ Frische und Qualität
- ☐ Aussehen des Lebensmittels
- ☐ Geschmack
- ☐ ...

Einmal habe ich in einem Erdbeerjoghurt Nüsse gefunden.

Die Packung Chips, die ich vor Kurzem gekauft habe, war nur halbvoll – eine Frechheit!

b **Spielen Sie zu zweit ein Gespräch. Eine Person hat ein Lebensmittel gekauft, mit dem sie sehr unzufrieden ist. Die andere Person vertritt die Firma, die dieses Lebensmittel herstellt. Diskutieren Sie zwei Minuten. Spielen Sie dann einige Gespräche im Kurs vor.**

c **Verfassen Sie mithilfe der Redemittel einen Beschwerdebrief an die Firma, die diesen Artikel hergestellt hat. Orientieren Sie sich an den Fragen und dem Beschwerdeschreiben in Aufgabe 1.**

einen Beschwerdebrief formulieren

„ *Vor ... Tagen kaufte ich ...*
Zu Hause ist mir dann aufgefallen, ...
Beim Kauf / Bei diesem Produkt hatte ich (nicht) erwartet, dass ...
Normalerweise bekommt man ... und nicht ...
Da dies nicht der Fall war, bitte ich Sie, ...
Ich gehe davon aus, dass Sie ...
Andernfalls werde ich ... "

Wussten Sie schon? → AB 132/Ü19

Auf der Verpackung von Lebensmitteln sind bestimmte Angaben Pflicht, so etwa die Bezeichnung des Lebensmittels, z. B. „Milchschokolade". Auch die Zutaten müssen, geordnet nach ihrem Gewichtsanteil, aufgelistet sein. Sowohl Zutaten, die eventuell allergische Reaktionen hervorrufen, als auch ein Mindesthaltbarkeitsdatum müssen genannt werden. Für Fragen und Reklamationen sind auch Name und Anschrift des Herstellers oder Verkäufers anzugeben.

Ich kann jetzt ...

	☺	☺	☹
▪ eine Verbraucherreklamation verstehen.	☐	☐	☐
▪ konditionale Zusammenhänge verstehen und anwenden.	☐	☐	☐
▪ eine eigene Reklamation verfassen.	☐	☐	☐

1 In meinem Kühlschrank

a **Notieren Sie kurz und tauschen Sie sich dann aus.**

- Teilen Sie Ihren Kühlschrank mit jemandem?
- Was ist alles im Kühlschrank?
- Wann und für wie viele Tage kaufen Sie in der Regel ein?
- Was kaufen Sie nach Bedarf? Und was auf Vorrat?

b **Wann werfen Sie Lebensmittel weg? Markieren Sie.**

1. Wenn das Mindesthaltbarkeitsdatum überschritten ist.
2. Wenn ich zu viel von etwas gekauft habe.
3. Immer wenn ich meinen Kühlschrank putze.
4. Wenn es nicht mehr vermeidbar ist, weil das Lebensmittel z. B. nicht mehr gut riecht.

c **Erstellen Sie eine Klassenstatistik und vergleichen Sie. Was fällt Ihnen auf?**

2 Über den Umgang mit Lebensmitteln → AB 132/Ü20

Lesen Sie den Zeitungsbericht. Welche Aussage entspricht den Informationen im Text. Markieren Sie.

1 Die Lebensmittel, die die Deutschen pro Jahr wegwerfen, ...
- a könnten 17 Prozent der Großverbraucher versorgen.
- **[x]** stammen zu über der Hälfte von Privatpersonen.
- c kosten jeden Steuerzahler 235 Euro jährlich.

2 Ein Großteil der weggeworfenen Lebensmittel ...
- **[x]** müsste nicht weggeworfen werden.
- b besteht aus ungenießbaren Resten wie Bananenschalen oder Knochen.
- c sind z. B. Speisen, die Restaurantbesuchern nicht schmecken.

3 Das Mindesthaltbarkeitsdatum auf Lebensmitteln ist ein Problem, ...
- a weil die Verbraucher dieses Datum oft ignorieren.
- **[x]** weil es nichts darüber aussagt, wann ein Lebensmittel nicht mehr genießbar ist.
- c weil es häufig eine zu lange Haltbarkeit angibt.

4 Wenn auf der Ware ein Verbrauchsdatum steht ...
- a kann man sie eventuell auch danach noch essen. ✗
- b bedeutet es das Gleiche wie ein Mindesthaltbarkeitsdatum.
- **[x]** sollte man sie vor Ablauf des Datums verzehren.

5 Die Bundesverbraucherministerin fordert, ...
- **[x]** dass europaweit weniger genießbare Lebensmittel vernichtet werden.
- b dass Kindergarten- und Schulkinder besseres Essen bekommen. ✗
- c dass Hersteller und Gastronomen die Menschen besser beraten.

Nein zur Wegwerfgesellschaft!

Jährlich landen in Deutschland etwa elf Millionen Tonnen Lebensmittel auf dem Müll. Dabei wäre vieles davon noch brauchbar.

Druckstellen an Früchten, gerade überschrittenes Mindesthaltbarkeitsdatum: Viele Men-
5 schen in Deutschland lehnen Lebensmittel ab, selbst wenn sie nur kleine Fehler haben. Im Durchschnitt wirft jeder Bundesbürger pro Jahr 81,6 Kilogramm Lebensmittel weg. Das ergab eine Studie im Auftrag des Bundesministeriums für Ernährung, Landwirtschaft und Verbraucherschutz. 61 Prozent der weggeworfenen Lebensmittel stammen aus Privathaushalten,

jeweils rund 17 Prozent aus der Industrie sowie von Großverbrauchern wie etwa Gaststätten,
10 Schulen und Kantinen. Die übrigen 5 Prozent fallen im Einzelhandel an. Obwohl die meisten Menschen glauben, bewusst mit Lebensmitteln umzugehen, vernichten Privathaushalte somit jährlich noch genießbare Speisen im Wert von bis zu 21,6 Milliarden Euro. Pro Kopf der Bevölkerung sind das 235 Euro pro Jahr.

Die Autoren der Studie halten etwa zwei Drittel dieser Lebensmittelvernichtung für vermeidbar.
15 Dabei unterscheiden sie zwischen vermeidbaren, teilweise vermeidbaren und unvermeidbaren Lebensmittelabfällen. Unvermeidbar sind demnach ungenießbare Reste, etwa Bananenschalen oder Knochen. Viele Abfälle wären jedoch teilweise vermeidbar, z.B. in Restaurants. Sie bieten oft viel zu große Portionen an, die von den meisten Gästen nicht aufgegessen werden können und dann im Müll landen. Vermeidbare Abfälle sind Lebensmittel,
20 die auf jeden Fall noch genießbar wären. In Privathaushalten sind das der Studie nach vor allem Obst und Gemüse.

Das Mindesthaltbarkeitsdatum führt oft zur Verunsicherung der Verbraucher. Es ist kein Verfallsdatum, sondern eine Herstellergarantie für die Produktqualität. Bis zu dem angegebenen Datum garantiert der Hersteller, dass bestimmte Eigenschaften eines Produkts, wie
25 etwa die Cremigkeit eines Joghurts, erhalten bleiben. Das Mindesthaltbarkeitsdatum wird vom jeweiligen Hersteller festgelegt, die Fristen variieren dabei oft stark. So etwas verwirre natürlich den Verbraucher, weshalb man sich am besten auf sein eigenes Gefühl verlassen sollte.

Leicht verderbliche Produkte wie etwa Hackfleisch haben kein Mindesthaltbarkeitsdatum,
30 sondern ein Verbrauchsdatum. Bis zu diesem Datum sollten die Lebensmittel verbraucht werden, danach aus gesundheitlichen Gründen nicht mehr.

Auch die Bundesverbraucherministerin klagt: „Wir leben in einer Überfluss- und Wegwerfgesellschaft. In Deutschland und Europa wird viel zu viel weggeworfen. Wir können es uns nicht leisten, dass jährlich viele Millionen Tonnen auf dem Müll landen." Demnächst will sie
35 mit Herstellern, Gastronomen, Landwirten und Verbraucherschützern über Strategien gegen die Lebensmittelverschwendung beraten. Vermutlich muss es bereits in Schulen und Kindergärten eine bessere Aufklärungsarbeit zur Ernährung geben.

3 Konzessive Zusammenhänge → AB 133–134/Ü21–23

GRAMMATIK
Übersicht → S. 118/4

a Lesen Sie folgende Sätze aus dem Text.
   Was bedeutet *selbst wenn* bzw. *auch wenn* hier? Markieren Sie.

   1 *Viele Menschen lehnen Lebensmittel ab, **selbst wenn** sie nur kleine Fehler haben.*
   2 ***Auch wenn** dies nicht immer einfach scheint, sind Reste teilweise vermeidbar.*

   ☐ immer wenn   ☐ obwohl   ☐ falls

b **Lesen Sie die Sätze. Wo steht das Verb nach den Konnektoren *dennoch* und *obwohl*?**

   1 *Viele Verbraucher werfen Lebensmittel nach Ablauf des Mindesthaltbarkeitsdatums weg.*
   ***Dennoch** sind diese Lebensmittel durchaus noch essbar.*
   2 ***Obwohl** die meisten Menschen glauben, bewusst mit Lebensmitteln umzugehen, vernichten Privathaushalte jährlich noch genießbare Speisen im Wert von bis zu 21,6 Milliarden Euro.*

c **Für welchen der Konnektoren in b kann man *obgleich* einsetzen, für welchen *trotzdem*?**

Ich kann jetzt …   😊 🙂 🙁
  ▪ über den eigenen Umgang mit Lebensmitteln sprechen.   ☐   ☐   ☐
  ▪ einen Bericht über die Verschwendung von Lebensmitteln im Einzelnen verstehen.   ☐   ☐   ☐
  ▪ konzessive Zusammenhänge verstehen und anwenden.   ☐   ☐   ☐

SPRECHEN 2

1 Aktionstag gegen Lebensmittelverschwendung

Lesen Sie folgende Projekttitel.
Welches Bild passt zu welchem Titel? Ordnen Sie zu.

☐ *An einem Wochentag auf Fleisch verzichten!*

☐ *Bewusst und maßvoll einkaufen – aber wie?*

☐ *Wo Nutztiere es gut haben – ein Wochenende auf einem Biobauernhof*

☐ *Urbane Landwirtschaft – Gemeinsam gärtnern in der Stadt*

2 Ein Projekt vorstellen → AB 134/Ü24

a Sie sollen einen Aktionstag gegen Lebensmittelverschwendung planen. Wählen Sie dazu ein Projekt aus Aufgabe 1 aus, das Sie anspricht und bilden Sie Kleingruppen zu den Projekten.

b Überlegen Sie gemeinsam in Ihrer Projektgruppe und machen Sie Notizen.

- Warum hat uns die Idee angesprochen?
- Wie könnte das Projekt aussehen?
- Was lernt oder erfährt man bei dem Projekt?

c Bereiten Sie eine kleine Präsentation vor. Strukturieren Sie dazu Ihren Vortrag und legen Sie fest, wer welchen Teil übernimmt. Wählen Sie Bilder aus, die Sie zeigen und kommentieren wollen. Verfassen Sie dann mithilfe der Redemittel eine Textvorlage.

die Idee eines Projekts darlegen

„ *Unserer Meinung nach gibt es viel zu wenig Bewusstsein für …*
Deshalb wollen wir darauf aufmerksam machen, dass …
Die Idee, … zu …, hat uns sehr angesprochen. “

den Ablauf des Projekts schildern

„ *Man könnte das Ganze folgendermaßen organisieren: Zuerst … / Anschließend …*
Wir zeigen euch einmal, wie es ablaufen könnte: …
Dazu müsste man vor allem …
Hier seht ihr zum Beispiel, wie / was / wo / wie viel …
Es ist eine wertvolle Erfahrung, wenn man einmal selbst …
Man verändert dann etwas, wenn viele … “

die Zuhörer um ein Feedback bitten

„ *Uns würde interessieren, wie ihr dieses Projekt findet.*
Was ist eure Meinung zu …?
Denkt ihr, dass so eine Aktion Erfolg hätte? “

d Präsentieren Sie Ihr Projekt nun im Kurs.

Ich kann jetzt …   ☺   ☺   ☹
- Ideen für Projekte zu einem Aktionstag sammeln.   ☐   ☐   ☐
- eine Präsentation zu einem Projekt vorbereiten.   ☐   ☐   ☐
- das erarbeitete Projekt präsentieren.   ☐   ☐   ☐

Erdnuss Flips (handwritten)

paar fam... 3100 Mensch noch essen (handwritten)

1 Bildgeschichte

Sehen Sie die Fotos an. Überlegen Sie sich zu zweit eine Geschichte dazu.
Erzählen Sie einige Geschichten im Kurs.

2 Umgang mit Nahrungsmitteln

Sehen Sie eine Reportage in Abschnitten.

Abschnitt 1

1 Wo sind die jungen Männer unterwegs und was machen sie da?
2 Was passiert wohl weiter?

Kein wackel (handwritten)

Abschnitt 2

wegschmeißen (handwritten)

1 Was ist richtig? Markieren Sie.

- [ ] a Danny und sein Freund holen nur aus Not Lebensmittel aus dem Müll.
- [ ] b Die Protestbewegung „Containern" ist gegen das Wegwerfen von Lebensmitteln.
- [x] c Die beiden finden ihr Essen in den Abfalltonnen von verschiedenen Supermärkten.
- [x] d Der Lebensmittelhändler wirft jährlich Nahrungsmittel im Wert von 3000 Euro weg. *30.000* (handwritten)
- [x] e Er überlässt die aussortierten Lebensmittel gern Menschen, die sie noch brauchen können.
- [x] f Der Lebensmittelhändler versteht, dass seine Kunden nur Gemüse kaufen, das schön aussieht.

2 Was glauben Sie? Wie wird Danny seine Aktionen begründen?

Illegal (handwritten) *viel mensch ernähren kann* (handwritten)

Abschnitt 3

1 Waren Ihre Vermutungen richtig?
2 Was meint Thorsten Lampe zum Wegwerfen von genießbaren Nahrungsmitteln?
3 Was können Supermärkte tun, um nicht so viele Lebensmittel zu vernichten? Markieren Sie.
   Sie können ...

- [ ] an eine Tafel schreiben, was jeden Tag übrig ist.
- [ ] sie einer sozialen Einrichtung, genannt „Tafel", zur Verfügung stellen.
- [x] das Essen selbst an bedürftige Menschen verteilen.

Friegast (handwritten)

Abschnitt 4

food pirate (handwritten) *Freund, Verwandte* (handwritten)

1 Was macht Danny mit den „illegal" erbeuteten Lebensmitteln?
2 Was wünscht er sich in Bezug auf den Umgang mit Nahrungsmitteln?

reserve (handwritten) *handlung* (handwritten) *Sinnvoll* (handwritten)

3 Ihre Meinung → AB 135/Ü25

Sehen Sie den Film, den Kieler Studierende gemacht haben, noch einmal ganz an.
Wie finden Sie die Idee des Containerns? Diskutieren Sie.

Ich kann jetzt ...

- eine sozialkritische Reportage verstehen.
- die Ansichten und Argumente der Personen im Detail verstehen.
- meine Meinung zu einer Reportage äußern.

GRAMMATIK

1 Subjektive Bedeutung des Modalverbs *sollen* ← S. 107/2

sollen drückt in dieser Bedeutung aus, dass man wiedergibt oder zitiert, was man gehört/gelesen hat.

	Beispiel	Bedeutung
Gegenwart	Mittlerweile soll jeder Deutsche 88,2 kg Fleisch im Jahr verzehren.	Laut einer Studie verzehrt jeder Deutsche im Jahr 88,2 kg Fleisch im Jahr.
Vergangenheit	42 Mio. Menschen sollen diesen Ernährungsstil übernommen haben.	Es heißt, dass 42 Mio. Menschen diesen Ernährungsstil übernommen haben.

2 Wortbildung: Nominalisierung von Verben ← S. 110/2

Aus Verben lassen sich verschiedene Typen von Nomen ableiten.

Verb	Nominalisierung ...	Nomen
erzeugen	durch Endung -er (maskulin)	der Erzeuger
anbauen	vom Verbstamm (maskulin)	der Anbau
schmecken, trinken	durch Vorsilbe Ge- (maskulin, neutral)	der Geschmack, das Getränk
essen	vom Infinitiv (neutral)	das Essen
ernten	durch Endung -e (feminin)	die Ernte
zubereiten	durch Endung -ung (feminin)	die Zubereitung

3 Konditionale Zusammenhänge ← S. 112/2

Konditionale Konnektoren und Präpositionen drücken Bedingungen aus.
Konditionalsätze können verbal mit Konnektoren oder nominal mit Präpositionen gebildet werden.
Nominale Ausdrücke mit Präpositionen sind typisch für die Schriftsprache.

Verbal		Nominal	
Konnektor	Beispiel	Präposition	Beispiel
wenn	Wenn man ein Produkt teuer verkauft, muss das Etikett stimmen.	bei + Dativ	Beim Verkauf eines teuren Produkts muss das Etikett stimmen.
falls	Falls man reklamiert, schicken viele Firmen Gratisprodukte.		Bei einer Reklamation schicken viele Firmen Gratisprodukte.
sofern	Sofern Sie daran interessiert sind, erhalten Sie weitere Informationen.		Bei Interesse erhalten Sie weitere Informationen.

4 Konzessive Zusammenhänge ← S. 115/3

Konzessive Konnektoren und Präpositionen drücken Kontroverses aus.
Konzessivsätze können verbal mit Konnektoren oder nominal mit Präpositionen gebildet werden.
Nominale Ausdrücke mit Präpositionen sind typisch für die Schriftsprache.

Verbal		Nominal	
Konnektor	Beispiel	Präposition	Beispiel
obwohl	Bei Reis unterscheiden sich die Haltbarkeitsdaten, obwohl die Qualität gleich ist, sehr stark.	trotz + Genitiv*	Bei Reis unterscheiden sich die Haltbarkeitsdaten trotz gleicher Qualität sehr stark.
selbst / auch wenn	Viele werfen Obst weg, selbst wenn es nur kleine Makel aufweist.	selbst / auch bei + Dativ	Selbst bei nur kleinen Makeln werfen viele älteres Obst weg.
trotzdem / dennoch	Viele Abfälle wären vermeidbar. Dennoch landen viele Lebensmittel im Müll.		

* *trotz* wird vor allem in der gesprochenen Sprache immer öfter mit Dativ benutzt.

9

AN DER UNI

1 Im Studium

a **Sehen Sie das Foto an. Was meinen Sie?**
- Wo befindet sich der junge Mann?
- Was macht er wohl gerade?
- Wer sind seine Zuhörer?

b **Um was für ein Fach könnte es hier gehen? Um ein ...**

> geisteswissenschaftliches · ingenieurwissenschaftliches · naturwissenschaftliches ·
> wirtschafts- und sozialwissenschaftliches · medizinisches · rechtswissenschaftliches · ...

c **Erklären Sie, warum Sie das glauben.**

2 Wenn Sie (noch einmal) studieren könnten: Was würden Sie gern studieren? Wo? Warum?

WORTSCHATZ

1 Von der Schule zur Uni

a Sehen Sie die beiden Fotos an.
Welche Bildunterschrift passt
zu welchem Foto?
Woran erkennen Sie das?

*Schüler in einem
Klassenzimmer*

*Studierende in
einer Vorlesung*

b **Wie heißen diese aus der Schule bekannten Wörter an der Uni? Ergänzen Sie die Tabelle.**

> das Examen • das Studienfach, der Studiengang • die Klausur • die Seminararbeit, die Haus-
> arbeit • das Semester • die/der Studierende • die Mensa • ~~die Kommilitonin / der Kommilitone~~ •
> die Vorlesung, das Seminar, die Übung • der/die Dozent/in, der/die Professor/in • der Hörsaal

in der Schule	an der Uni
die Mitschülerin / der Mitschüler	die Kommilitonin / der Kommilitone
die Schülerin / der Schüler	die/die Studierende
die Unterrichtsstunde	die Vorlesung, Seminar
die Abschlussprüfung	die Klausur
die Lehrerin / der Lehrer	der Dozent
die Prüfung	das Examen
die Kantine	die Mensa
das Schulhalbjahr	das Semester
der Aufsatz / die Facharbeit	die Seminararbeit
das Klassenzimmer	Hörsaal
das Schulfach	das Studienfach

2 Richtig studieren → AB 139–140/Ü2–5

a Sehen Sie die Fotos an. Was machen die Studierenden wohl? Sprechen Sie.

b **Was passt? Ordnen Sie auf S. 121 zu. Manche Verben passen mehrmals.**

> ablegen • absolvieren • ~~auswählen~~ • besuchen • bewerben • einschreiben
> (= immatrikulieren) • erhalten/bekommen • machen • halten • schreiben •
> suchen • teilnehmen • verfassen • zusammenstellen • lesen • finden

WORTSCHATZ

Hausaufgabe *A1B*

1 sich um einen Studienplatz ___ *bewerben*
2 sich an einer Universität ___ *einschreiben*
3 im Vorlesungsverzeichnis Lehrveranstaltungen ___ auswählen
4 seinen Stundenplan ___ *verfassen* *zusammenstellen*
5 ein Seminar / eine Vorlesung / eine Übung ___ *besuchen*
6 eine Seminararbeit / eine Hausarbeit / eine Abschlussarbeit ___ *machen / verfassen*
7 ein Referat / einen Vortrag ___ *besuchen*
8 eine Klausur ___ *ablegen*
9 ein Auslandssemester / ein Praktikum ___ *teilnehmen / finden*
10 eine Präsentation ___ *halten*
11 Fachliteratur ___ *lesen*
12 an Projekten / an einer Exkursion ___ *bewerben / zusammenstellen*
13 Prüfungen ___ *ablegen*
14 einen akademischen Grad / Titel ___ *absolvieren*

c **Wie verläuft ein Studium? Erzählen Sie.**

d **Sie sollen eine Seminararbeit verfassen. Bringen Sie die Arbeitsschritte in eine sinnvolle Reihenfolge und erklären Sie dann, was man genau macht.**

Schritt ___ : den Text formulieren
Schritt ___ : die Arbeit Korrektur lesen
Schritt _1_ : Fachliteratur zum Thema finden und lesen
Schritt ___ : die Seminararbeit abgeben
Schritt ___ : eine Gliederung entwerfen
Schritt ___ : wichtige Informationen und Ideen zusammenfassen und kommentieren

> *Bevor man mit dem Studium anfangen kann, muss man sich an manchen Unis um einen Studienplatz bewerben.*

> *Zuerst müssen Studierende Fachliteratur zum Thema finden und lesen. Als Nächstes müssen sie ...*

3 Spiel

Schreiben Sie einen Begriff aus Aufgabe 1 oder 2 auf einen Zettel. Schreiben Sie eine Definition auf die Rückseite. Falten Sie den Zettel so, dass der Begriff innen ist. Sammeln Sie dann alle Zettel ein und verteilen Sie sie neu. Lesen Sie Ihre Definition vor, die anderen raten den gesuchten Begriff.

> Bücher und Zeitschriften zu bestimmten Fachgebieten. Wissenschaftliche Theorien und Ergebnisse werden dargestellt und näher analysiert. Die Texte sind reich an fachsprachlichen Ausdrücken. Dazu zählen auch Nachschlagewerke wie Lexika.
>
> Fachliteratur

Wussten Sie schon? → **AB 141/Ü6**
Damit man sich in Europa Studienleistungen aus anderen Ländern anrechnen lassen kann, gibt es das System der ECTS-Punkte (European Credit Transfer System). Studierende sollen in der Regel 60 Punkte pro Jahr oder 30 im Semester sammeln. Für jede besuchte und bestandene Lehrveranstaltung gibt es eine bestimmte Anzahl von Punkten. 1 ECTS-Punkt entspricht einem Arbeitsaufwand von 25 bis 30 Arbeitsstunden. Studierende müssen sich also auch außerhalb der Lehrveranstaltungen vieles erarbeiten. Für einen Abschluss braucht man eine festgelegte Gesamtpunktzahl, zum Beispiel 180 bei einem 3-jährigen Bachelorstudium.

Ich kann jetzt ...
- Wörter zum Wortfeld „Schule und Universität" verwenden.
- über den Verlauf eines Studiums und Tätigkeiten im Studium sprechen.
- universitäre Begriffe definieren.

9

1 Die Ruhr-Universität Bochum

a Sehen Sie die Fotos in der folgenden Infobroschüre an. An wen richtet sie sich wohl?

b Lesen Sie die Zwischenüberschriften in der Broschüre. Welcher Absatz interessiert Sie am meisten? Warum?

c Lesen Sie nun den Text. Unter welcher Überschrift finden Sie Informationen zu

1 Akademische Perspektiven   *Forschung und Lehre*
2 Anlaufstelle für ausländische Studierende   _____
3 Freizeitangebote   _____
4 Größe der Universität   _____
5 Hilfe für Studierende mit Fragen und Problemen _____
6 Gebühren für das Studium   _____

Porträt

Mitten in der dynamischen, gastfreundlichen Metropolregion Ruhrgebiet im Herzen Europas liegt die Ruhr-Universität Bochum (RUB). Sie ist Heimat von 5.600 Beschäf-
5 tigten und circa 38.600 Studierenden aus 130 Ländern. Alle großen wissenschaftlichen Disziplinen sind auf einem kompakten Campus vereint. 20 Fakultäten bieten ein großes Spektrum an Studienfächern.

Forschung und Lehre

10 Die Ruhr-Universität ist auf dem Weg, eine der führenden europäischen Hochschulen des 21. Jahrhunderts zu werden. Fast alle Studiengänge werden als Bachelor-Master-Programme angeboten. Untereinander national und international stark vernetzte, fakultäts- und fachübergreifende Forschungsabteilungen (Research Departments) schärfen das Profil der RUB. Hinzu kommt ein bewährtes Programm zur Förderung von wissenschaftlichem Nachwuchs sowie eine hervorragende wissen
15 schaftliche Infrastruktur. All das macht die RUB zum Anziehungspunkt für Menschen aus aller Welt. Schon vom ersten Semester an sollen Studierende erfahren, was Forschung bedeutet. Das beginnt in den Bachelorstudiengängen, setzt sich im Masterstudium fort und soll bei den Studierenden die

Lust wecken, eine Karriere in der Forschung einzuschlagen. Denn die Studierenden von heute sind die Spitzenforscher
20 von morgen.
Wer sich dafür entscheidet, nach dem Masterabschluss weiter in der Wissenschaft zu arbeiten, findet an der RUB beste Bedingungen vor: Unter Betreuung exzellenter Wissenschaftler promovieren die Doktoranden an der RUB in der Research
25 School auf internationalem Niveau.

Studienbeitrag

Das Sommersemester 2011 war das letzte, in dem Studienbeiträge in Höhe von 480 Euro pro Semester erhoben wurden. Inzwischen sind die Studienbeiträge in ganz Nordrhein-Westfalen abgeschafft.

Zentrale Studienberatung

30 Die Zentrale Studienberatung (ZSB) berät und unterstützt Studierende beim Übergang von der Schule zur Universität (Studienwahl, Bewerbung, Studienvorbereitung) und während ihres Studiums – auch mit psychologischer Beratung. Die ZSB bietet Hilfe bei individuellen Problemlösungen.

Das International Office

35 Das International Office (IO) koordiniert die internationalen Beziehungen der Universität. Zu seinen Zuständigkeiten gehören die Beratung und Betreuung von ausländischen Studierenden sowie die Information von RUB-Studierenden zu Auslandsaufenthalten.

Zahlen und Fakten

- ca. 38.600 Studierende
- ca. 2.100 Doktorandinnen und Doktoranden
40
- ca. 2.600 ausländische Studierende
- ca. 1.900 Studierende mit Zuwanderungsgeschichte
- ca. 650 internationale Promovierende und Gastwissenschaftler/innen

Campus und Kultur

Direkt im Süden der RUB öffnet sich das grüne Ruhrtal mit
45 dem Kemnader See. Ansonsten gibt es für die Freizeit noch viele Angebote: Hochschulsport, Uni-Chor und Musikorchester, Kunst- und Fotokurse bieten jedem die Möglichkeit, sich auszuleben. Theateraufführungen und Konzerte runden das Angebot ab.

50 ### Metropole Ruhr

Bochum, eine lebendige Universitätsstadt mit 370.000 Einwohnern, liegt im Herzen der Metropole Ruhr, die mit ihren 5 Millionen Einwohnern die größte Wirtschaftsregion Europas ist.

Ihre vielen Theater, Konzerthallen, Kinos und Museen machen die Metropole Ruhr zu Europas dichtester Kulturlandschaft. Allein in Bochum bieten mehr als 40 Theaterbühnen den Rahmen für
55 die Abendgestaltung. Im „Bermuda3Eck", der größten Kneipenmeile des Ruhrgebiets, laden über 75 Kneipen, Bars und Restaurants zum Verweilen ein.

2 Informationen zur Ruhr-Universität Bochum

Ergänzen Sie die Informationen in der Tabelle mit Stichworten.

1 geografische Lage	
2 Einwohnerzahl der Stadt	317, 000
3 Studienangebot	20 Fakultäten
4 mögliche Abschlüsse des Studiums	Bachelor, Master, Dr
5 Zahl der Studierenden	
6 Freizeitangebote der Stadt	

3 Internationalismen → AB 142/07

Was bedeuten diese Wörter? Ordnen Sie zu.

1 die Universität   A das Büro für Studierende aus anderen Ländern
2 die Fakultät   B die Doktorarbeit
3 der Campus   C der erste Studienabschluss
4 der Bachelor   D der Fachbereich
5 der Master   E die Forschungsabteilung
6 die Dissertation   F der zweite Studienabschluss
7 das Research Department   G das Gelände mit den Universitätsgebäuden
8 das International Office   H die Hochschule

4 Konsekutive Zusammenhänge → AB 142–143/Ü8–10

GRAMMATIK
Übersicht → S. 132/1

a   Lesen und markieren Sie, was Studierenden bei der Wahl einer Universität wichtig ist.

Anton
„Ich komme aus Pots-dam. Dort habe ich gerade als Praktikant an einer Filmproduk-tion mitgearbeitet. Eine tolle Erfahrung! Ich möchte jetzt am liebsten was mit Medien studieren."

Sophie
„Ich bin fast fertig mit meinem Bachelor in Biochemie. Mir hat das Studium in Mainz sehr gut gefal-len. Jetzt suche ich eine Uni, an der ich noch meinen Master machen kann."

Juhani
„Ich komme aus Finn-land und mache jetzt ein Auslandssemester in Deutschland. Ich möchte während des Auslandsaufent-halts möglichst viel vom Kulturangebot nutzen."

Sara
„Ich habe an der Uni in Berlin sehr volle Hörsäle erlebt. Darum will ich jetzt die Uni wechseln. Mir ist eine gute Betreuung durch die Dozenten sehr wichtig."

b   Lesen Sie die Zusammenfassung. Welche Wörter drücken eine Folge aus? Markieren Sie.

Junge Leute berichten, welche Erfahrungen sie gemacht haben und welche Folge das für ihren Studienwunsch hat.
Da ist zunächst Anton. Er war von einem Praktikum bei einer Produktionsfirma sehr begeistert. Infolgedessen möchte er nun einen Medienstudiengang belegen. Eine andere Motivation hat Sophie. Sie hat ihr Bachelorstudium bald abgeschlossen, sodass sie jetzt eine neue Uni sucht, an der sie ihren Master machen kann. Juhani ist kulturell sehr interessiert. Folglich möchte er gern in einer Region mit entsprechenden Angeboten studieren. Und schließlich Sara. Infolge ihrer schlechten Erfahrungen an einer Uni mit vollen Hörsälen sucht sie nun eine kleinere Uni, an der Studierende gut betreut werden.

c   Sehen Sie sich die markierten Sätze in b noch einmal an. Ergänzen Sie die Tabelle.

Konnektor	Präposition	Adverb
Infolgedessen	infolge es argsort	Foglich

5 Wie ist das in Ihrem Heimatland?

Arbeiten Sie zu zweit und vergleichen Sie: Welche Studienwünsche haben junge Menschen bei Ihnen?

> *Bei uns wollen auch viele, so wie Anton/Sophie/ …, studieren.*
> *Folglich/Infolgedessen sind/gibt es/ist es …*
> *Sie haben oft schon gute/schlechte Erfahrungen mit … gemacht, sodass sie … möchten/suchen.*
> *Infolge guter/schlechter Erfahrungen … suchen/wollen viele … "*

Bei uns wollen auch viele, so wie Anton, Medien-wissenschaften studieren. Folglich sind diese Studiengänge sehr gefragt.

Ich kann jetzt …   ☺ ☺ ☹
- Hauptinformationen aus dem Porträt einer Universität entnehmen.   ☐ ☐ ☐
- die Bedeutung von Internationalismen erschließen.   ☐ ☐ ☐
- in komplexen Sätzen konsekutive Zusammenhänge verstehen.   ☐ ☐ ☐

SPRECHEN 1

1 Eine Uni auswählen → AB 143/Ü11

a Welche Kriterien können bei der Wahl einer Universität
eine Rolle spielen? Unterhalten Sie sich zu dritt.

> Unterrichtssprache · die Größe der Studiengruppen ·
> mögliche Abschlüsse · Betreuung der Studierenden ·
> kulturelles Angebot der Region · der Freizeitwert der
> Umgebung · technische Ausstattung der Räume ·
> renommierte Wissenschaftler als Lehrende ·
> Forschungsbedingungen · ...

b Diskutieren Sie in der Gruppe.

Stellen Sie sich vor: Sie haben inzwischen gut Deutsch gelernt und möchten an einer Uni
im deutschsprachigen Raum ein Auslandsjahr verbringen, z. B. an der Ruhr-Universität Bochum.
Welche Vor- und Nachteile bietet Ihrer Meinung nach diese Universität?
Würden Sie sich für diesen Studienort entscheiden? Warum (nicht)?

Angebote einer Hochschule bewerten

„ *Für mich ist/sind ... besonders/sehr wichtig.*
Ich sehe natürlich den Vorteil von ...
... ist dagegen weniger / nicht so wichtig für mich.
... ist für mich eher ein Nachteil.
Was mir ein wenig fehlt, ist ... "

auf Bewertungen von Gesprächspartnern positiv reagieren

„ *Da stimme ich dir zu.*
Ich bin ganz deiner Meinung.
... ist mir auch sehr wichtig, weil ...
Mir wäre ... auch am liebsten. "

auf Bewertungen von Gesprächspartnern negativ reagieren

„ *In diesem Punkt kann ich (dir) leider nicht zustimmen.*
In diesem Punkt bin ich anderer Meinung.
... ist nicht so wichtig für mich, weil ... "

beim Gesprächspartner nachfragen

„ *Ich bin nicht sicher, ob ich das richtig verstanden habe.*
Kannst du das genauer erklären?
Was genau sind deine Vorstellungen in Bezug auf ...? "

> **Wussten Sie schon?** → AB 144/Ü12
> *Heutzutage kann man auch außerhalb der deutschsprachigen Länder auf Deutsch studieren,*
> *z. B. in Istanbul oder Kairo. Dafür nimmt an Universitäten in den deutschsprachigen Ländern*
> *die Anzahl der Studiengänge zu, in denen die Unterrichtssprache Englisch ist.*
> *Das war nicht immer so. An deutschen Universitäten wurde lange – bis ins 18. Jahrhundert*
> *hinein – auf Latein gelehrt.*

Ich kann jetzt ...   😊 😐 🙁
- ein Angebot einer Hochschule bewerten.   ☐ ☐ ☐
- auf Bewertungen anderer reagieren.   ☐ ☐ ☐
- in einem Gespräch über Studienorte Fragen stellen.   ☐ ☐ ☐

1 Bewerbung um einen Studienplatz

Kinga aus Polen studiert an der Ruhr-Universität Bochum.
Sie möchte nun zwei Semester in der Schweiz verbringen und
bewirbt sich um einen Studienplatz an der Universität Fribourg.

**a Was meinen Sie? Welche Unterlagen braucht Kinga
für ihre Bewerbung? Markieren Sie.**

☐ Anschreiben · ☐ Arbeitszeugnisse · ☐ Ärztliches Attest ·
☐ Foto · ☐ Lebenslauf · ☐ Mappe mit Arbeitsproben ·
☐ Motivationsschreiben · ☐ Zeugnis des Schulabschlusses

b Was braucht man in Ihrem Heimatland für eine solche Bewerbung?

2 Motivationsschreiben → AB 145/Ü13

a Lesen Sie Kingas Motivationsschreiben unten. Welche Funktionen hat es?

**b Lesen Sie das Schreiben noch einmal. Welche Überschriften passen zu den vier Absätzen?
Ordnen Sie zu.**

☑ Mein Interesse an einem Studium an Ihrem Institut   ☐ Meine beruflichen Ziele
☐ Meine Erwartungen an das Studium in Fribourg   ☑ Meine Kenntnisse und Fähigkeiten

Meine Motivation für ein Masterstudium an der Universität Fribourg

Sehr geehrte Damen und Herren,

ich komme aus Krakau und studiere Deutsch als Fremdsprache und Französisch im fünften
Semester an der Ruhr-Universität Bochum. Gerne möchte ich mich zum nächsten Semester
um einen Studienplatz in einem Masterstudiengang an Ihrer Hochschule bewerben.   5

[1] Im vergangenen Jahr habe ich bereits die Universität Fribourg besucht, um einen persönlichen Eindruck von Ihrem Studienangebot zu gewinnen. Dabei habe ich das Institut für
Mehrsprachigkeit kennengelernt. Ich war beeindruckt von der freundlichen Atmosphäre
und der Aufgeschlossenheit der Lehrkräfte sowie der Studierenden.

[2] Nach mehreren Sprachkursen verfüge ich über sehr gute Deutschkenntnisse. Zurzeit ver-   10
tiefe ich diese im Rahmen eines mehrmonatigen Kurses für Fortgeschrittene (Niveau C1).
Überdies werde ich ab März bis Ende Mai dieses Jahres ein Praktikum an einer Grundschule
in Deutschland absolvieren.

[3] Von dem Studienaufenthalt in Fribourg verspreche ich mir, dass ich meine Kenntnisse im
Bereich Deutsch als Fremdsprache erweitern kann. Dabei interessiert mich besonders das   15
Thema Mehrsprachigkeit. Hier würde ich mich gern mit der neuesten Forschung vertraut
machen. Ich möchte mir auch weitere theoretische Grundlagen der Fremdsprachenvermitt-
lung aneignen. Außerdem möchte ich durch meinen Studienaufenthalt das Leben in der
Schweiz kennenlernen, Kontakte knüpfen und neue Freunde gewinnen.

4 Da mein Interesse an der deutschen Literatur sehr groß ist, würde ich gern auch Germanistik | 20
als Studienfach belegen. Dadurch möchte ich meine Chancen für eine spätere Berufstätig-
keit als Lehrerin in meinem Heimatland verbessern. Der Studienaufenthalt in der Schweiz
wäre eine gute Vorbereitung darauf. Er würde mich auf meinem beruflichen Weg einen
großen Schritt weiterbringen.

Mit freundlichen Grüßen | 25
Kinga Wójcik

3 Feste Verbindung von Nomen mit Verben → AB 146–147/Ü14–17

GRAMMATIK
Übersicht → S. 132/2

a Lesen Sie das Schreiben noch einmal und ordnen Sie zu.
Was gehört zusammen?

seine Chancen	absolvieren
ein Praktikum	knüpfen
einen Eindruck	aneignen
einen großen Schritt	vertraut machen
Kenntnisse	verbessern
Kontakte	verfügen
sich mit der Forschung	vertiefen
sich theoretische Grundlagen	gewinnen
über Kenntnisse	weiterbringen

b Wie kann man die folgenden Verben sprachlich anspruchsvoller ausdrücken? Ordnen Sie zu.

1 lösen   2 wissen   3 fragen   4 verantworten   5 meinen   6 bedeuten

| 2 über Kenntnisse verfügen | 3 eine Frage stellen | 1 eine Lösung finden |
| 4 Verantwortung übernehmen | 6 eine Bedeutung haben | 5 eine Meinung vertreten |

c Manche Nomen bilden mit mehreren Verben eine feste Verbindung. Formulieren Sie Beispielsätze.

einen Eindruck | bekommen von
gewinnen von
haben von
hinterlassen bei

Während eines Besuchs habe ich einen Eindruck von der Uni bekommen.

4 Verfassen Sie ein Motivationsschreiben.

Sammeln Sie vor dem Schreiben Stichpunkte zu folgenden Fragen.

Wo? An welche Universität schreiben Sie?
Wann? Zu welchem Zeitpunkt möchten Sie beginnen?
Wofür? Wofür bewerben Sie sich? (ein Auslandssemester/-jahr, ein Praktikum, …)
Was? Welche Kenntnisse und Fähigkeiten bringen Sie mit? (Abschlüsse, Sprachkenntnisse, …)
Interesse? Warum wollen Sie an dieser Uni studieren? Welches Interesse haben Sie?
Ziele? Welche beruflichen Ziele haben Sie? Was wollen Sie mit dem Studium erreichen?

Ich kann jetzt …   ☺ ☺ ☹
- persönliche Voraussetzungen für ein Auslandsstudium genau beschreiben.   ☐ ☐ ☐
- Erwartungen an einen Studienplatz beschreiben.   ☐ ☐ ☐
- persönliche Ziele bei einer Ausbildung benennen.   ☐ ☐ ☐
- feste Verbindungen von Nomen mit Verben erkennen und bilden.   ☐ ☐ ☐

HÖREN

1 Wofür Studierende Geld brauchen → AB 147/Ü18

Was meinen Sie: Wofür geben Studierende das meiste Geld aus?
Ordnen Sie (1 = am wenigsten; 6 = am meisten).
Vergleichen Sie mit Ihrer Lernpartnerin / Ihrem Lernpartner.

- ☐ Lebensmittel
- ☐ Miete (mit Nebenkosten für Strom, Wasser)
- ☐ Kommunikation (Handy/Smartphone, Internet)
- ☐ Fahrtkosten (Auto/öffentliche Verkehrsmittel)
- ☐ Lernmittel (Fachliteratur, Schreibwaren)
- ☐ Studiengebühren

> *Wussten Sie schon?* → AB 148/Ü19
> *Durchschnittlich knapp 10.000 EURO im Jahr betragen laut Aussagen von Studen-*
> *tenorganisationen die Lebenshaltungskosten für Studierende in Deutschland und*
> *Österreich, in der Schweiz müssen sie zwischen 21.000 und 31.000 Franken rechnen.*
> *Rund ein Viertel der Studierenden verfügt allerdings über weniger Geld. Die Ausga-*
> *ben hängen davon ab, wo man studiert. In allen deutschsprachigen Ländern gibt es,*
> *je nach Region und Studienort, ziemliche Unterschiede. In kleinen Universitätsstäd-*
> *ten ist das Wohnen billiger, dafür findet man in großen Städten leichter einen gut*
> *bezahlten Studentenjob.*

2 Finanzierung des Studiums

 a **Sie hören den Anfang eines Vortrags. Notieren Sie sich beim Hören Stichpunkte zu diesen Fragen.**

- **Wer** spricht?
- **Wo** findet der Vortrag statt?
- **Worum** geht es?

 b **Hören Sie nun den Vortrag einmal ganz und markieren Sie.**
Hören Sie ihn dann noch einmal in Abschnitten und kontrollieren Sie.

> *Richtig Hören: Schlüsselwörter*
> *Lesen Sie <u>vor</u> dem Hören die Fragen und markieren Sie Wörter, die Ihnen wichtig*
> *erscheinen. Hier im Beispiel wäre „Publikum" in der Frage das Schlüsselwort.*
> *In den drei Auswahlantworten sind die Wörter „Mitarbeiter", „Schüler" und „Studie-*
> *rende" unterstrichen, weil sie inhaltlich zum „Publikum" gehören können.*

Beispiel: Für welches <u>Publikum</u> ist dieser Vortrag? Für ...
- a <u>Mitarbeiter</u> des Studentenwerks.
- ☒ <u>Schüler</u> am Ende ihrer Schulzeit.
- c <u>Studierende</u> im ersten Semester.

Abschnitt 1

1 Tristan finanziert sein Studium mithilfe ...
- a seiner Eltern.
- b von mehreren Einnahmequellen.
- c eines Nebenjobs.

2 Wie viel verbraucht er für die Miete?
- a 184 Euro
- b 320 Euro
- c 920 Euro

Abschnitt 2

1 Katrin ist Abendaushelferin. Welche Vorteile hat sie?
- a Sie bezahlt keine Steuern.
- b Sie verdient gut an wenigen Abenden.
- c Sie kann viele Opern kostenlos sehen.

2 Worauf soll man bei Studentenjobs besonders achten?
- a Auf die Firma, für die man arbeitet.
- b Auf den Verdienst.
- c Auf die Arbeitszeiten.

Abschnitt 3

1 Ein Studienkredit ist geeignet für Studierende, die ...
- a hohe Studiengebühren zahlen müssen.
- b keine Zeit für einen Studentenjob finden.
- c nach dem Studium wenig verdienen werden.

2 Wovon ist die Höhe der Rückzahlung abhängig?
- a Vom Verdienst nach dem Studium.
- b Vom Zinssatz nach dem Studium.
- c Von der Dauer des Studiums.

Abschnitt 4

1 Stipendien gibt es auch für ...
- a Berufstätige, die nebenbei studieren.
- b Studierende, die schon mitten im Studium sind.
- c Schüler, die danach studieren wollen.

2 Man findet Stipendiengeber am besten durch ...
- a Nachfrage beim Studentenwerk.
- b Anrufe bei Stipendienorganisationen.
- c eine Suchanzeige im Internet.

3 **Welchen Tipp des Vortragenden fanden Sie am interessantesten? Warum?**

Ich kann jetzt ...
- über Lebenshaltungskosten von Studierenden sprechen.   ☐ ☐ ☐
- einem Vortrag Informationen zur Finanzierung eines Studiums entnehmen. ☐ ☐ ☐
- Einzelheiten und praktische Informationen zur Finanzierung eines Studiums verstehen. ☐ ☐ ☐

1   Ferien- und Aushilfstätigkeiten

a   **Sprechen Sie zu zweit.**

- Welche Jobs sind in Ihrem Heimatland bei Studierenden beliebt?
- Welche sind gut bezahlt, welche nicht?
- Welche bieten gute Arbeitszeiten?
- Welche sind sinnvoll für die zukünftige Karriere?

b   **Sehen Sie die Bilder an. Wo arbeiten diese jungen Leute? Worin besteht die Tätigkeit? Erklären Sie.**

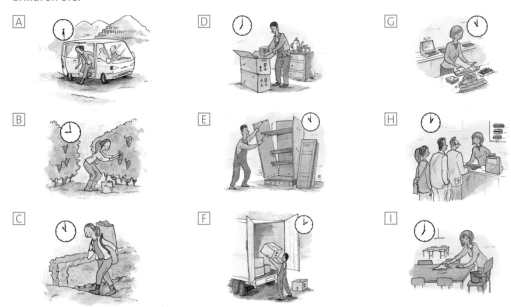

c   **Für welchen dieser Ferien- und Aushilfsjobs würden Sie sich entscheiden? Warum? Tauschen Sie sich in Kleingruppen aus.**

2   Erfahrungsaustausch   → AB 148–149/Ü20–22

a   **Unterhalten Sie sich zu zweit. Welche Erfahrungen haben Sie mit Ferien- und Aushilfsjobs? Beschreiben Sie die Tätigkeit(en) möglichst genau.**

eine Tätigkeit beschreiben

„ *Ich habe mal als ... gearbeitet.*
Da musste ich von morgens bis abends / die ganze Nacht ...
Bei diesem Job konnte ich sehr selbstständig arbeiten.
Als ... hatte ich echt viel / wenig / kaum etwas zu tun.
Die Arbeit in ... / bei ... / als ... war sehr anstrengend/(un)angenehm/(un)interessant. „

Auskunft über Verdienstmöglichkeiten geben

„ *Als ... verdient man sehr gut/schlecht.*
In der Fabrik kann man ... Euro pro Stunde/Tag/Nacht verdienen.
Am besten verdient habe ich ...
Die Tätigkeit in ... / bei ... / als ... wird (nicht) gut bezahlt. „

b   **Berichten Sie über die Erfahrungen Ihrer Lernpartnerin / Ihres Lernpartners im Kurs.**

Ich kann jetzt ...	☺	☺	☹
■ detailliert beschreiben, aus welchen Tätigkeiten ein Aushilfsjob besteht.	□	□	□
■ Auskunft über Verdienstmöglichkeiten geben.	□	□	□

SEHEN UND HÖREN

1 Sehen Sie das Foto an.

Was denken Sie über diesen Studenten? Sprechen Sie.

2 Studentenleben

a Hören Sie die Geräusche eines Films. Arbeiten Sie zu zweit.

- Was haben Sie alles gehört?
- Worum geht es in dem Film wohl?

b Sehen Sie jetzt den Film an. Sprechen Sie.

- Welche Geräusche haben Sie richtig geraten?   - Wofür steht wohl *FHB* auf dem Ordner?

c Sehen Sie den Film noch einmal an. Arbeiten Sie in Kleingruppen.
Sammeln Sie, was der Student alles macht. Vergleichen Sie dann Ihre Ergebnisse.
Gewonnen hat die Gruppe, die die meisten Aktivitäten notiert hat.

d Fassen Sie den Tagesablauf des Studenten mündlich zusammen.

3 Traumstudium?

> *Träume nicht dein Studium,*
> *sondern studiere deinen Traum!*

a Erklären Sie das Motto.

b Wie zeigt der Film das Studentenleben? Sprechen Sie.

c Vergleichen Sie dieses Studentenleben mit dem in Ihrem Heimatland.

4 Bewertungen

a Der Film war Sieger in einem Filmwettbewerb für Studentenfilme. Warum wohl?

b Lesen Sie Kommentare aus dem Internet und schreiben Sie selbst einen Kommentar.

Technisch möglicherweise etwas anspruchslos. Aber das mit der non-verbalen Darstellung ist
eine tolle Idee, wirklich nicht uninteressant.

....

Ich finde die Frage der Technik echt irrelevant. Ist doch gut gemacht. Mich erinnert der Film
an meine Studententage. Aber gefeiert haben wir nicht jeden Abend. Das ist hier vielleicht
etwas missverständlich dargestellt.

....

Tagesablauf bei mir: Ausschlafen, gegen 12.00 Uhr Mittagessen in der Mensa, anschließend Vorlesung, danach ein Seminar oder gleich in die Kneipe. ☺ Ist das nicht bei allen so? Für mich
zeigt dieser Film eher einen atypischen Ablauf. Oder ist bei mir da was schiefgelaufen?

....

Ich bin inzwischen total desillusioniert. Am Anfang gab es noch Partys. Aber seit es Richtung
Prüfung geht, sitze ich fast nur noch in Lerngruppen. Aber daraus würde kein guter Film. ☺

---

5 Negation durch Vor- und Nachsilben bei Adjektiven → AB 150/Ü23–24   GRAMMATIK
Übersicht → S. 132/3

Markieren Sie in den Kommentaren in 4b Adjektive mit den Vorsilben
ir-, *des-*, *miss-*, *non-* und *un-*, *a-* und der Nachsilbe *-los*. Bilden Sie Adjektive mit
gegenteiliger Bedeutung, wenn möglich, z. B. *anspruchslos – anspruchsvoll*.

Ich kann jetzt ...	☺	☺	☹
▪ den Inhalt eines non-verbalen Films wiedergeben.	☐	☐	☐
▪ Adjektive mit negierenden Vor- und Nachsilben verstehen und bilden.	☐	☐	☐

1 Konsekutive Zusammenhänge ← S. 124/4

Konsekutive Konnektoren und Präpositionen drücken aus, welche Folge eine Situation oder Handlung hat. Konsekutivsätze können verbal mit Konnektoren oder nominal mit Präpositionen gebildet werden. Nominale Ausdrücke mit Präpositionen sind typisch für die Schriftsprache.

Verbal		Nominal	
Konnektor	**Beispiel**	**Präposition**	**Beispiel**
sodass	Sophie hat ihren Bachelor fast abgeschlossen, **sodass** sie jetzt Zeit für ein Auslandssemester hat.	infolge + Genitiv	**Infolge** ihres Bachelorabschlusses hat Sophie jetzt Zeit für ein Auslandssemester.
so/derartig* ..., dass	Pias Interesse an kulturellen Dingen ist **so** groß, **dass** sie gern in einer Großstadt studieren möchte.		
folglich/ infolgedessen	Juhani studiert noch nicht lange. **Folglich** hat er erst wenige Erfahrungen an seiner Uni gemacht.		

* *so* oder *derartig* stehen vor einem Adjektiv oder Adverb.

2 Feste Verbindung von Nomen mit Verben ← S. 127/3

Ausdrücke, in denen Nomen und Verben in fester Kombination auftreten, sind in der Schriftsprache häufig. An der Stelle der festen Verbindung steht in der gesprochenen Sprache häufig nur **ein** Verb mit der gleichen oder einer ähnlichen Bedeutung.

eine Lösung finden	lösen
eine Entscheidung treffen	entscheiden
eine Frage stellen	fragen
eine Bedeutung haben	bedeuten
(s)eine Meinung vertreten	meinen
für etwas Verantwortung übernehmen	verantworten
über Kenntnisse verfügen	wissen
einen Vortrag / eine Rede halten	vortragen

Bei einigen Nomen gibt es mehrere Kombinationsmöglichkeiten.

einen Eindruck	bekommen, haben, hinterlassen, gewinnen
eine Entscheidung	treffen, fällen
infrage	stellen, kommen
Kenntnisse	vertiefen, erweitern
(die) Verantwortung	haben, tragen, ablehnen, übernehmen

3 Wortbildung: Negation durch Vor- und Nachsilben bei Adjektiven ← S. 131/5

Vorsilbe	Beispiel	Nachsilbe	Beispiel
a-	asozial	-los	anspruchslos
des-	desillusioniert		
ir-	irrelevant		
miss-	missverständlich		
non-	nonverbal		
un-	uninteressant		

1 Service im Alltag

a **Sehen Sie das Foto an. Welcher Service wird hier wohl dargestellt? Markieren Sie.**

☐ eine nette Begleitung für einen Fahrradausflug
☐ die Erledigung des täglichen Lebensmitteleinkaufs
☐ der schnelle Transport von Briefen oder kleinen Päckchen

b **Haben Sie so einen Service schon einmal in Anspruch genommen? Warum (nicht)?**

2 Deutschlern-Service gesucht! → AB 155/Ü2

Welchen Service beim Deutschlernen würden Sie gern einmal in Anspruch nehmen?
Schreiben Sie Ihren Wunsch und Ihren Namen auf einen Zettel.
Lesen Sie die Wünsche der anderen. Erklären Sie, wem Sie welchen Service anbieten könnten.

*Wörterbuchservice gesucht! Wer schlägt für
mich die vielen unbekannten Wörter nach?*
Bassam

*Ich könnte Bassam
den Wörterbuchservice anbieten.
Ich schlage gern im Wörterbuch
nach.*

1 Alles ist machbar! → AB 156/Ü3

a Sehen Sie die Bilder an. Welche Dienstleistungen werden hier angeboten?
Ordnen Sie zu. Zwei passen nicht.

☐ schneller Transport kleinerer Dinge   ☐ Reinigungshilfe   ☐ Pizzalieferservice
☐ günstiger Einkauf gebrauchter Waren   ☐ Fahrradreparaturservice   ☐ Tierarztpraxis
☐ privater Zusatzunterricht für Schüler   ☐ Bücherbestellservice   ☐ Schlüsseldienst
☐ Unterbringungsmöglichkeit für Haustiere

1   2   3   4

5   6 SECOND HAND   7 HOTEL für alle Felle   8

b Ordnen Sie nun die Bilder den Werbesprüchen zu.

☐ Frisch aus dem Steinbackofen – jederzeit lieferbar!
2 Schnell wie der Blitz: In der Innenstadt sind wir unschlagbar.
☐ Bei uns ist alles Gedruckte erhältlich oder innerhalb von 24 Stunden bestellbar!
☐ Optimale Versorgung Ihres geliebten Vierbeiners – unbezahlbar? Keineswegs!
☐ Wir kümmern uns um Ihre Wohnung und machen uns unersetzlich!
☐ Bald sind knifflige Matheaufgaben auch für Ihr Kind lösbar!
☐ Bringen Sie uns Ihre gebrauchte Ware – unverkäuflich gibt's bei uns nicht.
☐ Ausgeschlossen? Keine Sorge! Wir sind rund um die Uhr erreichbar.

c In welchen Situationen werden diese Dienstleistungen in Anspruch genommen? Erklären Sie.

2 Alternativen zum Passiv (I) → AB 157–158/Ü4–7

GRAMMATIK
Übersicht → S. 144/1a

a Unterstreichen Sie in den Werbesprüchen in 1b alle Adjektive mit den
Endungen -bar und -lich.

b Was bedeutet *lieferbar*? Markieren Sie.

☐ kann geliefert werden   ☐ ist geliefert worden   ☐ muss geliefert werden

c Was bedeutet *unverkäuflich*? Erklären Sie.

d Umschreiben Sie auch die anderen Adjektive auf
-bar und -lich in den Werbesprüchen.

> *„Die Matheaufgaben sind lösbar." Das bedeutet, die Matheaufgaben können gelöst werden.*

3 Arbeiten Sie in Kleingruppen. Formulieren Sie einen Werbespruch zu einem Service Ihrer Wahl. Die anderen raten.

Ich kann jetzt ...	☺	😐	☹
▪ die Absicht von Werbesprüchen verstehen.	☐	☐	☐
▪ Adjektive auf -bar und -lich als Alternative zum Passiv anwenden.	☐	☐	☐
▪ eigene Werbesprüche formulieren.	☐	☐	☐

SPRECHEN

1 Dienstleistungen in meinem Alltag → AB 159/Ü8

Schreiben Sie eine Liste mit allen Dienstleistungen, die Sie im Alltag in Anspruch nehmen. Notieren Sie auch alle Tätigkeiten, für die es Dienstleister gibt, die Sie aber selbst erledigen. Sprechen Sie anschließend in Kleingruppen darüber.

Art der Tätigkeit	lasse ich machen	mache ich selbst	Grund
bügeln	☒	☐	Das dauert bei mir zu lange und sieht nicht schön aus.
Wäsche waschen	☐	☐	

> Also meine Wäsche wasche ich selbst, aber meine Hemden lasse ich bügeln. Wenn ich bügle, dauert das viel zu lange und wirklich schön sieht es auch nicht aus.

2 Total verrückte Dienstleistungen

Stellen Sie sich vor: Sie können sich eine außergewöhnliche Dienstleistung wünschen – was wäre das zum Beispiel? Unterhalten Sie sich zu zweit.

3 Ideenbörse → AB 159/Ü9

a Bieten Sie jetzt einen eigenen Service an! Was brauchen Sie zur Umsetzung Ihrer Idee an Kenntnissen, Kontakten, Personal, Investitionen, Zeit, …? Notieren Sie.

b Gestalten Sie einen Flyer für Ihren Service: Schreiben Sie einen Werbespruch darauf und zeichnen Sie eventuell ein kleines Logo.

c Stellen Sie nun einem anderen Team Ihren Service vor und überzeugen Sie es von Ihrem Angebot. Die anderen fragen nach. Verwenden Sie dabei die folgenden Redemittel.

einen Service anbieten

> Wir können euch etwas ganz Einmaliges anbieten, nämlich …
> So etwas bekommt ihr sonst nirgendwo.
> … ist eine unglaubliche Erleichterung im Alltag. Man muss nie mehr … "

kritisch nachfragen

> Wie soll das Ganze funktionieren?
> Ich kann mir noch nicht so richtig vorstellen, …
> Ist … auch/dabei inbegriffen?
> Das klingt schon recht verlockend, aber …
> Ich bin mir nicht sicher, ob … "

Ich kann jetzt …   ☺ ☺ ☹
- über Dienstleistungen sprechen und begründen, warum ich sie (nicht) in Anspruch nehme. ☐ ☐ ☐
- eine eigene Geschäftsidee anbieten.   ☐ ☐ ☐
- kritische Fragen zu Geschäftsideen anderer stellen.   ☐ ☐ ☐

1 Schnäppchen jagen – ein neues Hobby

a Was ist ein „Schnäppchen"? Markieren Sie.

☐ ein besonderer Artikel, den es nur wenige Male gibt
☐ ein Artikel, der zu einem besonders günstigen Preis angeboten wird

b Wie könnte Ihrer Meinung nach Schnäppchen-Jagd im Internet funktionieren?

c Sehen Sie die Internetanzeige an. Welche Informationen erhält man? Markieren Sie.

☐ Man bekommt ein Angebot zu einem extrem günstigen Preis.
☐ Das Angebot ist fast ausverkauft.
☐ Man spart fast ⅔ des ursprünglichen Preises.
☐ Das Angebot gibt es nur für eine limitierte Zeit.
☐ Vor dem Kauf findet ein Beratungstermin statt.

Sei dabei!

133,– Euro

ab **39,90 Euro**

Bereits 23 verkauft.
Deal findet statt!

70 % Rabatt!

Angebot läuft noch: 12:54:35

Highlights
Der Wellness-Urlaub für
den ganzen Körper!

Konditionen
Gilt für ein umfangreiches
Pflege-Beauty-Package
inklusive einer Massage.

10

2 Ein Internetservice →AB 160/Ü10

CD 2 · 19
a Hören Sie eine Gesprächsrunde zu Schnäppchen-Angeboten im Internet einmal ganz.
Sie hören sie später noch einmal in Abschnitten. Markieren Sie vor dem ersten Hören wichtige
Schlüsselwörter in den Fragen. Lösen Sie beim Hören die Aufgaben, die Sie auf Anhieb verstehen.

b Hören Sie die Gesprächsrunde nun noch einmal in Abschnitten und lösen Sie die restlichen Aufgaben.

CD 2 · 20
Abschnitt 1: Wer ist an der Gesprächsrunde beteiligt? Markieren Sie.

1️⃣ verschiedene „Sei dabei!"-Kunden
2️⃣ „Sei dabei!"-Nutzer und ein Fachmann für Werbung
3️⃣ ein „Sei dabei!"-Mitarbeiter und Nutzer

CD 2 · 21
Abschnitt 2: Wie funktioniert der Internetservice „Sei dabei"? Markieren Sie.

1️⃣ Er vermittelt täglich Rabattangebote aus verschiedenen Branchen.
2️⃣ Interessenten bekommen innerhalb von 1–3 Tagen einen Gutschein zugeschickt.
3️⃣ Es gibt neben günstigen Schnäppchen auch kostenlose Angebote.

CD 2 · 22
Abschnitt 3: Welche Erfahrungen machte die Nutzerin Alice Frey?

1️⃣ Eine Freundin lud sie zu einer von „Sei dabei!" angebotenen Reise an den Bodensee ein.
2️⃣ Sie hat bereits mehrere Angebote genutzt, findet die Preise aber immer noch zu hoch.
3️⃣ Bis jetzt hat sie nur einmal eine Enttäuschung bei den vermittelten Angeboten erlebt.

CD 2 · 23
Abschnitt 4: Was hat die Restaurantbesitzerin Nadja Becker überrascht?

1️⃣ Dass 400 Personen gleichzeitig ins Restaurant geschickt wurden.
2️⃣ Dass die Aktion sie in finanzielle Schwierigkeiten gebracht hat.
3️⃣ Dass „Sei dabei!" die Hälfte des Preises kassiert, den die Kunden bezahlen.

24
CD 2

Abschnitt 5: Welche Meinung vertritt der Marketing-Experte?

1 Bei diesem Rabattsystem hat immer einer der Beteiligten Verluste.

2 Dass häufig „Mogelpackungen" verkauft werden, ist für ihn bei den günstigen Preisen in Ordnung.

3 Er findet es zu viel, wenn, „Sei dabei!" die Hälfte vom Verkaufspreis behält.

3 Ihre Meinung

a Wie finden Sie die Schnäppchen-Jagd über Internetportale wie „Sei dabei!"?

b Würden Sie selbst einmal dort einkaufen oder einen Service anbieten? Sprechen Sie.

4 Alternativen zum Passiv (II) → AB 161–162/Ü12–14

GRAMMATIK
Übersicht → S. 144/1b

a Lesen Sie folgenden Satz aus dem Hörtext noch einmal.
Was bedeutet er? Markieren Sie.

*Der Gutschein **ist** innerhalb einer bestimmten Zeit **einzulösen**.*

☐ Der Gutschein wird innerhalb einer bestimmten Zeit eingelöst.

☐ Der Gutschein muss innerhalb einer bestimmten Zeit eingelöst werden.

b Schreiben Sie die folgenden Sätze im Passiv mit *müssen* oder *können*.

1 Meistens war dafür weniger als die Hälfte vom Normalpreis zu bezahlen.
   Meistens musste dafür

2 Aber dann war klar, dass die Gäste nicht mehr zufriedenzustellen waren.
   Aber dann war klar, dass

c Welcher Satz bedeutet nicht das Gleiche wie folgender Satz aus dem Hörtext?

*Ein 3-Gänge-Menü **lässt sich** für 10 Euro wirklich nicht **machen**.*

☐ Ein 3-Gänge-Menü kann für 10 Euro wirklich nicht gemacht werden.

☐ Ein 3-Gänge-Menü ist für 10 Euro wirklich nicht machbar.

☐ Ein 3-Gänge-Menü wird für 10 Euro wirklich nicht gemacht.

☐ Ein 3-Gänge-Menü ist für 10 Euro wirklich nicht zu machen.

☐ Ein 3-Gänge-Menü kann man für 10 Euro wirklich nicht machen.

d Schreiben Sie für den folgenden Satz vier passende Varianten wie in Aufgabe c.

Wie lässt sich das erklären?

1 _____

2 _____

3 _____

4 _____

10

Wussten Sie schon? → AB 160/Ü11

Inzwischen kommt es häufig vor, dass Kunden sich vor dem Kauf von teureren Gegenständen, wie Elektrogeräte, Autos etc., im Einzelhandel sachkundig beraten lassen, aber dann günstiger im Internet kaufen. Viele nutzen dabei sogenannte „Preisvergleichsportale" im Internet, z. B. www.billiger.de, www.geizhals.at oder www.toppreise.ch. Dort erhält man Preisangebote von verschiedenen Anbietern im Internet.
Der Kundenrückgang führt in vielen Städten der deutschsprachigen Länder zu einem langsamen „Sterben" des Einzelhandels.

Ich kann jetzt …   ☺   ☺   ☹

- verstehen, nach welchem Prinzip eine Internetrabattseite funktioniert.   ☐   ☐   ☐
- die Aussagen von Teilnehmern einer Gesprächsrunde verstehen.   ☐   ☐   ☐
- Alternativen zum Passiv verwenden.   ☐   ☐   ☐

1 Mit oder ohne Service?

a **In welchen alltäglichen Situationen kann man sich normalerweise selbst bedienen, wo wird man bedient? Ergänzen Sie SB (für Selbstbedienung) oder S (für Service). Sprechen Sie darüber.**

☐ im Discounter ☐ in der Mensa
SB am Wühltisch im Kaufhaus ☐ im Drogeriemarkt
☐ in der Apotheke ☐ im Feinkostladen
☐ im Restaurant ☐ im Blumenladen
☐ in einer Kneipe/Bar ☐ in der Boutique

> *Am Wühltisch im Kaufhaus muss man alles durchsehen und oft lange „wühlen", bis man etwas Passendes findet.*

b **In welchem Fall bevorzugen Sie es, bedient zu werden, in welchem nicht? Sprechen Sie in kleinen Gruppen.**

2 Auf dem Blumenfeld → AB 162/Ü15

a **Sehen Sie die beiden Fotos an. Was macht die Person? Was sieht man auf dem rechten Foto?**

b **Lesen Sie den Artikel. Beantworten Sie folgende Fragen in Stichpunkten.**

1 Was ist das Besondere an diesen Blumenfeldern?
2 Warum liegen Blumenfelder so im Trend?
3 Welche Vorteile gegenüber dem Einkauf im Laden werden genannt?
4 Wie beurteilen die Grundstücksbesitzer die Geschäftsidee mit dem Blumenfeld?
5 Wie funktioniert die Bezahlung?

Sonnenhut und Tausendschön

Das Geschäft mit Blumen in freier Natur läuft rund um die Uhr. Und alles in Selbstbedienung. Ein Besuch auf zwei Blumenfeldern am Stadtrand.

„Papa, die da drüben", ruft die kleine Greta ihrem Vater zu und deutet mit ihrem Finger auf eine knall-
5 rote Blume am Rande des Feldes: eine Dahlie. Dass im Sommer Blumenzeit ist, wird von sehr vielen
Autofahrern und Spaziergängern genutzt. Sie finden es schön, ihren Liebsten eine kleine Freude mit
einem bunten Blumenstrauß zu bereiten: frisch vom Feld und selbst gepflückt natürlich.
In Bottrop gibt es Felder mit der Aufschrift „Blumen zum Selberpflücken" schon seit mehreren Jahren.
Und sie liegen noch immer voll im Trend, ebenso wie Erdbeerpflückfelder und Apfelbaumplantagen.
10 „Vor 10 Jahren haben wir hier unser Feld eröffnet", schildert Marita Oesterdiekhoff, „und es ist noch
immer sehr gefragt. Gerade an Wochenenden halten viele Kunden auf dem Weg zu Freunden oder nach
Hause mal eben am Rande des Feldes mit ihrem Auto an. Sie haben es sich zur Gewohnheit gemacht,
einige Blumen als kleines Mitbringsel zu besorgen."
Auch Ulrich Kückelmann und seine zwei Töchter Greta (7) und Carlotta (2) sind noch mal schnell
15 zum Blumenfeld rübergeflitzt, um ein paar Blümchen für Omas Geburtstag zu schneiden. „Es ist
praktisch, dass sich das Feld direkt um die Ecke befindet und rund um die Uhr geöffnet ist", so Papa
Kückelmann, „nicht nur das Verschenken der Sträuße macht Spaß, sondern auch das Schneiden wird
zu einem Erlebnis, gerade mit Kindern." Neben Sonnenblumen und Dahlien finden sie auch Sonnenhut
und Tausendschön.
20 „Da fällt die Wahl nicht leicht", zwinkert Marita Oesterdiekhoff, „unser Sortiment variiert ständig.
Mein Mann Heino liebt es zu experimentieren." Über den Zukauf weiterer Felder ist im Hause Oesterdiekhoff bereits nachgedacht worden.

10

Auch Georg Berger probiert auf seinem Feld an der Feldhausener Straße stetig neue Kombinationen von Blumen und Pflanzen. Letztes Jahr testete er sogar einen kleinen Kräutergarten, aber der kam
25 bei den Kunden nicht so gut an. Dafür seien die Blumenfelder mit Sonnenblumen und Tulpen ein Dauerbrenner.
Und das Gute: Die Blumenfelder machen nur am Saisonanfang viel Arbeit. Mit den Vorbereitungen wird oft schon im Februar begonnen. Doch im Frühling und Sommer reicht es, die Felder zu bewässern und ab und zu nach dem Rechten zu sehen. Und das ist gut so für die Gärtner, denn im Sommer muss
30 in der Gärtnerei oft bis in den späten Abend gearbeitet werden.
Während Berger seine Idee aus einem Urlaub im Schwarzwald mitnahm, ließen sich die Oesterdiekhoffs von anderen Bauern inspirieren. „Ich bin froh, dass es solche Felder gibt", sagt Berger, „hier bekommt jeder, was er will. Und ich habe ein schönes neues Hobby gefunden."
Die Blumenfelder sind ab Juni bis Ende September 24 Stunden am Tag geöffnet. Der Preis pro Strauß
35 variiert je nach Bundgröße. Für besonders große Blumen, wie Dahlien oder Sonnenblumen, fällt ein geringer Preisaufschlag an, der jedoch insgesamt weit unter dem Preis der Supermärkte bleibt. Der Geldbetrag, den man dafür bezahlen muss, ist selbstständig in eine bereitgestellte Büchse einzuwerfen.

c **Folgende Ausdrücke aus dem Text haben die gleiche Bedeutung. Welche? Markieren Sie.**

- *Und sie liegen noch immer voll im Trend, ...* (Zeile 9)
- *... und es ist noch immer sehr gefragt.* (Zeile 10/11)
- *Dafür seien die Blumenfelder ... ein Dauerbrenner.* (Zeile 25/26)

Bedeutung
- ☐ Jemand fragt sich dauernd etwas.
- ☐ Etwas ist absolut in Mode.
- ☐ Es gibt mehrere ähnliche Trends.

d **Ihre Meinung: Würden Sie selbst gern Blumen auf einem Blumenfeld pflücken? Wie finden Sie diesen Service? Gibt es solche Blumenfelder auch in Ihrem Heimatland?**

3 Subjektlose Passivsätze → AB 163–164/Ü16–18

GRAMMATIK
Übersicht → S. 144/2

a **Lesen Sie die Sätze im Aktiv und finden Sie die Entsprechungen im Passiv im Text ab Zeile 21. Schreiben Sie.**

Aktiv	Passiv
1 Über den Zukauf weiterer Felder hat man im Hause Oesterdiekhoff bereits nachgedacht.	1 _____
2 Mit den Vorbereitungen beginnt man oft schon im Februar.	2 _____
3 ... im Sommer muss man in der Gärtnerei oft bis in den späten Abend arbeiten.	3 _____

b **Was haben alle drei Passivsätze gemeinsam?**

c **Schreiben Sie die Passivsätze um und beginnen Sie mit es.**

1 Es ist im Hause Osterdiekhoff bereits über _____
2 _____
3 _____

Ich kann jetzt ... ☺ ☺ ☹
- über Vor- und Nachteile von Selbstbedienung und Service sprechen. ☐ ☐ ☐
- einen Zeitungsartikel über einen neuen Trend verstehen. ☐ ☐ ☐
- subjektlose Passivsätze bilden und verwenden. ☐ ☐ ☐

10

SCHREIBEN

1 Kurz und knapp

a Lesen Sie eine Zusammenfassung des Artikels von S. 138/139.
Wie viel Prozent vom Umfang des Artikels hat die Zusammenfassung?

☐ circa die Hälfte   ☐ ein Drittel bis ein Viertel   ☐ circa ein Zehntel

> Der Artikel berichtet über einen Trend, der in Deutschland schon seit einigen Jahren existiert: Blumen
> auf dem Feld selbst zu pflücken. Viele Menschen nutzen diese Möglichkeit, um einen Strauß selbst zu
> schneiden und zusammenzustellen. Die positiven Aspekte sind für Kunden der Spaß am Pflücken und die
> große Auswahl an Blumen. Ein selbstgepflückter Strauß ist außerdem billiger als einer aus dem Supermarkt.
> 5 Die Betreiber der Blumenfelder sind sehr zufrieden mit der Umsetzung dieser Idee. Dass ihre Pflückfelder
> seit einigen Jahren im Trend sind, freut sie. Zudem haben sie so ein neues Hobby gefunden. Sie pflanzen
> immer neue Kombinationen von Blumen an. Das Geld für den Strauß wirft der Kunde am Ende in eine
> Büchse am Feldrand. Je nach Größe kostet er unterschiedlich viel.

b Welche Teile aus einem Text kann man in einer Zusammenfassung weglassen? Markieren Sie.

☐ direkte Rede • ☐ informative Nomen • ☐ ausschmückende Adjektive •
☐ Verben mit den Hauptaussagen • ☐ Eigennamen • ☐ Wiederholungen

c Formulieren Sie Fragen, auf die die Textzusammenfassung eine Antwort gibt.

Worüber berichtet der Artikel?	W_____?
Wer nutzt _____?	W_____?
Was ist das Besondere an _____?	W_____?
Warum ist/hat _____?	

10

d Wie ist die Struktur der Sätze? Markieren Sie.

☐ Es sind meist lange Sätze mit mehreren Nebensätzen.
☐ Die Sätze sind kurz und bestehen meist nur aus einem Hauptsatz.
☐ Meist werden ein Haupt- und ein Nebensatz oder zwei Hauptsätze kombiniert.

2 Eine eigene Zusammenfassung schreiben → AB 165/Ü19

a Wählen Sie aus Lektion 1 bis 10 einen Text aus und markieren Sie die wichtigen Informationen.

b Formulieren Sie circa sieben W-Fragen zum Text.
Schreiben Sie nun Ihre Textzusammenfassung.
Wählen Sie eine passende Formulierung für die Einleitung.

> „*In dem Text geht es um …*
> *Die Geschichte erzählt von …*
> *Hier erfährt man, …* "

c Lesen Sie den Text Ihrer Lernpartnerin / Ihres Lernpartners und stellen Sie Fragen, wenn etwas
unklar ist. Sie/Er korrigiert ihre/seine Zusammenfassung mithilfe Ihrer Fragen.

> *Eine Textzusammenfassung schreiben*
> *Gehen Sie bei einer Textzusammenfassung folgendermaßen vor:*
> - *Markieren Sie die wichtigen Informationen im Text.*
> - *Formulieren Sie anschließend circa sieben W-Fragen zum Textinhalt.*
> - *Antworten Sie auf jede Frage mit einer selbst verfassten Antwort, die in der Regel aus einem
>   Haupt- und einem Nebensatz besteht. Beginnen Sie dabei auch mal mit dem Nebensatz.*
> - *Wählen Sie eine passende Formulierung für die Einleitung und verbinden Sie die Sätze sinnvoll.*

Ich kann jetzt …   😊 🙂 🙁

- Texten mithilfe von Fragen die Hauptinformationen entnehmen.   ☐ ☐ ☐
- einen längeren Text zusammenfassen.   ☐ ☐ ☐

1 Das „Erklärbär-Abo"

a **Um was für einen Service könnte es sich dabei handeln? Markieren Sie.**

☐ Man kann einer Person, die als Bär verkleidet ist, Fragen zu unerklärbaren Phänomenen stellen und erhält wissenschaftlich begründete Antworten.

☐ Man bekommt Unterstützung und Hilfe bei technischen Problemen mit Elektrogeräten.

b **Überfliegen Sie in Aufgabe 2a den Text. War Ihre Vermutung richtig?**

2 Ein unvollständiges Infoblatt → AB 165/Ü20

a **Lesen Sie das Informationsblatt zum „Erklärbär-Abo".
Am rechten Rand fehlt in jeder Zeile ein Wort. Ergänzen Sie die fehlenden Wörter frei.**

Wir bieten Ihnen etwas ganz Besonderes: Unser neues „Erklärbär-Abo": Ihnen wächst ____ _die_	(0)
Technik über den Kopf? Einige Funktionen Ihrer elektronischen Geräte _____	(1)
Sie zu kompliziert? Sie haben ein Gerät und möchten es benutzen, wissen _____	(2)
nicht, wie es funktioniert? Wir erklären Ihnen und allen Personen, die in Ihrem Haushalt _____,	(3)
jedes Ihrer Geräte. Unsere Mitarbeiter helfen Ihnen bei allen technischen Problemen, _____	(4)
Sie zu Hause haben (wie z. B. bei der Programmierung Ihres Fernsehers _____	(5)
bei der Bedienung Ihres Smartphones). Für einen Abopreis von 99,– Euro im Jahr _____	(6)
Sie so oft Sie wollen anrufen und auch einen Fachmann ins Haus kommen _____.	(7)
Nutzen Sie unser Angebot – Sie werden es nicht bereuen und wie viele unserer _____	(8)
mit dem Erklärbär-Service hochzufrieden sein. Und für jeden Neukunden, den Sie _____,	(9)
verlängert sich Ihr Abo kostenlos um zwei Monate.	

> *Einen Text rekonstruieren*
> *Lesen Sie jeden Satz zuerst einmal zu Ende. Überlegen Sie dann, welche Wortart hier fehlt oder fehlen könnte – ein Artikel, eine Präposition, ein Verb, ein Nomen, ein Adjektiv ...? Wenn die Lücke am Ende eines Satzes ist, lesen Sie auch den Anfang des folgenden Satzes, dann wird der Kontext klarer. Wenn Sie bei einer Lücke keine Idee haben, gehen Sie einfach erst einmal zur nächsten Lücke weiter. Am Ende lesen Sie sich den Text noch einmal selbst vor und versuchen, die fehlenden Lücken noch zu ergänzen.*

b **Unterhalten Sie sich in kleinen Gruppen.**

- Wie finden Sie die Serviceleistung des „Erklärbär-Abos"?
- Waren Sie selbst schon einmal in einer Situation, in der Sie so einen Service gebraucht hätten? Erzählen Sie.

> *Das wäre der ideale Service für mich. Neulich habe ich mir eine neue Digitalkamera gekauft. Die war so kompliziert ...*

Ich kann jetzt ...   ☺ ☺ ☺

- einem Infoblatt die Hauptidee entnehmen, wenn ich es überfliege.   ☐ ☐ ☐
- in einem Infoblatt fehlende Wörter ergänzen.   ☐ ☐ ☐
- anderen meine Einschätzung zu einem besonderen Serviceangebot mitteilen. ☐ ☐ ☐

1 Abends in der Küche

a Sehen Sie das Bild an. Was passiert hier wohl gerade?
Markieren Sie.

☐ Der Mann unterhält sich mit einem Freund, der schlecht hört, über den Ort Prien.
☐ Der Mann streitet mit seiner Freundin, wohin sie in Urlaub fahren wollen.
☐ Der Mann erkundigt sich über ein Sprach-Dialogsystem nach einer Zugverbindung.

25 CD 2
b Hören Sie nun den Anfang der Geschichte. War Ihre Vermutung richtig?

2 Nur eine kleine Auskunft → AB 166/Ü21

a Hören Sie die Geschichte „Prien" nun in Abschnitten.

26 CD 2
Abschnitt 1: Welche Aussagen sind richtig? Markieren Sie.

Das Sprachdialogsystem ...
1 ... erkennt den Ortsnamen nicht, den der Mann nennt. ☐
2 ... beginnt eine Unterhaltung mit dem Mann. ☐
3 ... schlägt andere Städtenamen vor und der Mann reagiert genervt. ☐

27 CD 2
Abschnitt 2: Beantworten Sie die Fragen.

1 Warum sagt der Mann „Neueingabe"?
2 Was passiert, als er einen Schluck Bier trinkt?
3 Woran erinnert ihn das Gespräch mit dem Sprachdialogsystem plötzlich?

28 CD 2
Abschnitt 3: Welche Aussagen sind richtig? Markieren Sie.

1 Der Mann amüsiert sich, weil seine Frau oft das Telefon oder die Freisprechanlage
im Auto anschreit. ☐
2 Er ruft seine Frau an und sagt ihr, dass er keine Auskunft über die Zugverbindung bekommt. ☐
3 Das Sprachdialogsystem nervt ihn zwar, es ist aber am Telefon höflicher als seine Frau. ☐

29 CD 2
b Hören Sie die Geschichte noch einmal ganz. Finden Sie sie amüsant? Warum (nicht)?

Ich kann jetzt ...   ☺   ☺   ☹
■ eine literarische Geschichte zu einer Alltagssituation verstehen.   ☐   ☐   ☐
■ über den Humor in einer Erzählung sprechen.   ☐   ☐   ☐

10

SEHEN UND HÖREN

1 Eine spannende Stunde

a Sehen Sie die Fotos an. Was passiert hier wohl?

 b Sehen Sie nun eine Foto-Reportage zu den Bildern <u>ohne Ton</u> an. Was meinen Sie?

1 Wo sind die Kinder und die ältere Dame?
2 Was liegt alles auf dem Tisch?
3 Wie ist die Atmosphäre?
4 In welcher Beziehung steht die Frau zu den Kindern?

c Um was für einen „Service" handelt es sich hier wohl?

2 Vorlesestunde → AB 166/Ü22

 a Sehen Sie nun die Foto-Reportage <u>mit Ton</u> an. Ergänzen Sie danach sinngemäß.

1 Juttas Alter: _____
2 Ihre aktuelle Tätigkeit: _____
3 Ihre Motivation: _____
4 Vorleseorte: _____
5 Ihre Zuhörer: _____
6 Die Tätigkeit, bevor sie vorlas: _____
7 Juttas Wunsch: _____

b Ihre Meinung

1 Warum gibt es wohl Vorlesestunden für Kinder?
2 Für welche Kinder könnte diese Vorlesestunde besonders wichtig und sinnvoll sein?
3 Wie gefällt Ihnen Juttas Engagement?
4 Könnten Sie sich vorstellen, auch ein Ehrenamt auszuüben? Wenn ja, welches?

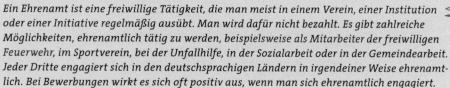

Wussten Sie schon? → AB 167/Ü23
Ein Ehrenamt ist eine freiwillige Tätigkeit, die man meist in einem Verein, einer Institution oder einer Initiative regelmäßig ausübt. Man wird dafür nicht bezahlt. Es gibt zahlreiche Möglichkeiten, ehrenamtlich tätig zu werden, beispielsweise als Mitarbeiter der freiwilligen Feuerwehr, im Sportverein, bei der Unfallhilfe, in der Sozialarbeit oder in der Gemeindearbeit. Jeder Dritte engagiert sich in den deutschsprachigen Ländern in irgendeiner Weise ehrenamtlich. Bei Bewerbungen wirkt es sich oft positiv aus, wenn man sich ehrenamtlich engagiert.

Ich kann jetzt ...
- über Fotos frei sprechen und spekulieren.
- im Detail verstehen, was jemand über sein Ehrenamt erzählt.
- meine Meinung zu ehrenamtlichen Tätigkeiten äußern und begründen.

GRAMMATIK

1 Alternativen zum Passiv

a Adjektive auf -bar und -lich ← S. 134/2

Viele Adjektive, die auf -bar oder -lich enden, sind von Verben abgeleitet.
Die Endung -bar bedeutet fast immer, die Endung -lich manchmal, dass etwas gemacht
werden kann. Die Negation dieser Adjektive wird mit der Vorsilbe un- gebildet.

Adjektive auf	Beispiel	Bedeutung
-bar	ein realisierbares Projekt	ein Projekt, das realisiert werden kann
	lieferbare Ware	Ware, die geliefert werden kann
	ein vorhersehbares Problem	ein Problem, das vorhergesehen werden kann
	ein unerreichbares Ziel	ein Ziel, das **nicht** erreicht werden kann
-lich	ein verständlicher Text	ein Text, der verstanden werden kann
	ein unersetzlicher Mensch	ein Mensch, der **nicht** ersetzt werden kann
	unverkäufliche Muster	Muster, die **nicht** verkauft werden können

b *sich lassen* + Infinitiv; *sein + zu* + Infinitiv ← S. 137/4

Aktivsätze mit *sich lassen* + Infinitiv bzw. *sein + zu* + Infinitiv ersetzen Passivsätze mit
können, müssen, sollen oder *dürfen*.

	Beispiel	Passivsatz
sich lassen + Infinitiv	Ein 3-Gänge-Menü lässt sich für 10 Euro machen.	Ein 3-Gänge-Menü kann für 10 Euro gemacht werden.
sein + zu + Infinitiv	Die Rechnung ist noch zu bezahlen. Das Restaurant ist nicht zu verkaufen.	Die Rechnung muss/sollte noch bezahlt werden. Das Restaurant kann/darf nicht verkauft werden.

2 Subjektlose Passivsätze ← S. 139/3

In Passivsätzen steht die Akkusativergänzung des Aktivsatzes im Nominativ:

Aktiv: Sie pflücken auf dem Feld einen Blumenstrauß.
Akkusativ

Passiv: Ein Blumenstrauß wird auf dem Feld gepflückt.
Nominativ

Wenn ein Aktivsatz **keine** Akkusativergänzung hat, kann der Passivsatz dazu kein Subjekt (Nominativ)
haben. Wenn die Position 1 im Passivsatz nicht besetzt ist, steht *es* an Position 1.

Aktivsatz ohne Akkusativergänzung	Subjektloser Passivsatz	Passivsatz mit *es* auf Position 1
Mit den Vorbereitungen beginnt man schon im Februar.	Mit den Vorbereitungen wird schon im Februar begonnen.	Es wird mit den Vorbereitungen schon im Februar begonnen.
Im Sommer müssen die Gärtner bis in den Abend arbeiten.	Im Sommer muss bis in den Abend gearbeitet werden.	Es muss im Sommer bis in den Abend gearbeitet werden.
Der Gärtner liefert täglich aus.	–	Es wird täglich ausgeliefert.

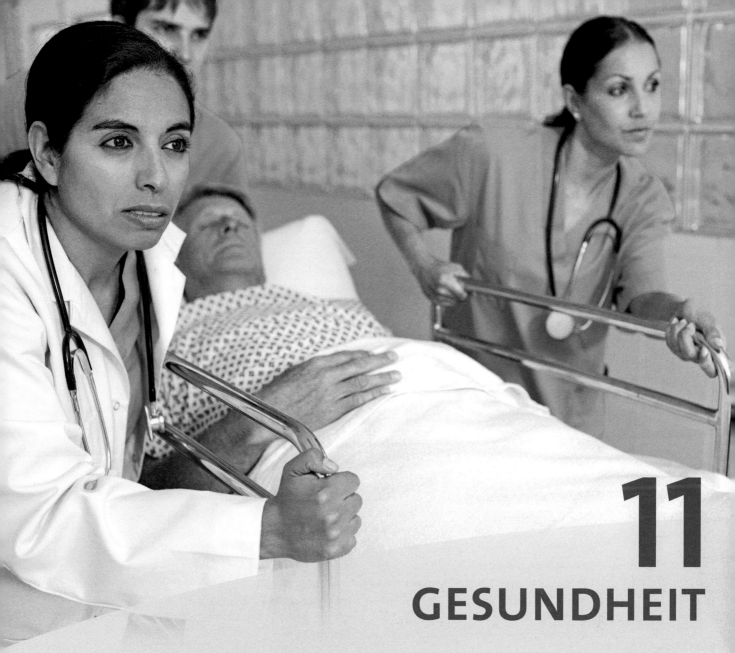

1 Eine schwierige Situation

a Sehen Sie das Bild an. Was meinen Sie: Was ist hier passiert? Woher stammt dieses Bild?

b Schreiben Sie zu zweit ein Gespräch zu dem Bild. Verwenden Sie darin zwei der folgenden „typischen" Sätze aus Arztserien.

„Es spricht nichts dagegen, dass alles gut ausgeht."
„Gehen Sie bitte. Sie können jetzt nichts für ihn tun."
„Wir haben keine Zeit zu verlieren. Wir müssen sofort operieren."
„Wir werden ihn wohl über Nacht hierbehalten müssen."

c Lesen/Spielen Sie Ihr Gespräch im Kurs vor.

2 Krankenhaus- und Arztserien sind sehr beliebt. Warum wohl? Diskutieren Sie.

über Fernsehserien sprechen

„ *Ich denke, die Menschen brauchen Filme, die …*
Oft sind die Ärzte und Ärztinnen in den Serien …
Man identifiziert sich vielleicht mit … "

1 Arbeitsalltag von Ärzten → AB 171/Ü2

a **Lesen Sie die Überschrift des Artikels. Was fällt Ihnen dazu ein?**

b **Lesen Sie nun den Artikel. Notieren Sie die positiven und negativen Seiten des Arztberufs.**

positiv: _____

negativ: _____

c **Fassen Sie den Inhalt des Artikels mithilfe der Stichpunkte aus b mündlich zusammen.**

Arzt – Traumberuf oder Knochenjob?

Der Beruf des Arztes ist mit hohem Prestige verbunden. Laut einer Umfrage steht er auf Platz vier der angesehensten Berufe in Deutschland. Entsprechend hoch sind aber auch die Ansprüche.

Thomas Lipp klingt gestresst. In seiner Sprechstunde warten noch drei Patienten, sagt der Hausarzt

5 aus Leipzig. Eigentlich schließt die Praxis in 15 Minuten. 15 Minuten Zeit für drei Patienten? „Ja, und dabei ist jetzt noch Urlaubszeit." Stress ist eine Berufskrankheit der Mediziner. Wer Arzt werden will, muss belastbar sein.

Der Lohn dafür ist ein ansehnliches Gehalt: Ein Radiologe oder ein Internist verdient rund 4800 bis 6000 Euro brutto im Monat. „Das Schöne an der Arbeit ist aber auch die Dankbarkeit, die man emp-

10 fängt", sagt Günther Jonitz vom Vorstand der Bundesärztekammer. Anderen helfen zu wollen, sei daher das Hauptmotiv für den Beruf. Ein Arzt müsse die Menschen, die er behandelt, im Blick haben und nicht nur die Krankheiten. Voraussetzung für den Beruf sei daher ein „Händchen" im Umgang mit anderen. Es sollte einem also leichtfallen, menschlich gut mit seinen Patienten umzugehen.

Aus Sicht der Mediziner wird der Beruf aber immer unattraktiver. Schuld daran ist unter anderem der

15 harte Alltag im Krankenhaus. Denn dort erwartet einen dann ein Knochenjob, der sich nur schwer mit der Familie vereinbaren lässt. „Wenn um 17.30 Uhr noch ein Unfall reinkommt, können Sie schlecht sagen: ,Ich muss jetzt aber mein Kind abholen'", sagt Lipp. Flexibel zu sein, ist ein Muss.

Hohe Hürden gibt es auch schon vor dem Berufseinstieg: Das Studium ist lang und schwer. Vor der Approbation, also der Zulassung als Arzt, wartet dann noch das „Hammerexamen". Bis zum Facharzt

20 sind es noch einmal drei bis sechs Jahre.

Die Berufschancen für Ärzte sind jedoch so gut wie lange nicht mehr: In manchen Regionen herrscht schon jetzt akuter Ärztemangel. Außerdem benötigten viele Ärzte bald einen Nachfolger: Vier von zehn seien bereits älter als 50 Jahre. Und durch die gestiegene Lebenserwartung der Deutschen werde der Ärztebedarf in Zukunft noch zusätzlich wachsen.

2 Das Indefinitpronomen *man* und seine Varianten → AB 172/Ü3–4   **GRAMMATIK**

Übersicht → S. 156/1

a **Lesen Sie die Sätze. Durch welche Pronomen wird *ein Arzt* jeweils im Text ersetzt? Schreiben Sie.**

1 Das Schöne an der Arbeit ist aber auch die Dankbarkeit, die ein Arzt empfängt. (Zeile 9/10)
2 Es sollte einem Arzt also leichtfallen, menschlich gut mit seinen Patienten umzugehen. (Zeile 13)
3 Denn dort erwartet einen Arzt dann ein Knochenjob, (...) (Zeile 15)

1 Das Schöne an der Arbeit ist aber auch die Dankbarkeit, die man empfängt.

b **Ergänzen Sie die Pronomen in der Tabelle.**

Nominativ	Akkusativ	Dativ
man		

Ich kann jetzt …   ☺   ☺   ☹

- einem Artikel über den Arztberuf positive und negative Aspekte entnehmen.   ☐ ☐ ☐
- einen Artikel mündlich zusammenfassen.   ☐ ☐ ☐
- das Indefinitpronomen *man* und seine Varianten bilden.   ☐ ☐ ☐

HÖREN

1 Ein Job im Ausland

Was sollte man bedenken, bevor man sich für einen Arbeitsplatz im Ausland entscheidet. Diskutieren Sie.

2 Gespräch mit einer jungen Klinikärztin → AB 172–174/Ü5–6

a Sophie Barlow aus England arbeitet in einer deutschen Klinik als Ärztin. Was meinen Sie: Warum ist sie wohl nach Deutschland gekommen?

b Hören Sie ein Gespräch mit ihr und markieren Sie die richtigen Antworten.

Abschnitt 1
(CD 30 / CD 2)

1 Bevor Sophie nach Deutschland kam ...
- ☐ gefiel ihr Deutschland schon sehr gut.
- ☐ hat sie lange mit ihrem Freund überlegt, wo sie leben wollen.
- ☐ wollte sie, dass ihr Freund nach England zieht.

2 Wie verlief die Anerkennung ihrer beruflichen Qualifikationen?
- ☐ Sie war völlig unproblematisch.
- ☐ Es gab Schwierigkeiten mit ihrer Approbation.
- ☐ Das Übersetzen ihrer Papiere dauerte einige Zeit und war kostspielig.

Abschnitt 2
(CD 31 / CD 2)

3 Was versuchte Sophie, um eine Stelle zu bekommen? Sie hatte sich ...
- ☐ um eine Stelle im Krankenhaus beworben, von der ihr jemand erzählt hatte.
- ☐ übers Internet beworben, bekam aber nur Absagen.
- ☐ sowohl um eine Hospitation als auch um einen festen Arbeitsplatz beworben.

Abschnitt 3
(CD 32 / CD 2)

4 Welche sprachlichen Herausforderungen gibt es in Sophies Berufsalltag immer noch?
- ☐ Es fällt ihr immer noch schwer, grammatikalisch richtig zu sprechen und zu schreiben.
- ☐ Sie hat Schwierigkeiten, den Dialekt mancher Patienten zu verstehen.
- ☐ Sie lässt ihre Kolleginnen Arztbriefe schreiben, weil diese schwierig sind.

5 Was erfährt man über die tägliche Arbeit in der Klinik?
- ☐ Die Abläufe in der Klinik sind in Deutschland und England gleich.
- ☐ Die Ärzte machen vormittags oder nachmittags Visite bei ihren Patienten.
- ☐ Im Arztzimmer besprechen alle Ärzte gemeinsam die weitere Behandlung der Patienten.

Abschnitt 4
(CD 33 / CD 2)

6 Menschen, die im Ausland arbeiten möchten, sollten ihren künftigen Arbeitsplatz ...
- ☐ durch eine unbezahlte Tätigkeit vorher kennenlernen.
- ☐ mit Arbeitsplätzen im Heimatland vergleichen.
- ☐ über eine ausführliche Recherche im Internet kennenlernen.

c Vergleichen Sie. War Ihre Vermutung aus a richtig?

Wussten Sie schon? → AB 174/Ü7

Tausende von Ärzten üben ihren Beruf nicht in ihrem Heimatland aus. Dabei arbeiten deutsche Ärzte vorzugsweise in der Schweiz, Österreich, USA und Großbritannien. Im Gegenzug gibt es immer mehr ausländische Mediziner in deutschen Kliniken und Praxen. Bessere Bezahlung und bessere Arbeitsbedingungen sind die Hauptgründe für die Migration.

Ich kann jetzt ...   ☺ ☺ ☹
- Vermutungen über berufliche Entscheidungen einer Person anstellen.   ☐ ☐ ☐
- Hauptaussagen und Details in einem Interview mit einer ausländischen Ärztin verstehen. ☐ ☐ ☐

WORTSCHATZ

1 Gesundheit auf Reisen

Sehen Sie das Foto an.
Was versteht man unter einer Reiseapotheke?
Was gehört hinein? Machen Sie zu zweit eine Liste.
Vergleichen Sie dann Ihre Listen im Kurs.

2 Die Reiseapotheke → AB 175–176/Ü8–10

a Wann und wozu braucht man diese Mittel? Erklären Sie.
Es gibt mehrere richtige Lösungen.

Mittel

die Brandsalbe • das Pflaster • das Desinfektions-Spray • der Verband • die Spritze • die Tabletten (Pl.) • die Augentropfen (Pl.) • das Fieberzäpfchen

Beschwerden

die Allergie • der Ausschlag auf der Haut • der Bluthochdruck • der Durchfall • die Entzündung/Infektion • der Insektenstich • die Übelkeit/das Erbrechen • der Sonnenbrand • die Wunde • die Verletzung

> *Man sollte immer ein Desinfektions-Spray mitnehmen. Auf Reisen bekommt man doch öfters kleine Wunden. Zum Beispiel wenn man...*

b Was aus Ihrer Reiseapotheke brauchen Sie fast immer, nie oder nur ganz selten?

3 Indefinitpronomen → AB 176–177/Ü11–12

GRAMMATIK
Übersicht → S. 156/1

Sehen Sie die Bilder an und ergänzen Sie die Dialoge.

irgendjemand • keine • niemand • welche • ~~irgendetwas~~ • nichts

 ①    ②    ③

● Schau mal, ich bin hier ganz rot. Hast du vielleicht _irgendetwas_ gegen Sonnenbrand dabei?

■ Nein, tut mir leid, ich habe leider _____ dabei, nur meine Brotzeit.

◆ _____ hat eine Flasche ins Meer geworfen.

● Das glaube ich nicht. Hier wirft doch _____ Flaschen ins Meer!

■ Oje! Ich habe meine Kopfschmerztabletten vergessen. Hast du vielleicht _____ dabei?

● Nein, ich habe _____ dabei. Ich nehme grundsätzlich nie Tabletten.

Ich kann jetzt ...
- Mittel für eine Reiseapotheke zusammenstellen.
- Beschwerden und Heilmittel benennen.
- Indefinitpronomen verstehen und anwenden.

☐ ☐ ☐
☐ ☐ ☐
☐ ☐ ☐

SPRECHEN 1

1 Hilfe bei gesundheitlichen Problemen

a Sehen Sie die Bilder an.
Welche gesundheitlichen Probleme
haben diese beiden Personen?

b Bei wem würden Sie in diesen
Fällen Hilfe suchen?

☐ bei einem Arzt
☐ bei einem Heilpraktiker
☐ in einer Apotheke
☐ in einer Klinik

2 Rollenspiel: Beim Arzt → AB 177/Ü13

Arbeiten Sie zu zweit. Einer spielt die Ärztin / den Arzt, eine/r die Patientin / den Patienten.
Spielen Sie mithilfe der Redemittel ein Gespräch.

> **Ärztin/Arzt**
> Fragen Sie nach den Beschwerden
> und möglichen Ursachen. Erklären
> Sie Ursache und Therapie. Geben
> Sie Anweisungen, was zu tun ist.

> **Patientin/Patient**
> Überlegen Sie sich ein gesundheit-
> liches Problem und beschreiben Sie
> Ihre Beschwerden. Beantworten Sie
> die Fragen der Ärztin / des Arztes.

11

Fragen nach Beschwerden stellen

„ *Wo tut es Ihnen denn weh?*
Was für eine Art Schmerz ist es denn?
Wie lange haben Sie das schon?
Haben andere in Ihrer Familie das auch? “

nach möglichen Ursachen fragen

„ *Woher könnten Ihre Probleme kommen?*
Welchen Beruf üben Sie aus? “

Ursachen und Therapie erklären

„ *Das kommt vom vielen Sitzen / von der*
Bildschirmarbeit / ...
Das ist eine Allergie/Virus-Infektion/...
Die Ursache für diese Schmerzen ist der
Knochen / der Nerv / der Muskel / ...
Sie bekommen / Ich gebe Ihnen ein/e
Spritze/Schmerzmittel/Rezept. “

Anweisungen geben

„ *Am besten machen Sie das so: ...*
Nehmen Sie die Tabletten ...
Reiben Sie die Stellen ... mit der Salbe ein.
Vermeiden Sie ... / Sorgen Sie für ... “

Beschwerden beschreiben

„ *Hier habe ich einen Ausschlag / rote*
Flecken / mehrere Insektenstiche / ...
Ich leide an Appetitlosigkeit.
Ich habe das / Man sieht das am ganzen
Körper / im Gesicht / hier oben/unten / ...
Es ist ein dumpfer/stechender/pochender/
intensiver/ziehender Schmerz.
Das / Diese Schmerzen habe ich erst seit kurzer
Zeit / schon lange / seit ... “

Fragen nach Ursachen beantworten

„ *Ich habe mich wohl in der Schule / in den*
öffentlichen Verkehrsmitteln / ... angesteckt.
Meine Schwester/... hat(te) das auch (schon).
Zurzeit habe ich viel Stress im Beruf.
Ich sitze den ganzen Tag am PC.
Wahrscheinlich habe ich beim Sport
übertrieben./Ich habe mich beim Sport
verletzt. “

Ich kann jetzt ...   ☺ ☺ ☹
- Symptome sowie verschiedene Arten von Schmerzen beschreiben.   ☐ ☐ ☐
- Fragen zu körperlichen Beschwerden stellen.   ☐ ☐ ☐
- Anweisungen zur Therapie geben.   ☐ ☐ ☐

SCHREIBEN

1 Meinungsäußerungen

Machen Sie eine Blitz-Umfrage im Kurs.

Haben Sie schon einmal …
- einen Leserbrief an eine Zeitung geschickt?
- einen Forumsbeitrag im Internet verfasst?
- einen Beitrag in einem sozialen Netzwerk kommentiert?

Wenn ja, zu welchen Themen? Mit welcher Meinung?   **Wenn nein,** warum nicht?

2 Forumsbeiträge

a   Sehen Sie die drei Fotos an. Was meinen Sie: In welchem Zusammenhang stehen sie wohl mit dem Thema „Krankenversicherung"?

b   Lesen Sie nun einige Forumsbeiträge zum Thema „Versicherungen sollten Risikokunden endlich ausschließen!". Welcher Beitrag unterstützt (+), welcher widerspricht dieser Ansicht (−)? Ergänzen Sie + oder −.

c   Welche Argumente werden dafür jeweils angeführt? Sammeln Sie.

Pommes, Paffen, Paragliding: Versicherungen sollten Risikokunden endlich ausschließen!

Ihre Meinung zählt.

☐ In der Online-Tageszeitung *Weser Kurier* habe ich gelesen, dass die Rentnerin Mathilde K. schon zum zweiten Mal mit einem Schlaganfall in eine Klinik eingeliefert wurde. Beim Aufnahmegespräch im Krankenhaus gab sie an, täglich 30 Zigaretten zu rauchen. Während ihrer Behandlung rauchte sie einfach weiter. Ich finde, das ist ein skandalöses Verhalten. Man sollte Raucher zum Umdenken bewegen, indem man ihre Beiträge zur Krankenversicherung erhöht.   *TheBastian_88*

☐ Kann man nicht endlich mal damit aufhören, auf uns Raucher Druck auszuüben? Ich habe schon dreimal versucht aufzuhören, doch leider hat es bisher nicht geklappt. Natürlich weiß ich, dass Rauchen schädlich ist. Ich würde mir mehr Unterstützung wünschen statt Drohungen.
     ADRIAN-9

☐ In einer Fernsehdokumentation wurde ein übergewichtiger Zehnjähriger gezeigt. Seine Mutter wollte, dass die Versicherung für einen Rollstuhl bezahlt, um ihren Sohn damit zur Schule zu fahren. Also, das wäre doch kontraproduktiv. Dadurch, dass sich der Junge noch weniger statt mehr bewegen würde, würde sich alles nur noch verschlimmern. Hier zeigt sich einmal wieder, wie unvernünftig manche Eltern sein können. Muss die Krankenkasse denn wirklich für einen Rollstuhl bezahlen, wenn Menschen sich falsch verhalten?   *Robert Falkenstein*

☐ Was sollen Eltern heutzutage denn noch alles leisten? Dadurch, dass die Kinder immer mit anderen zusammenkommen, sehen sie halt Süßigkeiten, Softdrinks und schlechte Gewohnheiten bei ihren besten Freunden. Man ändert doch die Menschen nicht, indem man ihnen immer mehr Druck macht.   *JORGI 1991*

☐ Ich bin Fan von Sportarten wie Kitesurfen und Paragliding. Für mich bedeutet es Freiheit, wenn ich durch die Luft gezogen werde. Natürlich ist es nicht ungefährlich, solche Sachen zu machen. Aber dadurch, dass man ständig vom Unfallrisiko spricht, kann man mich nicht davon abhalten.   *B-USSI*

---

3 Modalsätze mit *dadurch, dass, indem* und *durch* → AB 178–179/Ü14–16

GRAMMATIK
Übersicht → S. 156/2

a Wie könnte man Raucher wie Frau K. zum Umdenken bewegen? Ergänzen Sie.

> dadurch, dass · durch · ~~indem~~

   Indem   man ihre Beiträge zur Krankenversicherung erhöht.
   Indem   man ihnen das Rauchen verbietet.
_____ Erhöhung ihrer Versicherungsbeiträge.
_____, _____ man sie nicht behandelt.
_____, _____ man sie aus der Versicherung ausschließt.

b Unterstreichen Sie in a Konnektoren, Präpositionen und das Verb im Satz.

c Wie könnte man Eltern von falsch ernährten Kindern zum Umdenken bewegen?
Verfassen Sie Tipps. Verwenden Sie *dadurch, dass, indem* oder *durch*.

> ~~Rezepte vorschlagen~~ · Essensgutscheine ausgeben · Eltern und Kinder trainieren
> gemeinsam · Süßigkeiten und Softdrinks verbieten · Ernährungsseminare anbieten

> *Dadurch, dass man den Eltern Rezepte vorschlägt.*
> *Indem man ihnen Rezepte vorschlägt.*
> *Durch Rezeptvorschläge.*

4 Schriftlich seine Meinung äußern → AB 179/Ü17

Schreiben Sie als Reaktion auf einen der Fälle aus Aufgabe 2 einen Beitrag im Internetforum.
Gehen Sie mithilfe der Redemittel auf diese Fragen ein:

- Wofür sollte Ihrer Meinung nach die Krankenversicherung (nicht) zahlen?
- Wie begründen Sie Ihren eigenen Standpunkt?

auf Fragen eingehen

„*Ja, ich finde wirklich, man sollte, …*
Es gibt gute Gründe, so zu handeln: …
Nein, ich denke, die Frau auszuschließen,
geht zu weit.
Denken Sie doch mal an die Konsequenzen!
Was wäre, wenn …? "

Standpunkte begründen

„*Man sollte / kann / darf / muss doch (nicht) …*
Es gibt gute Gründe dafür: …
Die Konsequenzen sind doch klar: … "

5 Lesen Sie Ihren Beitrag im Kurs vor.

Welche Meinung hat Sie überzeugt? Warum?

Ich kann jetzt …
- Modalsätze mit *dadurch, dass, indem* und *durch* bilden.
- Diskussionsbeiträge im Internet zu einem gesellschaftlichen Thema schreiben.
- den eigenen Standpunkt begründen.

1 Heilung für Körper und Seele → AB 179/Ü18

a   Viele Menschen suchen Hilfe bei sogenannten alternativen Heilmethoden und Therapien.
Welche Methoden könnten auf den Bildern dargestellt sein? Ergänzen Sie.

_____   _____   _____

b   Lesen Sie die Definitionen und ordnen Sie sie den Methoden zu.

☐ Akupunktur   ☐ Homöopathie   ☑ Irisdiagnose
☐ Wärme- und Kältetherapie   ☐ Pflanzenheilkunde   ☐ Yoga

1 Hier werden Wirkstoffe eingesetzt, die ähnliche Symptome hervorrufen wie die Krankheiten,
gegen die sie wirken sollen. Man nimmt meist stark verdünnte Lösungen oder Kügelchen ein.

2 Gehört zu den ältesten medizinischen Therapien und beschreibt die Vorbeugung und
Behandlung von Krankheiten durch speziell zubereitete Pflanzen.

3 Eine Behandlungstechnik aus der Traditionellen Chinesischen Medizin, bei der man durch
Einstechen von dünnen Nadeln bestimmte Punkte am Körper reizt, um damit einen blockierten
Energiefluss zu regulieren und Beschwerden zu heilen.

4 Hier betrachtet man das Innere des Auges, interpretiert sein Aussehen und mögliche
Veränderungen. Man schließt daraus auf den Gesundheitszustand des gesamten Körpers.

5 Ihre positiven Wirkungen bei Schmerzen und bestimmten Erkrankungen ist seit Jahrhunderten
bekannt. Die sogenannte Kneipp-Therapie setzt beide Arten der Behandlung ein.

6 In der im Westen praktizierten Form ist es meist eine Technik aus Körperhaltungen und
Atemübungen. Das Ziel ist Entspannung und Harmonisierung von Körper und Seele.

c   Kennen Sie eine oder mehrere dieser Methoden? Welche Erfahrungen haben Sie damit gemacht?
Sprechen Sie in Kleingruppen.

über Erfahrungen mit alternativen Heilmethoden berichten

„ _Mit ... habe ich bereits gute/schlechte Erfahrungen gemacht: ..._
... hat mir bei Problemen mit/in ... (nicht) geholfen.
Mit ... kenne ich mich ganz gut / ein bisschen / überhaupt nicht aus. „

nachfragen

„ _Weißt du, ob ... bei ... -beschwerden/-problemen hilft?_
Hat jemand Erfahrung mit ...?
Mich würde interessieren, ob/wie/ ... wirkt?
Ich habe gehört/gelesen, dass ... funktioniert. Stimmt das? „

auf Fragen reagieren

„ _... wirkt ziemlich gut bei .../-beschwerden._
... sollte man auf jeden/keinen Fall bei ... anwenden.
... kann ich persönlich nicht beurteilen, habe aber gehört, dass ... „

Ich kann jetzt ...   ☺ ☺ ☹
 ▪ Definitionen alternativer Heilmethoden verstehen.   ☐ ☐ ☐
 ▪ mich über persönliche Erfahrungen mit solchen Methoden austauschen.   ☐ ☐ ☐

1 **Ein kritischer Beitrag** → AB 180/Ü19

a Der Kinderarzt und Allergologe, Peter Fischer,
verfasste einen Artikel zum Thema
„Alternative Heilmethoden".
Sammeln Sie zu zweit Stichpunkte zu folgenden Fragen.

   ▪ An wen könnte sich dieser Artikel richten?
   ▪ Was würden Sie darin gern erfahren?

b **Lesen Sie den Artikel. Ordnen Sie die Zwischenüberschriften den Absätzen zu.**

   ☐ Schulmedizin, Naturmedizin oder Alternativmedizin?   ☐ Vorsicht vor falschen Versprechungen
   ☐ Überlegungen zur Wahl der Heilmethode   ☐ Risiken alternativer Methoden

Alternative Heilmethoden

**Erkrankungen bei Kindern und Jugendlichen, wie Allergien, Neurodermitis und Asthma
sind chronische Erkrankungen, die zu starken Belastungen führen und nicht in kurzer Zeit
geheilt werden können. Eltern wollen meist alles unternehmen, um ihrem Kind zu helfen
und sehen sich neben der Schulmedizin auch nach alternativen Heilmethoden um.**

5

[1] (Natur)wissenschaftliche Medizin und Naturheilkunde entspringen beide dem verständlichen
Wunsch, möglichst nebenwirkungsfrei zu heilen. Die Erfahrung hat gezeigt, dass bestimmte
Methoden Erfolg versprechender sind als andere. Eine Heilmethode gilt dann als wirksam,
wenn der Erfolg nicht nur bei einem bestimmten Menschen eintritt, sondern bei möglichst
vielen Patienten überprüfbar und wiederholbar ist. Die klassischen Naturheilverfahren verwenden natürliche Mittel, die sich seit Langem bewährt haben und deren Wirksamkeit von
der wissenschaftlichen Medizin anerkannt ist. Eine ganze Reihe klassischer Naturheilverfahren steht daher nicht im Gegensatz zur Schulmedizin, sondern ist in sie integriert. Sogenannte „alternative Verfahren" bedienen sich jedoch Methoden, die von der naturwissen-
schaftlichen Medizin abweichen.

10

15

[2] Ihre Anbieter liefern oft einfache Erklärungen für Erkrankungen und versprechen schnelle
und endgültige Heilung, ohne dies objektiv begründen zu können. Im Gegensatz dazu deckt
die wissenschaftliche Medizin immer komplexere Ursachen auf. Die Versuchung, sich mit ein-
facheren Erklärungen zufriedenzugeben, liegt nahe. Nicht alles, was das Etikett „natürlich"
trägt, ist auch harmlos und gesund. Man bedenke nur, dass die meisten Allergieauslöser wie
Pollen, Nahrungsmittel oder Insektengift keine künstlichen, sondern natürliche Stoffe sind.

20

[3] Man hört oft das Argument, die Anwendung alternativer Methoden könnte ja zumindest
nicht schaden. Auch dies gilt nur mit Einschränkungen: Alternative Methoden neigen zum
Beispiel dazu, fälschlicherweise zu viele und gar nicht vorhandene Allergien zu diagnosti-
zieren. Diese werden dann angeblich rasch und natürlich wieder geheilt. Oder ein Kind muss
bei angeblichen Nahrungsmittelallergien auf sehr viele Nahrungsmittel verzichten, ohne
dass ihm damit geholfen wird. Dies kann bis hin zur Mangelernährung führen. Auch alternative Medikamente sind nicht grundsätzlich harmlos. Bei manchen alternativen Medika-
menten sind die Inhaltsstoffe unzureichend deklariert. Viele homöopathische Medikamente
enthalten 40-prozentigen Alkohol, der auch in kleinen Mengen nicht an Kinder verabreicht
werden sollte.

25

30

[4] Bei der Suche nach der richtigen Heilmethode sollten Sie folgende Punkte berücksichtigen:
   ▪ Bewerten Sie jede Methode – ob schulmedizinisch oder alternativ – mit demselben kriti-
     schen Maßstab.
   ▪ Anstatt unerprobte Therapiemethoden anzuwenden, sollte man eher leichte Krankheits-
     symptome akzeptieren.

35

- Besonders kritisch sollten Sie sein, wenn eine Methode nur von wenigen Behandlern angewendet wird, wenn Sie sich ganz schnell für eine teure Therapie entscheiden sollen oder Sie aufgefordert werden, alle anderen laufenden Therapien abzubrechen.
- Setzen Sie den gesunden Menschenverstand ein, anstatt dass Sie einer Ideologie anhängen. Sonst könnte die einzige Wirkung von alternativen Diagnose- oder Heilmethoden ein leerer Geldbeutel sein.

40

2 Meinungsäußerung

a Unterstreichen Sie passende Textstellen zu den Aspekten/Fragen.
Markieren Sie dabei Wörter, mit denen eine Meinung geäußert wird, farbig.

- den Wunsch, die Ursachen von Krankheiten zu ergründen und sie schnell zu heilen p
- die Wirksamkeit klassischer Naturheilverfahren ☐
- die Erklärungen, mit denen „alternative Verfahren" begründet werden ☐
- die Vorstellung, dass „alternative" Heilmethoden auf keinen Fall schaden können ☐
- das Versprechen, einen Patienten mit teuren Therapien komplett zu heilen ☐

b Entscheiden Sie, ob der Autor den Aspekt in a positiv (= p) oder negativ bzw. skeptisch (= n) bewertet und ergänzen Sie.

> **Meinungen in Texten verstehen**
> *In Meinungstexten wird kritisch zu einem Thema Stellung genommen. Der Autor versucht in seiner Argumentation, Probleme aufzuzeigen. Es lässt sich oftmals an der Wortwahl erkennen, an welchen Punkten der Autor Kritik äußert.*

11

3 Modalsätze mit *ohne ... zu, ohne dass, ohne* sowie *(an)statt ... zu, (an)statt dass, (an)statt* (+ Genitiv) → AB 180–182/Ü20–22

GRAMMATIK
Übersicht → S. 156/2

a Ergänzen Sie die beiden Varianten zu folgendem Satz.

*Ihre Anbieter versprechen schnelle Heilung, **ohne** dies objektiv begründen **zu** können.* (Zeile 16/17)

1 Ihre Anbieter versprechen schnelle Heilung, **ohne dass** sie _____ können.
2 Ihre Anbieter versprechen schnelle Heilung **ohne** _____ Begründung.

b Lesen Sie folgenden Satz aus dem Text. Was bedeutet er? Markieren Sie.

***Anstatt** unerprobte Therapiemethoden anzuwenden, sollte man eher leichte Krankheitssymptome akzeptieren.* (Zeile 35/36)

Man sollte ...
1 ☐ ruhig unerprobte Therapiemethoden anwenden, aber auch leichte Krankheitssymptome akzeptieren.
2 ☐ keine unerprobten Therapiemethoden anwenden, sondern lieber leichte Krankheitssymptome akzeptieren.

c Ergänzen Sie die Varianten zu dem Satz in b.

1 Anstatt dass man _____, sollte man eher leichte Krankheitssymptome akzeptieren.
2 Statt der Anwendung _____ sollte man eher leichte Krankheitssymptome akzeptieren.

Ich kann jetzt ...   ☺ ☺ ☹
- die Hauptpunkte eines kritischen Beitrags zu alternativen Heilmethoden verstehen. ☐ ☐ ☐
- die Meinung des Autors zu einzelnen Aspekten des Themas erkennen. ☐ ☐ ☐
- Modalsätze bilden. ☐ ☐ ☐

SEHEN UND HÖREN

1 Berufsvorstellung

Könnten Sie sich vorstellen, in einem medizinischen
Beruf zu arbeiten? In welchem? Warum? Wo?

> Ärztin/Arzt · Krankenschwester/pfleger ·
> medizinisch-technische/r Assistent/in · Psychiater/in ·
> Praxisassistent/in · Apotheker/in · ...

> in einem Krankenhaus · in einer Praxis · in einem Labor

2 Informationsfilm „Pflege tut gut" → AB 182/Ü23

a **Was erwarten Sie von einem Film mit diesem Titel?**

b **Sehen Sie den Film <u>ohne Ton</u> an. Bilden Sie drei Gruppen und machen Sie Notizen.**

Räume/Orte	Objekte im Krankenhaus	Tätigkeiten
der Gang/Korridor	der Wagen	Patienten wecken, waschen Werte notieren

c **Vergleichen und ergänzen Sie zunächst Ihre Notizen in Ihrer Gruppe. Tauschen Sie sich dann
mit den anderen Gruppen aus und ergänzen Sie deren Notizen in der Tabelle.**

d **Sehen Sie den Film nun <u>mit Ton</u> in Abschnitten an.**

Abschnitt 1

1 Welchen Tagesablauf beschreibt Ina Stanger? Bilden Sie eine Reihenfolge.

- ☐ die Medikamente kontrollieren
- ☐ die Übergabe vom Nachtdienst
- ☐ die Patienten werden geweckt, manche gewaschen
- ☑ Schichtbeginn um 6 Uhr
- ☐ Teambesprechung

2 Warum ist Ina Stanger Krankenschwester geworden? Notieren Sie.

Abschnitt 2

1 Welche Charaktereigenschaften sind für Pflegeberufe wichtig? Markieren Sie.

☐ Teamfähigkeit ☐ Flexibilität ☐ Karrierebewusstsein ☐ Organisationstalent

2 In welchem Verhältnis stehen Pflege und Medizin laut dem Chefarzt? Markieren Sie.

- ☐ Ärzte schätzen die Arbeit des Pflegepersonals mehr.
- ☐ Pfleger haben mehr Aufgaben als früher.
- ☐ Sowohl Pfleger als auch Ärzte arbeiten mehr als früher.

3 „Ohne die Pfleger würden die Patienten hier nicht so gut rausgehen." Was ist damit gemeint?

3 Vergleichen Sie mit Ihrem Heimatland. → AB 183/Ü24

Wo gibt es Unterschiede bei der Arbeit des Pflegepersonals in einem Krankenhaus?

Ich kann jetzt ...	☺	☺	☹
▪ den Inhalt eines Informationsfilms über Pflegeberufe verstehen.	☐	☐	☐
▪ Aufgaben und Tätigkeiten in einem Krankenhaus benennen.	☐	☐	☐
▪ über die Arbeit von Pflegepersonal in meinem Heimatland berichten.	☐	☐	☐

11

1 Indefinitpronomen ← S. 146/2; 148/3

a Funktion

Indefinitpronomen verwendet man, wenn man über unbestimmte oder nicht näher bekannte Sachen bzw. Personen spricht oder schreibt.

b Formen

	Singular				
Nominativ	man	(irgend)jemand	niemand		
Akkusativ	einen	(irgend)jemand(en)*	niemand(en)*	(irgend)etwas	nichts
Dativ	einem	(irgend)jemand(em)*	niemand(em)*		

	Singular	Plural
Nominativ	(irgend)einer, -e, -s	(irgend)welche
Akkusativ	(irgend)einen, -e, -s	(irgend)welche
Dativ	(irgend)einem, -er, -em	(irgend)welchen

	Singular	Plural
Nominativ	keiner, -e, -s	keine
Akkusativ	keinen, -e, -s	keine
Dativ	keinem, -er, -em	keinen

* Die Endungen bei Akkusativ und Dativ bei *(irgend)jemand* und *niemand* können weggelassen werden.
Statt des Genitivs, z. B. *irgendjemandes*, wird meist Dativ verwendet: *von irgendjemand(em)*

Indefinitpronomen werden – außer im Nominativ – dekliniert wie ein Artikel.

Wenn ihr irgendjemand**en** / ein**en** Teilnehmer aus unserem Kurs seht, gebt Bescheid.

2 Modale Zusammenhänge ← S. 151/3, 154/3

Modale Konnektoren und Präpositionen drücken aus, auf welche Art und Weise etwas geschieht oder getan wird. Modalsätze werden verbal mit Konnektoren oder nominal mit Präpositionen gebildet. Dabei sind nominale Ausdrücke mit Präpositionen typisch für die Schriftsprache.

Verbal		Nominal	
Konnektor	**Beispiel**	**Präposition**	**Beispiel**
dadurch, dass	Man könnte Raucher vielleicht dadurch beeinflussen, dass man sie aus der Versicherung ausschließt.	durch + Akkusativ	**Durch** einen Ausschluss aus der Versicherung könnte man Raucher vielleicht beeinflussen.
indem*	Man kann sich das Rauchen abgewöhnen, indem man ein spezielles Pflaster verwendet.		**Durch** Verwendung eines speziellen Pflasters kann man sich das Rauchen abgewöhnen.
ohne dass	Die Anbieter versprechen schnelle Heilung, **ohne dass** sie dies objektiv begründen.	ohne + Akkusativ	Die Anbieter versprechen schnelle Heilung **ohne** objektive Begründung.
ohne ... zu	Die Anbieter versprechen schnelle Heilung, **ohne** dies objektiv zu begründen.		
(an)statt dass	Man sollte sich mehr bewegen, **(an)statt dass** man ständig am Computer arbeitet.	statt + Genitiv	**Statt** der ständigen Arbeit am Computer sollte man sich mehr bewegen.
(an)statt ... zu	Man sollte sich mehr bewegen, **(an)statt** ständig am Computer zu arbeiten.		

* *indem* kann nur verwendet werden, wenn die Subjekte im Haupt- und Nebensatz gleich sind.

12

SPRACHE UND REGIONEN

1 Ein Porträt → AB 187/Ü2

a Sehen Sie das Foto an. Arbeiten Sie zu dritt. Beschreiben Sie den Mann.

> Alter • Nationalität • Wohnort • Muttersprache • Beruf •
> Hobby • Sport • Lebenstraum • Lebensmotto • Talent

b Was glauben Sie, warum man über diesen Mann in der Presse berichtet?
Verfassen Sie eine Bildunterschrift.

c Lesen Sie Ihre Bildunterschrift im Kurs vor und vergleichen Sie.

1 Ein Fluss verbindet Länder und Regionen.

  a Sehen Sie sich die Karte an.
     Wie viele Länder werden vom Rhein „berührt"?

  b Berichten Sie.

     ■ Was wissen Sie über den Rhein und die Regionen,
       durch die er fließt?
     ■ Waren Sie schon einmal am Rhein? Wo genau?
       Wie sieht die Landschaft aus?

2 Projekt „Das blaue Wunder"

  a Hören Sie die Einleitung einer Radioreportage.
     Welches Projekt wird vorgestellt?

  b Hören Sie nun die Reportage.
     Notieren Sie Informationen und
     vergleichen Sie dann zu dritt.

     1 Von wo bis wo möchte Ernst Bromeis schwimmen?
     2 Wie lang ist die gesamte Strecke?
     3 Wie ist die Wassertemperatur?
     4 Welche Ausrüstung braucht der Schwimmer?
     5 Wie lang sind die täglichen Etappen?
     6 Was passiert, wenn der Schwimmer eine Pause macht?

3 Ziel und Scheitern → AB 188/Ü3

  a Hören Sie die Reportage noch einmal. Worüber sprechen die Personen? Markieren Sie.

     Sie sprechen über …

> ☐ Wasser als Ressource · ☐ das Training als Vorbereitung · ☐ wasserscheue
> Menschen · ☐ die Motive von Bromeis · ☐ Schwimmen als Erfahrung ·
> ☐ die Familie von Bromeis · ☐ das Team von Bromeis · ☐ die Reaktion der Presse

  b Warum hat Bromeis sein Projekt abgebrochen?

  c Ergänzen Sie die Zusammenfassung der Reportage.

> Schwimmer · Aktion · Extremsport · Herausforderung · hinunterschwimmen ·
> Mündung · zum Nachdenken bringen · niedrig · Wasser · Projekt

     1 Der Schweizer Ernst Bromeis plante eine spektakuläre _____ .
     2 Er wollte den gesamten Rhein _____ .
     3 1200 Kilometer von der Quelle bis zur _____ .
     4 Das war eine große sportliche _____ .
     5 Leider scheiterte der _____ .
     6 Die Wassertemperaturen waren einfach zu _____ .
     7 Bromeis ging es nicht nur um den _____ .
     8 Wichtig war ihm auch der Respekt für das Element _____ .
     9 Deshalb wählte er „Das blaue Wunder" als Namen für sein _____ .
     10 Er wollte die Menschen _____ .

12

4 Sprachliche Unterschiede im Deutschen

C36 Hören Sie Auszüge aus der Reportage noch einmal. Welche Person haben Sie am besten verstanden?
CD 2 Vergleichen Sie die Aussprache der Sprechenden.

5 Projekt

Kennen Sie noch andere regionale Sprachvarianten des Deutschen? Nehmen Sie Personen,
die Sie kennen, auf oder suchen Sie im Internet Hörbeispiele. Präsentieren Sie sie im Kurs.

6 Gibt es solche Unterschiede in der Aussprache auch in Ihrer Sprache?

> *Wussten Sie schon?* → AB 189/Ü4
> *In der Schweiz ist Deutsch neben Französisch, Italienisch und Rätoromanisch eine der vier Landessprachen. Schweizer verwenden ihre helvetische Varietät des Hochdeutschen hauptsächlich in geschriebenen Texten und z. B. auch in Informationssendungen im Fernsehen und im Radio sowie in der Kommunikation mit Ausländern. Der Uhrenkonzern Swatch betrat in dieser Hinsicht 2013 Neuland. Er veröffentlichte seinen Geschäftsbericht nicht nur auf Hochdeutsch, sondern auch auf Schweizerdeutsch. Die Präsidentin des Unternehmens bezeichnete diese Aktion als positive Provokation. Andere Schweizer sehen darin einen Beweis, dass Schweizerdeutsch in ihrem Land sehr lebendig ist.*

7 Erweitertes Partizip → AB 189–191/Ü5–8

GRAMMATIK
Übersicht → S. 170/1

12

a **Unterstreichen Sie die Wörter, die etwas näher beschreiben.**

Für mich ist der schnell sprechende Reporter ein echtes Problem.
Am liebsten höre ich dem langsam sprechenden Schweizer zu.
Die leicht anders klingenden Vokale finde ich sehr schön.

b **Schreiben Sie die Ausdrücke in erweiterte Partizipien um.**

1 Zuschauer, die applaudieren → *applaudierende Zuschauer*
2 Zuschauer, die begeistert applaudieren → _____
3 Rechnungen, die bezahlt wurden → _____
4 Rechnungen, die schon lange bezahlt wurden → _____

c **Welche Sätze aus b haben folgende Bedeutung? Ergänzen Sie.**

- Nicht abgeschlossen, aktive Bedeutung: Sätze _____
- Abgeschlossen, passive Bedeutung: Sätze _____

d **Sagen Sie es anders.**

1 der Junge, der ständig telefoniert — *der ständig telefonierende Junge*
2 das Mädchen, das SMS schreibt
3 E-Mails, die in Schweizerdeutsch verfasst werden
4 Sprecher, die Silben verschlucken
5 eine Sprache, die in kurzer Zeit gelernt wurde
6 eine Sprache, die verloren gegangen ist

Ich kann jetzt ...   ☺ ☺ ☹
- im Radio eine Reportage über Ziel und Erfolg eines Projekts verstehen. ☐ ☐ ☐
- deutschsprachige Schweizer verstehen, wenn sie Hochdeutsch sprechen. ☐ ☐ ☐
- mit Partizipien etwas präzise und knapp beschreiben. ☐ ☐ ☐

SPRECHEN

1 Der Rhein als touristisches Ziel → AB 191–192/Ü9–10

Stellen Sie sich vor: Sie beraten ein Tourismusunternehmen. Dabei geben Sie Anregungen, wie man das Reiseangebot auf die Bedürfnisse Ihrer Landsleute abstimmen kann. Sie sollen Ihre Ideen in einer Präsentation der Marketingabteilung vorstellen. Arbeiten Sie in Gruppen.

Schritt 1: Zielgruppe und Aktivität wählen

1 Wählen Sie eine Zielgruppe, für die Sie einen Reisevorschlag ausarbeiten.

> Abenteuerlustige · Senioren · Erholungsbedürftige · Familien ·
> historisch Interessierte · Sportbegeisterte · Singles · ...

2 Sehen Sie die Bilder an. Beschreiben Sie sie kurz.

3 Zu welcher der folgenden Touren passen die Fotos? Ordnen Sie zu.
☐ Wo der Rhein entspringt: der Tomasee
☐ Schlösser und Burgen
☐ Fahrradtour den Rhein entlang
☐ Im Kanu den Rhein hinunter
☐ Auf dem Schiff den Fluss entdecken

4 Wählen Sie nun für Ihre Zielgruppe einen der Vorschläge aus 3.

Schritt 2: Stoffsammlung und sprachliche Gestaltung

Recherchieren Sie zu Ihrem Reisevorschlag. Arbeiten Sie diese Teilaspekte aus:
- Aktivitäten
- Möglichkeiten zum Entspannen
- Ausrüstung: Fahrrad, Kanu, Bergsteigerausrüstung, Badekleidung, ...
- Verkehrsmittel: Zug, Schiff, Leihwagen, ...
- Verpflegung
- Übernachtung und Unterkünfte

Schritt 3: Material für die Zuhörer

Erstellen Sie ein Handout mit wichtigen Stichpunkten, das an alle Zuhörer verteilt wird. Es soll ihnen das Zuhören erleichtern und Informationen zu den Aspekten von Schritt 2 übersichtlich auflisten.

SPRECHEN

Schritt 4: Präsentation

1 Stellen Sie Ihren Reisevorschlag im Kurs vor.
2 Begründen Sie, was an dieser Reise der Höhepunkt ist und warum sie besonders interessant ist.
3 Die Zuhörer fragen nach, wenn etwas unklar ist.

eine Zielgruppe benennen und charakterisieren

„ *Wir haben als Zielgruppe ... gewählt.*
In unserem Heimatland gibt es sehr viele ..., die gern einmal ...
Für sie wäre besonders wichtig, dass sie ... können.
Folgender Reisevorschlag ist für diese Zielgruppe geeignet: ... **„**

den Inhalt eines Reisevorschlags präsentieren

„ *Es gibt eine Fülle von Aktivitäten: ...*
Täglich bieten wir ein Programm mit vielen Angeboten zum Entspannen: ...
Die Ausrüstung bringen die Gäste mit / wird gestellt.
Wir reisen hauptsächlich/ausschließlich mit ...
Frühstück gibt es ... Das Mittagessen wird ... eingenommen.
Zum Abendessen laden wir die Gäste zu ... Spezialitäten ein.
Die Gäste übernachten in einem/einer ... **„**

nachfragen

„ *Zu einem Punkt hätte ich noch eine Frage.*
Könntet ihr bitte noch einmal sagen/erklären, ...
Einen Punkt habe ich nicht ganz verstanden. Warum ...? / Wie ...? **„**

Schritt 5: Feedback

1 Lesen Sie die Kriterien für eine Beurteilung und markieren Sie für jeden, der eine Präsentation gemacht hat, Ihre Beurteilung in der Tabelle. (☺ = super / ☺ = gut / ☹ = nicht so gut)

Verständlichkeit	☺	☺	☹
Inhalt (ausreichende Informationen)	☺	☺	☹
Aufbau (Inhalt gut geordnet)	☺	☺	☹
Sprache (Wörter, Sätze korrekt)	☺	☺	☹
Sprechweise (Aussprache, Lautstärke, Tempo)	☺	☺	☹
Körpersprache (angenehm, passend)	☺	☺	☹
Medieneinsatz (Bilder, Handout, Folien)	☺	☺	☹

2 Geben Sie sich gegenseitig Feedback.

Feedback geben / etwas bewerten

„ *Das war eine sehr interessante Präsentation.*
Eure Präsentation hat mir ausgezeichnet gefallen.
Bei eurer Präsentation fand ich besonders ... interessant.
Wo ihr euch noch verbessern könntet, ist bei der/dem ... **„**

Ich kann jetzt ...   ☺   ☺   ☹
- eine Präsentation über ein touristisches Ziel erstellen und vortragen.   ☐   ☐   ☐
- gezielt nachfragen.   ☐   ☐   ☐
- Feedback zu einem mündlichen Vortrag geben.   ☐   ☐   ☐

WORTSCHATZ

1 Wanderung von Wörtern → AB 192–194 / Ü 11–13

a Sehen Sie die Zeichnung an. Ordnen Sie die Wörter den Erklärungen zu.

der Kaffee • das Sakko • die Krawatte • ~~der Strudel~~ • der Schal • das Schlagobers • türkis

12

1

Die Bezeichnung dieser Farbe kommt vom gleichnamigen Edelstein, der auf Französisch **turquoise** heißt, also *türkisch*. Vermutlich
5 kamen die ersten dieser Schmucksteine aus der Türkei nach Frankreich. Von dort gelangte das Wort ins Deutsche.

2

Diese Zutat zu vielen Desserts, Kuchen und
10 Torten ist ein österreichisches Wort. In Deutschland sagt man dazu *Sahne*. Der Austriazismus ist auf dem Balkan verbreitet. In Bosnien, Kroatien und Serbien gibt es das Wort **šlag**.

3

15 Stammt vom altfranzösischen **jacque** ab, was sich mit *Waffenrock* übersetzen lässt. Dieselbe Wurzel haben das *Jackett* und die *Jacke*.

4

Der Begriff entstand, als kroatische Soldaten im Dreißigjährigen Krieg zur Unterstützung nach
20 Paris kamen. Dort fielen sie durch ihre eleganten Halstücher auf, die bald zur Mode **à la croate** wurden.

5 der Strudel

Dieses Gericht kam vermutlich aus Asien wäh-
25 rend der türkischen Belagerung nach Wien. Der deutsche Begriff breitete sich in der gesamten österreichisch-ungarischen Monarchie aus und ist bis heute im Kroatischen als **štrudl**, **štrudla** und **štrudle**, im Bosnischen und Serbischen
30 als **strudia** oder im Tschechischen als **strudi** verbreitet.

6

Hat zwei mögliche etymologische Ursprünge: von der äthiopischen Region **kaffa**, wo die
35 Pflanze herkommen soll, oder vom Arabischen **gahwa**, was auch Wein bezeichnete. In jedem Fall wanderte das Wort über das türkische **kahve** nach Europa ein.

7
40

Hat seinen Namen vom persisch/arabischen **chalat**. Ursprünglich war er ein Umhang für den ganzen Körper. Erst nach seiner Ankunft in Europa schrumpfte er und wurde zum heute
45 üblichen Accessoire.

b Welche deutschen Wörter sind in Ihre Sprache eingewandert? Sammeln Sie.
Erklären Sie mögliche Bedeutungsänderungen.

*Das deutsche Wort „Kindergarten"
bezeichnet eine Tagesstätte für Kinder im Alter
zwischen drei und sechs Jahren. Ins Englische muss es schon
vor vielen Jahrzehnten eingewandert sein. Vielen ist gar
nicht bewusst, dass es ein fremdes Wort ist.*

2 Missverständnisse

C37
CD 2

a Sehen Sie die Bilder an und hören Sie die Gespräche. In welchem Land finden diese Szenen statt? In Deutschland? In Österreich? In der Schweiz? Erklären Sie die Missverständnisse.

1

2

Die erste Szene könnte vielleicht in Österreich spielen. Vermutlich geht es um die Sitzgelegenheit. Der einfache Holzstuhl passt für Deutsche irgendwie nicht zu dem Wort „Sessel", das Österreicher verwenden.

3

4

12

b Wie heißt das in Deutschland? Ergänzen Sie.

anfassen • die Aprikose • eventuell, möglich • ~~das Fahrrad~~ • grillen • der Junge • parken • der Quark • ~~das Rührei~~ • die Tagesordnungspunkte • die Tomate • umziehen

Österreich	Deutschland
die Eierspeis(e)	das Rührei
der Bub	
angreifen	
der Paradeiser	
die Marille	
der Topfen	

Schweiz	Deutschland
parkieren	
das Velo	das Fahrrad
zügeln	
grillieren	
die Traktanden (pl.)	
allfällig (auch österr.)	

c Kennen Sie noch weitere Beispiele für unterschiedliche Wörter mit der gleichen Bedeutung in den deutschsprachigen Ländern und Regionen? Sammeln Sie.

Wussten Sie schon? → **AB 194/Ü14**
Es gibt einige Unterschiede bei dem Wortschatz, der in Deutschland, Österreich, der Schweiz und Liechtenstein verwendet wird. In Österreich z.B. verwendet man für das in Deutschland übliche Wort Rührei das Wort Eierspeis(e). In der Schweiz sagt man zum Fahrrad Velo. Im „Variantenwörterbuch des Deutschen" sind alle unterschiedlichen Wörter und Wendungen für die deutschsprachigen Länder aufgelistet und erklärt.

Ich kann jetzt …   😊 🙂 🙁
- Erklärungen zur Herkunft von Wörtern verstehen.   ☐ ☐ ☐
- Bedeutung und Hintergrund von Fremdwörtern in der eigenen Sprache erläutern.   ☐ ☐ ☐
- spezifische Wörter aus Österreich und der Schweiz verstehen.   ☐ ☐ ☐

1 Sprache im Alltag – regionale Unterschiede → AB 194/Ü15

a Lesen Sie die Aussagen von Menschen auf den Straßen von Hannover.
Welche Fragen hat der Reporter den einzelnen Personen wohl gestellt?

„Bei uns hier in Hannover soll man ja das beste Hochdeutsch in Deutschland sprechen. Meiner Meinung nach stimmt das auch."

„Ein Dialekt wird in Hannover nicht gesprochen. Aber im Umland von Hannover sprechen viele noch das niedersächsische Plattdeutsch."

„Sicherlich gibt es auch bei uns Dinge, die man nur in Hannover sagt. Allerdings hört man immer weniger typische regionale Besonderheiten."

„Wie in anderen Städten sprach man früher hier einen eigenen regionalen Dialekt. Aber die Jugend spricht nur noch Hochdeutsch. Und ‚Denglisch'!"

b Lesen Sie nun den ersten Absatz eines Beitrags in einem Magazin für Deutschlernende.
Haben Sie etwas Ähnliches auch schon erlebt? Sammeln Sie im Kurs.

Hochdeutsch, was ist das eigentlich?

Wer einen Deutschkurs besucht, lernt erst einmal Hochdeutsch. Aber in Wirklichkeit spricht
das kaum einer. Das merken Deutschlernende spätestens beim ersten Aufenthalt in Deutschland. Haben sie im Kurs beispielsweise „Guten Tag" gelernt, so werden sie auf der Straße ganz
anders angesprochen: mit „Grüß Gott", „Moin, Moin" oder „Tach auch". Viele fragen sich daher: 5
Kann es sein, dass niemand Hochdeutsch spricht? Wurde diese Sprache vielleicht nur entwickelt, um den Deutschlernenden ein klares, einfaches Deutsch zum Lernen anzubieten?

c Lesen Sie nun den Artikel. Ordnen Sie den Abschnitten die Überschriften zu.

Hochdeutsch als gemeinsame Sprache   Die Entstehung des Hochdeutschen

Hochdeutsch – eine künstliche Sprache?   Die Zukunft der Dialekte

A

Was wir im Theater, Fernsehen oder Radio hören und was beispielsweise die Nachrichten-
sprecher sprechen, ist Hochdeutsch. Diese Sprache hat sich nicht natürlich entwickelt wie 10
die Dialekte, die auch Mundarten genannt werden. Während Dialekte über sehr lange Zeiträume gewachsen sind, wurde das Hochdeutsche als überregionale Norm geschaffen.

B

Der Entwicklungsprozess begann mit dem Reformator Luther (1483–1546). Er hat als Erster die
Bibel aus dem Lateinischen ins Deutsche übersetzt. Dabei beeinflusste seine Sprache – näm- 15
lich das Sächsische – die Bibelübersetzung. Ein weiterer Meilenstein für die Verbreitung des
Hochdeutschen als Schriftsprache war die Erfindung des Buchdrucks durch Johannes Gutenberg. Durch die neue Drucktechnik konnte die übersetzte Bibel weit verbreitet werden.

In den Jahrhunderten nach Luther und Gutenberg hatte Preußen, also der Norden des heutigen Deutschlands, eine historisch wichtige Stellung. Dadurch wurden die Residenzstädte 20
des jetzigen Niedersachsens bedeutend, z. B. Hannover und Braunschweig. Das dort gesprochene Deutsch bekam Vorbildfunktion über seine Grenzen hinaus. Im Gegensatz dazu blieben
die Sprachvarianten der anderen Regionen geografisch stark begrenzt.

C

Alle Menschen im deutschsprachigen Raum mit Deutsch als Muttersprache können Hoch-   25
deutsch verstehen. Dagegen gibt es – vor allem in ländlichen Regionen – Menschen, die es
nur selten oder gar nicht benutzen, da sie normalerweise ihren Dialekt sprechen.
Das Hochdeutsche ist vor allem eine einheitliche Schriftsprache. Wie es richtig geschrieben
werden sollte, setzte Konrad Duden in seinem „Orthographischen Wörterbuch" (1880) zum
ersten Mal fest. Heute bestimmt das der sogenannte „Rechtschreibrat".   30

D

Die Vielfalt der Mundarten wird sicherlich weiter bestehen bleiben. Besonders in der gesprochenen Sprache. Dialekte werden als regionale Varianten vor allem auf dem Land weiter
gesprochen werden.

d **Ergänzen Sie.**

1 Die Entwicklung des Hochdeutschen begann mit der _Bibelübersetzung._
2 Wichtig für dessen Verbreitung war die Erfindung des Buchdrucks durch _____.
3 Die Sprache der Residenzstädte im heutigen Niedersachsen wurde zum _____.
4 Das Hochdeutsche ist das Ergebnis einer historischen _____.
5 Eine Rolle spielten auch Orthografie-Lexika wie die von _____.

2 Wie ist das in Ihrer Sprache?

**Unterhalten Sie sich. Gibt es auch in Ihrer Sprache neben der schriftlichen Norm Dialekte
im mündlichen Gebrauch?**

3 Adversativsätze → AB 195–196/Ü16–19

GRAMMATIK
Übersicht → S. 170/2

a **Welche Bedeutung haben die Konnektoren in den folgenden Sätzen?
Markieren Sie.**

☐ Alternative ☐ Gegensatz ☐ Aufzählung

- *__Während__ die regionalen Dialekte über sehr lange Zeiträume gewachsen sind, wurde das
  Hochdeutsche als überregionale Norm geschaffen.*
- *Das dort gesprochene Deutsch bekam Vorbildfunktion über Preußens Grenzen hinaus.
  __Im Gegensatz__ dazu blieben die Sprachvarianten der anderen Regionen geografisch stark begrenzt.*
- *Alle Menschen im deutschsprachigen Raum können Hochdeutsch verstehen. __Dagegen__ gibt es
  Menschen, die es nur selten oder gar nicht benutzen.*

b **Schreiben Sie die Sätze anders.**

*Jugendliche in deutschen Großstädten sprechen fast nur noch Hochdeutsch.
Auf dem Land wird man auch in Zukunft noch Dialekt hören.*

- Jugendliche in deutschen Großstädten sprechen fast nur noch Hochdeutsch. Dagegen …
- Während Jugendliche in deutschen Großstädten …
- Im Gegensatz zu den Menschen auf dem Lande …

Ich kann jetzt …   ☺ ☺ ☺
- einem Fachartikel Informationen über die Geschichte der deutschen
  Sprache entnehmen.   ☐ ☐ ☐
- eine Zusammenfassung des Textes sachlich richtig ergänzen.   ☐ ☐ ☐
- adversative Nebensätze verstehen und anwenden.   ☐ ☐ ☐

12

1 Zweisprachigkeit

a **Machen Sie eine Blitz-Umfrage im Kurs.**
Haben Sie Zwei- oder Mehrsprachigkeit selber erlebt?

- Aus welcher Stadt/Region stammen Sie?
- Welche Sprache(n) sprechen Sie mit Ihren Eltern?
- Welche Sprache(n) sprechen Sie mit Ihren Freunden?
- Was wurde im Schulunterricht gesprochen?
- Was wird in den Medien gesprochen?

b **Sammeln Sie die Ergebnisse in dieser Übersicht.**

Heimatstadt/Region	Im Schulunterricht wurde ... gesprochen.	Ich spreche mit meiner Familie und mit Freunden ...	Im Radio und Fernsehen hört man ...
Barcelona / Katalonien	Katalanisch und Spanisch	Katalanisch	Katalanisch und Spanisch

2 Vor- und Nachteile von Zweisprachigkeit  → AB 197/Ü20

Lesen Sie die Argumente von der Webseite „Bilingual erziehen".
Markieren Sie Aspekte, die Sie besonders überzeugen.

BILINGUAL ERZIEHEN

Erfahrungen und Tipps

Herzlich willkommen ...

auf unserer Webseite zu Fragen rund um das Thema der mehrsprachigen Erziehung und der zweisprachigen
5 Kinder. Hier finden Eltern aus verschiedenen Kulturen, oder Eltern, die im Ausland leben, viele Anregungen.

Vorab die meist genannten Vor- und Nachteile zweisprachiger Erziehung:

Vorteile

- Kinder, die mit zwei oder mehreren Sprachen
aufwachsen, können diese so gut beherrschen wie
10 Menschen, die mit einer Sprache aufwachsen.
- Zweisprachige Kinder haben meistens Vorteile
beim Erlernen weiterer Sprachen.
- Kinder, die zweisprachig erzogen werden, können
Informationen von einer Sprache auf die andere
15 übertragen. Dadurch ist es ihnen möglich, ihr
Vokabular auszubauen.
- Kinder, die zwei oder mehrere Sprachen erlernen,
haben signifikante Vorteile im Wettbewerb
um Stellen auf dem Arbeitsmarkt. Vor allem
20 in Ämtern werden zunehmend zweisprachige
Angestellte gesucht.
- Kinder, die mit verschiedenen Sprachen aufwach-
sen, haben auch als Erwachsene ein besonderes
Gespür für kulturelle Unterschiede.

Nachteile 25

- Kinder, die zweisprachig aufwachsen, laufen
Gefahr, keine Sprache richtig zu beherrschen.
Damit können diese Heranwachsenden unter
Umständen Probleme in der Schule bekommen.
- Kinder, die zweisprachig erzogen werden, können 30
von einer einsprachigen Gesellschaft ausgegrenzt
werden.
- Bei kleineren Kindern kommt es vor, dass sie
wegen ihrer zweiten Sprache von Spielkameraden
gehänselt werden. Dies kann negative Auswirkun- 35
gen auf die Entwicklung des Selbstbewusstseins
haben.
- Schwierigkeiten mit der Aussprache oder Grammatik können bei zweisprachig aufwachsenden
Kindern noch deutlich schwieriger zu beheben 40
sein als bei einsprachigen, da in jeder Sprache
korrigiert werden muss.

12

SCHREIBEN

3 Ihr Beitrag → AB 197/Ü21

Verfassen Sie einen Beitrag zu der Liste von Vor- und Nachteilen der Webseite „Bilingual erziehen". Schreiben Sie, ...

> mit welchen Argumenten für oder gegen Zweisprachigkeit Sie persönlich einverstanden sind.

> warum Sie eher für oder gegen eine zweisprachige Erziehung sind.

> welche Vorschläge Sie für die sprachliche Kindererziehung machen würden.

> welche Rolle die Schule bei der Spracherziehung spielen sollte.

auf einen Beitrag Bezug nehmen

„*Ich habe Ihre Tipps mit großem Interesse gelesen.*
Ich möchte gern auf einen Punkt näher eingehen.
Einen Punkt finde ich besonders wichtig.
Ich würde gern noch einen anderen Punkt ansprechen/aufgreifen/hinzufügen."

den eigenen Standpunkt darlegen und begründen

„*Meiner Meinung nach spricht das Argument ... für/gegen eine zweisprachige Erziehung.*
Aus meiner Sicht sollte man das Argument ... besonders ernst nehmen.
Ich vertrete diese Meinung aus folgendem Grund: ...
Es gibt folgende gute Gründe für/gegen ..."

Argumente zurückweisen

„*Das sehe ich ganz anders.*
Das überzeugt mich nicht ganz.
Da kann ich Ihnen leider nicht zustimmen."

Einwände formulieren

„*Dagegen spricht, dass ...*
Ich verstehe Ihre Position, aber trotzdem/dennoch ...
Das ist ein Problem, weil ..."

4 Partizipien als Nomen → AB 197–198/Ü22–23

GRAMMATIK
Übersicht → S. 170/3

a Ergänzen Sie.

1 Personen, die in einer Firma oder in einem Amt angestellt sind, nennt man Ange_____.
2 Kinder und Jugendliche, die noch heranwachsen, nennt man Heranwachs_____.

b Welche Endung passt?

1 Mit Angestellt_____ in Ämtern kann man verschiedene Sprachen sprechen.
2 Zwei Sprachen zu beherrschen, ist für Heranwachsend_____ nicht immer leicht.

Ich kann jetzt ...   ☺ ☺ ☹
- einen Beitrag zu einer Webseite schreiben.   ☐ ☐ ☐
- zu Aussagen anderer Stellung nehmen.   ☐ ☐ ☐
- Argumente für oder gegen Zweisprachigkeit formulieren.   ☐ ☐ ☐
- den eigenen Standpunkt begründen.   ☐ ☐ ☐

1 Deutsch in Europa

Arbeiten Sie zu dritt. In welchen Staaten ist Deutsch Amtssprache? Markieren Sie.

☐ Österreich   ☐ Dänemark   ☐ Liechtenstein   ☐ Deutschland   ☐ Tschechien
☐ Belgien   ☐ Luxemburg   ☐ Italien   ☐ Niederlande   ☐ Schweiz

2 Dreimal Deutsch

a **Sehen Sie die Fotos an. Zu welchem gemeinsamen Thema passen sie wohl? Sprechen Sie.**

A

Altstadt
Città Vecchia

3 talen,   1 ziel,   een België
3 langues,   1 âme,   une Belgique
3 Sprachen,   1 Seele,   ein Belgien

B

C

E SCHÉINE BONJOUR VU LËTZEBUERG
EINEN SCHÖNEN GRUSS AUS LUXEMBURG
BIEN LE BONJOUR DU LUXEMBOURG

12 🔘 38–40
CD 2

b **Hören Sie drei Aussagen. Welches Foto passt zu welcher Aussage? Ordnen Sie zu.**

Aussage 1: Foto _____   Aussage 2: Foto _____   Aussage 3: Foto _____

🔘 38–40
CD 2

c **Hören Sie die Aussagen noch einmal. Was erfahren Sie über die Verwendung des Deutschen in Medien, öffentlichem Leben und Schulen? Ergänzen Sie.**

In Luxemburg: _____

_____

In Südtirol: _____

_____

In Belgien: _____

3 Wortbildung: Fugenelement -s- bei Nomen → AB 198/Ü24–25

GRAMMATIK
Übersicht S. 170/4

a **Wann steht -s- zwischen den zusammengesetzten Nomen? Ergänzen Sie.**

> Ankündigungstext · Diskussionsrunde · Eigentumswohnung · Tätigkeitsbereich ·
> Dialektforschung · Freundschaftspreis · Grenzgebiet · Freiheitskampf ·
> Mundartgedicht · Zwillingsbruder · Identitätsverlust · Nachbarregion

-s- steht nach _-ung,_ _____

b **Erstellen Sie eine Übung für Ihre Lernpartnerin / Ihren Lernpartner. Schreiben Sie mindestens drei zusammengesetzte Nomen (mit oder ohne -s-) und lassen Sie in der Mitte eine Lücke. Ihre Lernpartnerin / Ihr Lernpartner ergänzt.**

Wohnung__wechsel
Literatur__preis
Aktion__tag

Ich kann jetzt …   😊 🙂 🙁
- benennen, wo Deutsch Amtssprache ist.   ☐   ☐   ☐
- aus kurzen Aussagen die wichtigsten Informationen entnehmen.   ☐   ☐   ☐
- in zusammengesetzten Nomen das Fugenelement -s- richtig anwenden.   ☐   ☐   ☐

SEHEN UND HÖREN

1 Sehen Sie das Foto an.

Welche Musikrichtung passt wohl
zu dieser Band? Sprechen Sie.

> Jazz · Folk · Techno · Metal · Rap · ...

**2 Hören Sie jetzt einen Ausschnitt
eines Films. Sprechen Sie.**

- In welcher Sprache wird hier wohl
  gesprochen und gesungen?
- Was davon haben Sie verstanden?
- Worum geht es in dem Film wohl?

3 Sehen Sie den Film nun in Abschnitten an.

Abschnitt 1
Sprechen Sie.
- Wo spielt die Szene?
- Worüber unterhalten sich die Personen?

Abschnitt 2
1 Sehen Sie den Abschnitt an und lesen Sie auch die Untertitel. Sprechen Sie.
   - Was für ein Wettbewerb ist „Plattsounds"?
   - Warum gibt es den Wettbewerb?

2 Wie gefällt Ihnen Plattdeutsch? Sprechen Sie.

Abschnitt 3
Notieren Sie. Was erfahren wir über ...?
- die „Tüdelband" _____
- den Wettbewerb _____
- die Internetplattform _____

Abschnitt 4
Was meinen Sie:
- Welche Sprache spricht der Mann am liebsten?
- Warum wird am Ende das ältere Ehepaar noch einmal gezeigt?
- Was ist die Pointe des Films?

4 Diskussion → AB 199/Ü26

Lesen Sie den Anfang eines Presseberichts. Diskutieren Sie in kleinen Gruppen:
- Ist ein Musikwettbewerb eine gute Aktion, um eine regionale Sprache zu erhalten? Warum (nicht)?
- Was für andere Aktionen könnte man zu diesem Zweck anregen?

> Mit dem Bandwettbewerb „Plattsounds" sollen Nachwuchs-Musiker für die niederdeutsche Sprache
> begeistert werden. Noch sprechen 2,6 Millionen Menschen in Norddeutschland Platt, vor 25 Jahren
> waren es allerdings doppelt so viele. „Sprache kann ganz schnell verloren gehen", sagte die Kultus-
> ministerin von Niedersachsen. „Wir befürchten zwar nicht, dass die niederdeutsche Sprache ausstirbt.
> Wir müssen aber etwas dafür tun, dass junge Leute sagen: ‚Plattdeutsch ist cool.'"

Ich kann jetzt ...   😊 😐 🙁
- einen Film über eine regionale Sprache verstehen.   ☐ ☐ ☐
- über den Erhalt von regionalen Sprachen diskutieren.   ☐ ☐ ☐

GRAMMATIK

1 Erweitertes Partizip ← S. 159/7

Das erweiterte Partizip kann wie der Relativsatz eine Person oder Sache genauer beschreiben.
Es übernimmt die Funktion eines Adjektivs und wird vor allem in der Schriftsprache verwendet.

	Beispiel	Relativsatz
Partizip 1 *nicht abgeschlossen, aktiv*	der ständig telefonierende Junge begeistert applaudierende Zuschauer	der Junge, der ständig telefoniert Zuschauer, die begeistert applaudieren
Partizip 2 *abgeschlossen, (meist) passiv*	schon lange bezahlte Rechnungen eine in kurzer Zeit gelernte Sprache	Rechnungen, die schon lange bezahlt wurden eine Sprache, die in kurzer Zeit gelernt wurde

2 Adversativsätze ← S. 165/3

Adversative Konnektoren drücken einen Gegensatz aus.

Konnektor	Beispiel
während	Auf dem Land wird man in Zukunft noch Dialekt hören, während Jugendliche in Städten fast nur noch Hochdeutsch sprechen.
dagegen	Jugendliche in Städten sprechen fast nur noch Hochdeutsch. Dagegen wird man auf dem Land in Zukunft noch Dialekt hören. / Auf dem Land wird man dagegen in Zukunft noch Dialekt hören.
im Gegensatz dazu	Jugendliche in Städten sprechen fast nur noch Hochdeutsch. Im Gegensatz dazu wird man auf dem Land in Zukunft noch Dialekt hören.

3 Partizipien als Nomen ← S. 167/4

Sie ermöglichen eine kurze, geschlechtsneutrale Ausdrucksweise: *Liebe Studenten, liebe Studentinnen = Liebe Studierende.* Auch als Nomen wird das Partizip wie ein Adjektiv dekliniert.

die/der Angestellte	Tanja ist in der Stadtverwaltung angestellt.	Tanja ist Angestellte in der Stadtverwaltung. Mit allen Angestellten kann man beide Landessprachen sprechen.
die/der Heranwachsende	Der Teenager Tim wächst heran.	Tim ist ein Heranwachsender. Für Heranwachsende ist Zweisprachigkeit meist kein Problem.

4 Wortbildung: Fugenelement -s- bei Nomen ← S. 168/3

Das Fugenelement -s- verbindet die Teile eines zusammengesetzten Nomens.
Es steht immer nach diesen Nachsilben.

-heit	Freiheitskampf
-ion	Diskussionsrunde
-ität	Identitätsverlust
-keit	Tätigkeitsbereich
-ling	Zwillingsbruder
-schaft	Freundschaftspreis
-tum	Eigentumswohnung
-ung	Ankündigungstext

12

ANHANG

Wichtige Redemittel / Kommunikation   172–181

WICHTIGE REDEMITTEL / KOMMUNIKATION

SICH UND ANDERE IM BERUF VORSTELLEN   **LEKTION 2**

Gesprächspartner begrüßen
Guten Tag, darf ich mich vorstellen?
Mein Name ist ... / Ich bin ...
Ich bin in der Firma ... tätig.

eine andere Person vorstellen
Darf ich Ihnen Frau / Herrn ... vorstellen?
Ich möchte Ihnen meine Kollegin / meinen Kollegen vorstellen.
Das ist meine Kollegin / mein Kollege, Frau / Herr ...

Tätigkeiten erläutern
Wir sind Mitarbeiter der Firma ... in der Abteilung ...
Ich bin Leiterin / Leiter des ... Bereichs ...
Ich persönlich bin verantwortlich für ...
Frau / Herr ist zuständig für ...
Sie / Er kümmert sich um ...
Unser Aufgabenbereich ist ...
Zu unseren Aufgaben gehört es, ...
Wir haben häufig / viel mit ... zu tun.

ÜBER FREUNDSCHAFTEN SPRECHEN   **LEKTION 1**

Ich würde sagen: Ich habe einige / viele / ein paar gute Freunde.
Meine beste Freundin / Mein bester Freund heißt ...
Wir haben uns in / bei ... kennengelernt.
Ich kenne sie / ihn seit ...
Ich kenne sie / ihn aus der Schule / dem Studium / der Firma / dem Urlaub ...
Wir sehen uns oft / selten / regelmäßig / ab und zu ...
Entweder gehen wir ... oder wir ...
Wir verstehen uns sehr gut, weil ... / obwohl ...

ÜBER ERLEBNISSE SPRECHEN   **LEKTION 1**

Ich habe (schon) oft festgestellt, dass ...
Mir ist aufgefallen, dass ...
Ich denke, es ist häufig so, dass ...
Etwas Ähnliches habe ich auch schon erlebt: ...

Am ersten Tag / In den ersten Tagen / In der ersten Woche /... haben wir schon etwas zu lachen gehabt: ...
... ist schon etwas Aufregendes passiert.

ETWAS BESCHREIBEN UND ERKLÄREN   **LEKTION 1, 4, 5, 7, 9, 11**

Bedeutungen erklären
Freund bedeutet für mich, ...
Das Wort Freund hat bei uns mehrere Bedeutungen: Einerseits ... andererseits ...
Mit dem Wort Freund bezeichnet man bei uns ...
Mit Freund ist bei uns eine Person gemeint, ...
Den Unterschied zwischen Freunden und Bekannten kennt man bei uns zwar auch, aber ...
Unter einem Freund versteht man bei uns sowohl ... als auch ...

Ein Foto beschreiben
Auf der linken Bildhälfte sieht die Frau ... aus.
Man hat den Eindruck, dass sie ...
Auf der rechten Bildhälfte dagegen wirkt sie ...
Man sieht, dass sie ...
Man würde (nicht) denken, dass ...
Vermutlich wurde sie ...

eine Statistik beschreiben
Die Statistik gibt Auskunft über ...
Sie informiert darüber, wie viel Prozent der Familien/Haushalte ...
Das Schaubild stellt dar, wie viele Kinder ...
In der Grafik / Im Schaubild wird ... mit ... verglichen.
Die Zahl der unehelichen Kinder / Ein-Personen-Haushalte ist ...
Dagegen hat ... (deutlich) zugenommen/abgenommen.
... gab/gibt es wesentlich mehr/weniger ... als ...
Dafür gibt es doppelt / fünfmal so viele ... wie ...

die Wirkung eines Fotos beschreiben
Auf dem Foto ... ist/sind ... abgebildet.
Das Besondere daran ist, dass ...
Auf dem Foto ... steht ... im Vordergrund. Das erkennt man an ...
Das Ganze wirkt ...
Man hat den Eindruck ...

über Fernsehserien sprechen
Ich denke, die Menschen brauchen Filme, die ...
Oft sind Ärzte und Ärztinnen in den Serien ...
Man identifiziert sich vielleicht mit ...

eine Tätigkeit beschreiben
Ich habe mal als ... gearbeitet.
Da musste ich von morgens bis abends / die ganze Nacht ...
Bei diesem Job konnte ich sehr selbstständig arbeiten.
Als ... hatte ich echt viel / wenig / kaum etwas zu tun.
Die Arbeit in ... / bei ... / als ... war sehr anstrengend/(un)angenehm/(un)interessant.

Auskunft über Verdienstmöglichkeiten geben
Als ... verdient man sehr gut/schlecht.
In der Fabrik kann man ... Euro pro Stunde/Tag/Nacht verdienen.
Am besten verdient habe ich ...
Die Tätigkeit in... / bei ... / als ... wird (nicht) gut bezahlt.

FRAGEN STELLEN UND BEANTWORTEN   LEKTION 1, 6, 9, 10, 11, 12

Fragen stellen
Ich hätte eine Frage zu ....
Mich würde mal interessieren, ...
Ich würde gern wissen, ... / Ich wüsste gern, ...
Ich hatte den Eindruck, dass ... Stimmt das?

Fragen beantworten / Bedenken entkräften
Ja, natürlich. ... ist doch wirklich für viele interessant.
Aber ... wird immer beliebter. Fast jeder in unserer Stadt hat/ist schon mal ...

(kritisch) nachfragen
Wie soll das Ganze funktionieren?
Ich kann mir nicht so richtig vorstellen, ...
Ist ... auch / dabei inbegriffen?
Das klingt schon recht verlockend, aber ...
Ich bin mir nicht sicher, ob ...

Weißt du, ob ... bei ... -beschwerden/-problemen hilft?
Hat jemand Erfahrung mit ...?
Mich würde interessieren, ob/wie/ ... wirkt?
Ich habe gehört/gelesen, dass ... funktioniert. Stimmt das?

Zu einem Punkt hätte ich noch eine Frage.
Könntet ihr bitte noch einmal sagen/erklären, ...
Einen Punkt habe ich nicht ganz verstanden. Warum ...? / Wie ...?

Ich bin nicht sicher, ob ich das richtig verstanden habe.
Kannst du das genauer erklären?
Was genau sind deine Vorstellungen in Bezug auf ...?

auf Fragen reagieren
... wirkt ziemlich gut bei .../-beschwerden.
... sollte man auf jeden/keinen Fall bei ... anwenden.
... kann ich persönlich nicht beurteilen, habe aber gehört, dass ...

DIE EIGENE MEINUNG / BEDENKEN ÄUSSERN   LEKTION 2, 5, 6, 7, 8, 12

die eigene Meinung äußern
Ich denke / meine / glaube, dass ...
Meiner Meinung / Ansicht nach ...
Ich bin davon überzeugt, dass ...
Ich halte das für ..., weil ...
Deshalb / Aus diesem Grund ...

Bedenken äußern
Ich denke, es ist problematisch, wenn man ...
Bedenklich/Problematisch ist es wahrscheinlich, ... zu ...
... zu ..., kann Probleme nach sich ziehen / zu Schwierigkeiten führen.
Es hat sicherlich Folgen, wenn man ...

Kann da jeder dran teilnehmen?
Ich bin mir nicht sicher, ob ...
Von ... bin ich nicht so überzeugt.
Ist das auch für ... geeignet?

einer Meinung zustimmen/widersprechen
Ich finde, ... hat recht, wenn sie/er sagt, dass ...
Ich sehe das ähnlich wie ...
Ich teile ... Meinung über ... (nicht).
Ich könnte mir schon vorstellen, ...
Für mich persönlich kommt ... nicht infrage, denn ...

WICHTIGE REDEMITTEL / KOMMUNIKATION

zu einem Thema schriftlich Stellung nehmen
In Ihrer Zeitungsmeldung berichten Sie über …
Zu … möchte ich Stellung nehmen.
Ich persönlich halte von … nichts/viel.
Die Bedeutung … wird überbewertet/unterschätzt.
Meiner Meinung nach sollte/müsste man …
… wäre keine / doch eine gute Idee.

einen Beschwerdebrief formulieren
Vor … Tagen kaufte ich …
Zu Hause ist mir dann aufgefallen, …
Beim Kauf / Bei diesem Produkt hatte ich (nicht) erwartet, dass …
Normalerweise bekommt man … und nicht …
Da dies nicht der Fall war, bitte ich Sie, …
Ich gehe davon aus, dass Sie …
Andernfalls werde ich …

auf einen Beitrag Bezug nehmen
Ich habe Ihre Tipps mit großem Interesse gelesen.
Ich möchte gern auf einen Punkt näher eingehen.
Einen Punkt finde ich besonders wichtig.
Ich würde gern noch einen anderen Punkt ansprechen/aufgreifen/hinzufügen.

ETWAS ZUSAMMENFASSEN UND BEWERTEN   LEKTION 1, 3, 4, 10, 11

Hauptaussagen eines Textes kurz zusammenfassen
In dem Text geht es darum, …
Es wird berichtet, …
Es hat sich gezeigt, dass …

eine Nachrichtenmeldung zusammenfassen und bewerten
Die folgende Nachricht stammt aus … vom …
Sie ist dort als … mit … präsentiert.
Die Nachricht ist auf … Weise präsentiert / dargestellt, denn …
Der Text ist gut verständlich / logisch aufgebaut / …
Sprachlich anspruchsvoll / gelungen / interessant … finde ich …
Diese Wörter aus dem Text möchte ich zuerst erklären / erläutern:
Am … ereignete sich in … Folgendes: …
Man erfährt außerdem, dass …
Ich habe die Nachricht gewählt, weil …
Aus folgendem Grund habe ich den Artikel ausgesucht: …

etwas bewerten
Im Moment kann ich noch nicht so viel sagen, weil …
Bisher gefällt mir der Kurs … ausgezeichnet / (sehr) gut / toll / super / (noch) nicht so gut / …, weil …

Ich muss sagen: So ein Auslandsaufenthalt ist in meinen Augen eine große Bereicherung.
Es war eine tolle / schwierige / interessante / lohnende Erfahrung.
Ich möchte diese Zeit nicht missen.
Ich muss zugeben, mit so einer Erfahrung hatte ich nicht gerechnet.

einen Text zusammenfassen
In dem Text geht es um …
Die Geschichte erzählt von …
Hier erfährt man, …

auf Fragen eingehen
Ja, ich finde wirklich, man sollte, ...
Es gibt gute Gründe, so zu handeln: ...
Nein, ich denke, die Frau auszuschließen, geht zu weit.
Denken Sie doch mal an die Konsequenzen! Was wäre, wenn ...?

WÜNSCHE, VORLIEBEN ÄUSSERN	LEKTION 4

Mich interessiert vor allem ...
... käme für mich infrage.
... wäre etwas für mich.
Noch lieber würde ich ...

ZIELE FORUMULIEREN	LEKTION 1

Ich hoffe, wir lernen noch ...
Ich würde gern noch mehr ... lernen, denn für mich ist es wichtig, dass ...
Ich fände es gut, wenn wir ..., denn ich brauche ...

EINE DISKUSSION FÜHREN	LEKTION 3, 4, 5, 6, 7, 9, 11, 12

Argumente formulieren
Die Idee, ... zu ..., ist prima!
Beide Vorschläge finde ich interessant, denn ...
Ich habe bereits Erfahrungen mit ...
... hat ... den Vorteil, dass man ...
Andererseits spricht auch einiges für ...
Zum Beispiel braucht man dafür kein/e ...
Ich könnte mir gut vorstellen, dass ...
Alles in allem scheint mir ... das passendere Geschenk zu sein.

den eigenen Standpunkt darlegen und begründen
Meiner Meinung nach spricht das Argument ... für/gegen ...
Aus meiner Sicht sollte man das Argument ... besonders ernst nehmen.
Ich vertrete diese Meinung aus folgendem Grund: ...
Es gibt folgende gute Gründe für/gegen ...

Man solle/kann/darf/muss doch (nicht) ...
Es gibt gute Gründe dafür: ...
Die Konsequenzen sind doch klar: ...

Vor- und Nachteile darstellen
In diesem Job hat man sicher die Chance, ...
Auf jeden Fall kann man in kurzer Zeit ...
Vermutlich wird man bewundert, weil ...

Andererseits muss man aber darauf achten, ...
Für junge Menschen könnte es riskant sein, ...
Kritisch wird es auch, wenn ...

jemandem etwas raten
An deiner Stelle würde ich ...
Warum versuchst du nicht, ...?
Probier doch mal ...
Wenn du wirklich ... werden möchtest, würde ich auf jeden Fall ...
... solltest du unbedingt ausprobieren/machen (lassen).

jemandem von etwas abraten
Von ... kann ich nur abraten.
Auf keinen Fall solltest du ... Die Folgen sind nämlich ...
... ist viel zu gefährlich / absolut übertrieben.
Dass ... ungefährlich ist, behauptet nur, wer keine Ahnung von ... hat.
... ist weder effektiv, noch ...

einen Vorschlag machen und begründen
Meine Nummer eins ist auf jeden Fall ..., weil ...
Also ich bin ganz klar für ..., denn ...
... ist für unsere Stadt ideal, weil ...

Ich schlage vor, wir nehmen ... Es eignet sich besonders, denn ...
Mir gefällt an dem Bild ..., dass es ...
Wichtig finde ich ... Deshalb scheint mir ...

auf Bewertungen von Gesprächspartnern positiv reagieren
Da stimme ich dir zu.
Ich bin ganz deiner Meinung.
... ist mir auch sehr wichtig, weil ...
Mir wäre ... auch am liebsten.

dem Gesprächspartner widersprechen
Da bin ich nicht ganz deiner Meinung: Das Foto mit ... ist nicht so passend, weil ...
Das Foto ... finde ich zwar ..., aber ...
Ich hätte einen anderen Vorschlag, und zwar ...

Argumente zurückweisen
Das sehe ich ganz anders.
Das überzeugt mich nicht ganz.
Da kann ich Ihnen leider nicht zustimmen.

auf Bewertungen von Gesprächspartnern negativ reagieren
In diesem Punkt kann ich (dir) leider nicht zustimmen.
In diesem Punkt bin ich anderer Meinung.
... ist nicht so wichtig für mich, weil ...

Einwände formulieren
Dagegen spricht, dass ...
Ich verstehe Ihre Position, aber trotzdem/dennoch ...
Das ist ein Problem, weil ...

über Chancen sprechen
Ein Vorteil dieser Familienform ist auf jeden Fall, dass ...
Das Gute ist, dass man bereits ...
Natürlich müssen die Familienmitglieder (sich) erst einmal ...

über mögliche Probleme sprechen
Möglicherweise hat man auch nicht genug Verständnis für ...
Problematisch könnte es werden, wenn ...
Nicht so einfach scheint mir ...

eine Empfehlung aussprechen
Ich kann so einen Auslandsaufenthalt nur weiterempfehlen.
Ich würde Dir so einen Aufenthalt auch empfehlen.
Du solltest Dir wirklich überlegen, auch eine Zeit im Ausland zu verbringen.

zu einer Entscheidung kommen
Dann sind wir also einer Meinung, dass ... am besten geeignet ist.
Gut, dann entscheiden wir uns also für ...
Da hast du / Da habt ihr recht. Das wäre wohl dann das beste Angebot.

Lass uns doch noch einmal überlegen, was ... aussagen soll.
Na gut, im Grunde finde ich das ... Bild auch ...
Könnten wir uns auf ... einigen?

ETWAS PRÄSENTIEREN   LEKTION 1, 8, 10, 12

die Präsentation einleiten
Ich habe mich für ... entschieden.
Ich habe sie ausgewählt, weil ...
Ich kenne sie / die beiden aus ...
Bei uns kennt man sie / die beiden aus ...
Das Besondere an ihnen / den beiden ist ...

die Idee eines Projekts darlegen
Unserer Meinung nach gibt es viel zu wenig Bewusstsein für ...
Deshalb wollen wir darauf aufmerksam machen, dass ...
Die Idee, ... zu ..., hat uns sehr angesprochen.

den Ablauf des Projekts schildern
Man könnte das Ganze folgendermaßen organisieren: Zuerst .../Anschließend ...
Wir zeigen euch einmal, wie es ablaufen könnte: ...
Dazu müsste man vor allem ...
Hier seht ihr zum Beispiel, wie/was/wo/wie viel ...
Es ist eine wertvolle Erfahrung, wenn man einmal selbst ...
Man verändert dann etwas, wenn viele ...

einen Service anbieten
Wir können euch etwas ganz Einmaliges anbieten, nämlich ...
So etwas bekommt ihr sonst nirgendwo.
... ist eine unglaubliche Erleichterung im Alltag. Man muss nie mehr ...

eine Zielgruppe benennen und charakterisieren
Wir haben als Zielgruppe ... gewählt.
In unserem Heimatland gibt es sehr viele ..., die gern einmal ...
Für sie wäre besonders wichtig, dass sie ... können.
Folgender Reisevorschlag ist für diese Zielgruppe geeignet: ...

Übergänge formulieren
Als nächstes möchte ich ...
Wichtig ist hier noch zu erwähnen, dass ...
Man sollte auch nicht vergessen, dass ...
Außerdem ...; Darüber hinaus ...;
Nicht zuletzt ...

den Inhalt eines Reisevorschlags präsentieren
Es gibt eine Fülle von Aktivitäten: ...
Täglich bieten wir ein Programm mit vielen Angeboten zum Entspannen: ...
Die Ausrüstung bringen die Gäste mit / wird gestellt.
Wir reisen hauptsächlich/ausschließlich mit ...
Frühstück gibt es ... Das Mittagessen wird ... eingenommen.
Zum Abendessen laden wir die Gäste zu ... Spezialitäten ein.
Die Gäste übernachten in einem/einer ...

die Präsentation abschließen
Für mich persönlich sind sie / die beiden ein Beispiel für eine ungewöhnliche Freundschaft, weil ...
Ich hoffe, ich konnte euch / Ihnen ein paar spannende Einblicke geben.
Ich danke euch / Ihnen für eure / Ihre Aufmerksamkeit.
Habt ihr / Haben Sie Fragen?

die Zuhörer um ein Feedback bitten
Uns würde interessieren, wie ihr dieses Projekt findet.
Was ist eure Meinung zu ...?
Denkt ihr, dass so eine Aktion Erfolg hätte?

Feedback geben / Nachfragen stellen
Das war ein sehr interessanter Vortrag. Könntest Du / Könnten Sie bitte noch einmal sagen / erklären ...
Wie hast Du / haben Sie das gemeint: ...
Wie ist es denn bei euch / Ihnen mit ...
Ich hätte noch eine Frage. Ist es denn so, dass ...

Das war eine sehr interessante Präsentation.
Eure Präsentation hat mir ausgezeichnet gefallen.
Bei eurer Präsentation fand ich besonders ... interessant.
Wo ihr euch noch verbessern könntet, ist bei der/dem ...

ÜBER ETWAS BERICHTEN
LEKTION 2, 4, 7, 8, 11

über Verhaltensweisen berichten
Bei uns in ... verhält man sich normalerweise nicht so / anders.
In meiner Heimat / meinem Heimatland hat man für so ein Verhalten totales / viel / kein Verständnis.
In ... gilt so ein Verhalten als normal/unhöflich/unmöglich.

über Perspektiven nach dem Schulabschluss sprechen
Schon während man zur Schule geht, kann/muss man ...
Schüler wissen bei uns nach der Schule oft schon/nicht ...
Sobald sie die Schule abgeschlossen haben, ...
Der Leistungsdruck während ... ist ...

über Familienkonstellationen sprechen
Zu meiner Familie gehören ...
Ich lebe mit meiner/meinem/meinen ... in ...
Das ist in meinem Heimatland ganz normal / etwas ungewöhnlich / ...
Aber im Haushalt meiner / meines ... zum Beispiel wohnen nicht nur ..., sondern auch ...
Außerdem kenne ich ein Paar, das ...

WICHTIGE REDEMITTEL / KOMMUNIKATION

über ein Gericht berichten
... ist ein typisches Gericht aus ...
Es hat seinen Namen von ...
Meist wird es zu ... gekocht/zubereitet/...
Dazu passt am besten ...
Es schmeckt/riecht ein bisschen nach ...
Man schneidet/schält/vermischt/brät/kocht zuerst ... Dann ...

über Erfahrungen berichten
Mit ... habe ich bereits gute/schlechte Erfahrungen gemacht: ...
... hat mir bei Problemen mit/in ... (nicht) geholfen.
Mit ... kenne ich mich ganz gut / ein bisschen / überhaupt nicht aus.

EIN BEWERBUNGSGESPRÄCH FÜHREN   LEKTION 4

sich vorstellen
Ich habe das Gymnasium / die Realschule / ... erfolgreich absolviert.
Im Rahmen eines Projektes habe ich bereits ...
Ich habe bereits Erfahrung in ...

eigene Stärken betonen
Ich glaube, ich wäre für diese Arbeit / Stelle geeignet, weil ...
Diese Arbeit würde ich wirklich gern machen, weil ...
Ich könnte mir gut vorstellen, das zu machen, weil ...

über Angebote informieren
Bei dieser Tätigkeit handelt sich um ...
Bei dieser Stelle ist ... wichtig.
Für diese Stelle müssen Sie ...
Sie werden vor allem ...

Fragen zur Person stellen
Wie sieht es bei Ihnen denn mit ... aus?
Wo sehen Sie denn Ihre Stärken?
Welche Qualifikationen bringen Sie für die Stelle mit?

jemandem zusagen/absagen
Ich halte Sie für (nicht) geeignet, weil ...
Ich würde Ihnen diese Stelle anbieten/empfehlen, denn ich glaube ...
Ich glaube, diese Stelle ist nichts für Sie, weil ...

GESCHÄFTLICH TELEFONIEREN   LEKTION 2

sich am Telefon melden
Guten Tag, hier spricht ...
Mein Name ist ...

den Grund eines Anrufs erläutern
Der Grund meines Anrufs ist: ...
Weswegen ich anrufe: ...
Ich habe am ..., aber die Rechnung ...
Nun hätte ich gern ...

einen Gesprächspartner um etwas bitten
Ich würde Sie bitten, ...
Wären Sie so freundlich und ...
Ich bitte Sie deshalb, mir ...

WICHTIGE REDEMITTEL / KOMMUNIKATION

über Studienwünsche sprechen
Bei uns wollen auch viele, so wie Anton/Sophie/..., studieren.
Folglich/Infolgedessen sind / gibt es / ist es ...
Sie haben oft schon gute/schlechte Erfahrungen mit ... gemacht, sodass sie ... möchten/suchen.
Infolge guter/schlechter Erfahrungen ... suchen/wollen viele ...

Angebote einer Hochschule bewerten
Für mich ist/sind ... besonders/sehr wichtig.
Ich sehe natürlich den Vorteil von ...
... ist dagegen weniger / nicht so wichtig für mich. / ... ist für mich eher ein Nachteil.
Was mir ein wenig fehlt, ist ...

Fragen nach Beschwerden stellen
Wo tut es Ihnen denn weh?
Was für eine Art Schmerz ist es denn?
Wie lange haben Sie das schon?
Haben andere in Ihrer Familie das auch?

Beschwerden beschreiben
Hier habe ich einen Ausschlag / rote Flecken / mehrere Insektenstiche / ...
Ich leide an Appetitlosigkeit.
Ich habe das / Man sieht das am ganzen Körper / im Gesicht / hier oben / unten / ...
Es ist ein dumpfer/stechender/pochender/intensiver/ziehender Schmerz.
Das / Diese Schmerzen habe ich erst seit kurzer Zeit / schon lange / seit ...

nach möglichen Ursachen fragen
Woher könnten Ihre Probleme kommen?
Welchen Beruf üben Sie aus?

Fragen nach Ursachen beantworten
Ich habe mich wohl in der Schule / in den öffentlichen Verkehrsmitteln / ... angesteckt.
Meine Schwester / ... hat(te) das auch (schon).
Zurzeit habe ich viel Stress im Beruf.
Ich sitze den ganzen Tag am PC.
Wahrscheinlich habe ich beim Sport übertrieben / Ich habe mich beim Sport verletzt.

Ursachen und Therapie erklären
Das kommt vom vielen Sitzen / von der Bildschirmarbeit /...
Das ist eine Allergie/Virus-Infektion/...
Die Ursache für diese Schmerzen ist der Knochen / der Nerv / der Muskel / ...
Sie bekommen / Ich gebe Ihnen nun ein/e ...Spritze/Schmerzmittel/Rezept.

Anweisungen geben
Am besten machen Sie das so: ...
Nehmen Sie die Tabletten ...
Reiben Sie die Stellen ... mit der Salbe ein.
Vermeiden Sie ... / Sorgen Sie für ...

Lösung zum Quiz auf Seite 82/83:

1 = c; 2 = c; 3 = b; 4 = b; 5 = b; 6 = b; 7 = a; 8 = a; 9 = b; 10 = c

Lösung zum Quiz auf Seite 86/87:

1 Arbil; 2 Philadelphia; 3 Babylon; 4 Chongqing; 5 London; 6 Tokyo; 7 New York; 8 Mumbai; 9 Hongkong;
10 Hamburg

Lösung zu Seite 105:

Äpfel: 2400 kg; Bier: 4161 Liter; Brot: 4522 kg; Butter und Margarine: 710 kg; Hühner: 720 Stück; Käse: 1226 kg;
Kartoffeln: 2355 kg; Milch: 3233 Liter; Reis: 392 kg; Rinder: 8 Stück; Schokolade: 912 kg; Schweine: 33 Stück;
Tomaten: 1968 kg; Wasser: 32536 Liter

Lösung zum Wissensspiel auf Seite 111:

Antworten Team A:

1: z.B. Äpfel, Birnen, Pflaumen, Aprikosen, Orangen,
   Zitronen, ...
2: z.B. Bohnen, Erbsen, Auberginen, Kartoffeln, ...
3: Eiweiß, Kohlenhydrate, Fett
4: Kohlenhydrate
5: z.B. Wurst, Käse, Schweinefleisch, Butter, Nüsse, ...
6: z.B. Orangen, Zitronen, Paprika, ...

Antworten Team B:

1: z.B. Himbeeren, Johannisbeeren, Erdbeeren,
   Brombeeren, ...
2: z.B. Karotten, Kohlrabi, Rettich, Radieschen, ...
3: z.B. Weizen, Hafer, Reis, Roggen, Gerste, ...
4: Eiweiß
5: z.B. Käse, Butter, Joghurt, Quark, Sahne, ...
6: z.B. Salz, Pfeffer, Kräuter, Curry, ...

Quellenverzeichnis Kursbuch

Cover: © Bader-Butowski/Westend61/Corbis

Seite 13: Florian Bachmeier, Schliersee

Seite 14: von oben nach unten: © fotolia/contrast-werkstatt, © Thinkstock/iStockphoto, © iStock-photo/Andresr, © Thinkstock/Digital Vision

Seite 18: oben © Thinkstock/Wavebreak Media; unten © istock/Elenathewise

Seite 19: oben © Thinkstock/iStockphoto; unten © fotolia/Irina Fischer

Seite 20: 1 © Thinkstock/iStockphoto; 2 © Panther-Media/Paul Simcock; 3 © iStockphoto/PinkTag; 4 © fotolia/Gordon Grand

Seite 21: © Thinkstock/iStockphoto

Seite 22: 1, 3 und 4 © Thinkstock/iStockphoto; 2 © Hueber Verlag

Seite 23: © Filmakademie Baden-Württemberg, „Annie und Boo", Johannes Weiland, 2003

Seite 25: © Alessandra Schellnegger/ SZ Photo

Seite 26: A © Mitteldeutsche Zeitung/Lutz Winkler; B © fotolia/contrastwerkstatt; C © Thinkstock/iStockphoto

Seite 27: © Thinkstock/Stockbyte

Seite 29: © Thinkstock/iStockphoto

Seite 30: links © Thinkstock/Ciaran Griffin; rechts © Thinkstock/iStockphoto; Texte Berufsporträts Corporate Blogger/Social Media Manager und Text Web-Guerillas: „Überraschung auf allen Kanälen", Jutta Pilgram, SZ vom 06.08.2011

Seite 34/35: Text „Das kann den Job kosten", Nicola Holzapfel, www.sueddeutsche.de vom 21.12.2009

Seite 36: © Uwe Fenner

Seite 39: © picture-alliance/Bodo Marks

Seite 40: A, B und C: Erol Gurian, München

Seite 41: links © Thinkstock/iStockphoto; rechts © iStockphoto/ajt

Seite 42: © picture-alliance/David Ebener

Seite 42/43: Text „Junge Menschen lesen immer noch Zeitung", Ileana Grabitz, WELT ONLINE vom 19.05.2011

Seite 46: links © Roxy Film; rechts © barefoot films GmbH/Béla Jarzyk Production GmbH/Warner Bros. Entertainment GmbH

Seite 48: oben © Thinkstock/iStockphoto; unten © Hueber Verlag

Seite 48/49: Text „TATORT Kneipe" nach „Schimanskis Fanmeile: Das Tatort-Public-Viewing", fudder, Neuigkeiten aus Freiburg, online verlag gmbh freiburg

Seite 50: A © fotolia/svort; B © iStockphoto/Alexander Podshivalov; C © fotolia/ag visuell; D © Thinkstock/ iStockphoto

Seite 51: © barefoot films GmbH/Béla Jarzyk Production GmbH/Warner Bros. Entertainment GmbH

Seite 53: © Diakonie Württemberg

Seite 55: A © Thinkstock/iStockphoto; B © Thinkstock/Brand X Pictures; C © fotolia/Ralf Hahn; D © www.auszeit-weltweit.de; E © picture-alliance/Andreas Gebert; F © mauritius images/Cusp

Seite 57: links © Getty Images/Digital Vision; rechts © iStock/MissHibiscus

Seite 58: links © action press/Jochen Zink; rechts © imago/CHROMORANGE

Seite 60: © Caro/Oberhaeuser

Seite 65: © Unilever/Dove

Seite 66: © iStockphoto/Ronald Hope

Seite 68: © RelaXimages.com

Seite 69: © glowimages/imagebroker.com

Seite 72/73: Text „Wie fit sind Sie?" © Feel-fit.com – Das Portal für Fitness, Sport und Ernährung

Seite 74: © fotolia/Alexander Rochau

Seite 75: links © iStockphoto/Steve Debenport; rechts © iStockphoto/Christopher Futcher

Seite 77: Logo und Foto © Kerstin Klauer-Hartmann

Seite 78: A © picture-alliance/Robert B. Fishman; B © Thinkstock/iStockphoto; C © Thinkstock/Fuse

Seite 80: Landkarte Schweiz © fotolia/artalis; A und C © Thinkstock/iStockphoto; B © Think-stock/Hemera

Seite 82: von oben nach unten: © fotolia/Pfluegl, © Thinkstock/iStockphoto, © iStock/tupungato, © Thinkstock/iStockphoto, © Thinkstock/iStockphoto, © fotolia/johas

Seite 83: von oben nach unten: © iStockphoto/vincevoigt, © Thinkstock/Top Photo Group, © Thinkstock/Medioimages/Photodisc, © PantherMedia/Andreas Weber

Seite 84: 1 © picture-alliance/ Wolfram Stein; 2 © picture-alliance/Eventpress Herrmann; 3 © fotolia/Ingo Wiederoder; A © Thinkstock/Ron Chapple Studios; B © Thinkstock/iStockphoto

Seite 85: C © Thinkstock/ iStockphoto

Seite 86: © Thinkstock/iStockphoto

Seite 87: von oben nach unten: © Thinkstock/Top Photo Group, © Thinkstock/Image Source, © iStockphoto/nonimatge, © Thinkstock/iStockphoto

Seite 86/87: Text „Zehn Dinge die Sie noch nicht wussten über... Städte", www.sueddeutsche.de

Seite 88: A © www.sportfoto.ws; B © SZ Photo / Catherina Hess; C © Gregor Feindt

Seite 89: A © action press/Sebastian Widmann; B © Thinkstock/iStockphoto

Seite 91: © Enno Kapitza

Seite 92: Familie und Patchworkdecke © Thinkstock/iStockphoto

Seite 94: © Thinkstock/iStockphoto